101
REFLEXÕES
que vão
MUDAR
sua
FORMA DE
PENSAR

101 REFLEXÕES *que vão* MUDAR *sua* FORMA DE PENSAR

BRIANNA WIEST

TRADUÇÃO DE
Alexandre Raposo

Copyright © 2016 by Brianna Wiest

TÍTULO ORIGINAL
101 Essays That Will Change the Way You Think

REVISÃO
Júlia Ribeiro
Juliana Pitanga
Letícia Féres

ADAPTAÇÃO DE PROJETO GRÁFICO E DIAGRAMAÇÃO
DTPhoenix Editorial

DESIGN DE CAPA
Thought Catalog Books

ADAPTAÇÃO DE CAPA
Julio Moreira | Equatorium Design

CIP-BRASIL. CATALOGAÇÃO NA PUBLICAÇÃO
SINDICATO NACIONAL DOS EDITORES DE LIVROS, RJ

W651c   Wiest, Brianna, 1992-
        101 reflexões que vão mudar sua forma de pensar /
      Brianna Wiest; tradução Alexandre Raposo. – 1. ed. – Rio
      de Janeiro: Intrínseca, 2022.
        384 p.; 21 cm.

        Tradução de: 101 essays that will change the way
     you think
        ISBN 978-65-5560-527-3

        1. Mudança (Psicologia). 2. Inteligência emocional.
     3. Técnicas de autoajuda. I. Raposo, Alexandre. II. Título.

                         CDD: 158.1
21-74674   CDU: 159.947

  Meri Gleice Rodrigues de Souza – Bibliotecária – CRB-7/6439

[2022]
Todos os direitos desta edição reservados à
EDITORA INTRÍNSECA LTDA.
Av. das Américas, 500, bloco 12, sala 303
22640-904 – Barra da Tijuca
Rio de Janeiro — RJ
Tel./Fax: (21) 3206-7400
www.intrinseca.com.br

SUMÁRIO

Introdução — 13

1 — Comportamentos subconscientes que impedem você de ter a vida que deseja — 15

2 — A psicologia da rotina diária — 19

3 — 10 coisas que pessoas emocionalmente inteligentes não fazem — 23

4 — Como as pessoas que deixamos de amar voltam a ser estranhas — 27

5 — 16 sinais de uma pessoa socialmente inteligente — 30

6 — Sentimentos desconfortáveis que, na verdade, indicam que você está no caminho certo — 35

7 — O que os sentimentos que você mais reprime estão tentando lhe dizer — 39

8 — Aquilo em você que não faz parte do seu "eu" — 43

9 — 20 sinais de que você está se saindo melhor do que pensa — 45

10 — Rompendo o seu "limite superior" e como as pessoas se privam de alcançar a verdadeira felicidade — 49

11 — A felicidade da excelência — 56

12 — A lacuna do saber-fazer: por que evitamos fazer o que é melhor para nós e como conquistar a resistência de vez — 58

13 — 101 coisas melhores para pensar do que seja lá o que estiver consumindo você — 61

14 — Expectativas que você deve
abandonar aos vinte anos — 71

15 — Leia isto se você "não sabe o que
está fazendo" da sua vida — 77

16 — 8 perspectivas cognitivas que criam a maneira
como você percebe a sua vida — 79

17 — O que as pessoas emocionalmente
estruturadas não fazem — 83

18 — 10 pontos-chave que não entendemos
sobre a emoção — 86

19 — Pequenas coisas que estão afetando a
maneira como você se sente em relação ao seu
corpo sem você perceber — 90

20 — Metas que ajudam você a desfrutar o que você tem
em vez de correr atrás do que não tem — 94

21 — 102 maneiras de impedir que pensamentos
irracionais arruínem a sua vida — 98

22 — O zen inerente da criatividade — 111

23 — Tudo está aqui para ajudar
você: como pessoas intrinsecamente
motivadas se tornam as melhores
versões de si mesmas — 114

24 — Como saber se a única coisa no caminho da sua
felicidade é você mesmo — 116

25 — A psicologia da ação e as três etapas para
criar hábitos autônomos — 119

26 — A única pergunta a se fazer se você está
cansado de lutar pelo amor de alguém — 122

*27 — Esteja onde seus pés estão: mantras
que o lembrarão que a sua vida está
acontecendo neste momento — 124*

*28 — 16 perguntas que mostrarão quem você é
(e o que deve fazer) — 126*

*29 — Como saber que você evoluiu
mais do que pensa — 128*

*30 — Sinais de que o único problema da sua vida é a
maneira como você a encara — 131*

*31 — Você discute com inteligência?
Da defesa à réplica, as 7 principais maneiras
como as pessoas brigam — 135*

*32 — Sinais de que seu colapso mental
é na verdade um avanço emocional — 137*

*33 — Como parar de se preocupar com a forma como
sua vida parece ser e se concentrar em como ela é — 140*

34 — Por que você não deve procurar comodidade — 144

*35 — Os 6 pilares da autoestima: não se
trata de como você se sente, mas sim do que
você pensa ser capaz — 147*

*36 — Por que você deve agradecer às pessoas que
mais o magoaram na vida — 150*

*37 — Tentar dar sentido à vida é o que está
impedindo você de avançar — 153*

*38 — Como desintoxicar a sua mente (sem precisar
sair completamente de cena) — 156*

*39 — 12 sinais de que o único problema da sua vida
é pensar mais do que viver — 161*

40 — Por que as pessoas lógicas têm uma vida melhor (em uma época em que a "paixão" é um prêmio) — 164

41 — Coisas que você precisa saber sobre si mesmo antes de ter a vida que deseja — 171

42 — Coisas que pessoas emocionalmente saudáveis sabem fazer — 176

43 — Como avaliar uma boa vida — 180

44 — Existe uma voz que não usa palavras; é assim que você a ouve — 183

45 — Experiências para as quais ainda não temos palavras — 185

46 — Como se tornar o seu pior inimigo (sem perceber) — 189

47 — Se víssemos almas em vez de corpos — 192

48 — 16 razões pelas quais você ainda não tem o amor que deseja — 194

49 — Como mudar a sua vida este ano (de verdade) — 200

50 — Como perdemos a cabeça pelos deuses de outras pessoas — 203

51 — Como se desapegar da ideia de alguém — 208

52 — Por que nosso subconsciente adora criar problemas para nós mesmos — 211

53 — Por que uma alma deseja um corpo? — 213

54 — A importância da tranquilidade: por que é imperativo reservar tempo para não fazer nada — 216

55 — Por que você está tendo dificuldades em seus
relacionamentos, de acordo com seu estilo de apego — 220

56 — 16 maneiras pelas quais as emoções reprimidas
estão aparecendo em sua vida — 224

57 — 50 pessoas e o pensamento
mais libertador que já tiveram — 227

58 — Você só tem vinte anos —
não é tarde demais para recomeçar — 235

59 — 17 ideias que você tem sobre a sua vida
que só o estão atrasando — 237

60 — Como se tornar o tipo de pessoa
que merece a vida dos sonhos — 241

61 — Coisas que esperamos dos outros (mas que quase
nunca consideramos mudar em nós mesmos) — 246

62 — Você não precisa "se amar" para ser digno
do amor de outra pessoa — 250

63 — 30 perguntas que você precisa fazer a si mesmo se
ainda não encontrou o relacionamento que deseja — 252

64 — O maior tabu em nossa cultura é a honestidade
radical, e esse é o problema — 256

65 — 7 razões pelas quais o sofrimento costuma ser
crucial para o crescimento humano — 260

66 — Por que nos agarramos mais às coisas
que não significam nada para nós — 264

67 — Seus vinte anos são muito curtos para estas coisas — 266

68 — Quanto mais satisfeito você estiver com uma decisão,
menos precisará que outras pessoas estejam, e 11 outras
coisas que pessoas realmente realizadas sabem — 272

69 — *O que as pessoas que perderam um amor sabem* — 277

70 — *Simplicidade* — 281

71 — *18 pequenos lembretes para quem sente que não sabe o que está fazendo da vida* — 284

72 — *A arte da conscientização, ou como não se odiar* — 287

73 — *10 perguntas para quando você não souber o que fazer da vida* — 293

74 — *Não existe esse negócio de deixar ir; existe apenas aceitar o que já foi* — 296

75 — *Você é um livro de contos, não um romance* — 299

76 — *Sinais diários de que o mundo está passando por uma mudança de consciência* — 301

77 — *Por que valorizamos tanto o nosso sofrimento?* — 305

78 — *O que você encontra na solidão* — 307

79 — *Como criar uma geração de jovens sem problemas de ansiedade* — 309

80 — *Guia da inteligência emocional para idiotas: por que precisamos da dor* — 312

81 — *Todo relacionamento que você tem é com você mesmo* — 315

82 — *15 maneiras rápidas de aprofundar o seu relacionamento com qualquer pessoa* — 318

83 — *Permita-se ser mais feliz do que você acha que merece* — 321

84 — *Como pensar por si mesmo: um guia de 8 etapas* — 324

85 — A razão muito importante pela qual escolhemos
amar pessoas que não podem retribuir esse amor — 327

86 — Nem todo mundo o amará
da maneira que você compreende — 329

87 — Como domar os seus demônios interiores — 332

88 — Por que rejeitamos o pensamento positivo — 334

89 — A filosofia da não resistência: a diferença entre
"seguir a corrente" e se tornar um capacho — 336

90 — Você precisa ser gentil consigo mesmo até
quando parece que não merece — 338

91 — Os 15 tipos mais comuns de
pensamentos distorcidos — 340

92 — 101 coisas mais importantes
do que sua aparência — 345

93 — 7 princípios zen (e como aplicá-los
à vida moderna) — 354

94 — 6 sinais de que você tem uma
sensibilidade social saudável — 358

95 — O agora é tudo o que você tem — 360

96 — A arte de não pensar — 363

97 — A diferença entre como você se sente e como
você pensa que se sente — 366

98 — O poder do pensamento negativo — 369

99 — O que você precisa fazer para acabar
com a ansiedade na sua vida — 372

100 — Pare de perseguir a felicidade — 377

101 — O que você precisa saber se estiver experimentando metanoia: uma mudança de mente, coração, de si mesmo ou de seu modo de vida — 379

INTRODUÇÃO

Em seu livro *Sapiens*, o dr. Yuval Noah Harari explica que, a certa altura, havia mais do que apenas *Homo sapiens* vagando pela Terra.[1] Na verdade, provavelmente havia até seis tipos diferentes de humanos: *Homo sapiens, Homo neanderthalensis, Homo soloensis, Homo erectus* etc.

Há uma razão para o *Homo sapiens* ainda existir e os outros não terem continuado a evolução: um córtex pré-frontal, que podemos inferir das estruturas esqueléticas. Essencialmente, tínhamos a capacidade de pensar de forma mais complexa e, portanto, conseguimos organizar, cultivar, ensinar, praticar, habituar e transmitir um mundo adequado para a nossa sobrevivência. Com a nossa imaginação, fomos capazes de construir a Terra como ela é hoje praticamente do nada.

De certa forma, a noção de que os pensamentos criam a realidade não é apenas uma boa ideia: é também um fato da evolução. Foi por meio da linguagem e do pensamento que criamos um mundo dentro da nossa mente e, na verdade, foi por meio da linguagem e do pensamento que evoluímos até a sociedade atual — para o melhor e o pior dela.

Quase todo grande mestre, artista, professor, inovador, inventor e quase toda pessoa feliz no geral pode atribuir ao seu sucesso o fato de terem tido uma atitude semelhante. Muitas das "melhores" pessoas do mundo compreenderam que, para mudar de vida, precisavam mudar a mente.

Essas são as mesmas pessoas que nos transmitiram um pouco da sabedoria popular mais antiga: acreditar é se tornar; a mente deve ser dominada; e o obstáculo é o caminho.[2] Muitas vezes, o desconforto mais intenso que sentimos é o que precede esse movimento

---

1 Harari, Yuval Noah. *Sapiens: uma breve história da humanidade*. Companhia das Letras, 2020.
2 Holiday, Ryan. *O obstáculo é o caminho*. Bicicleta Amarela, 2021.

e exige que pensemos de uma maneira que nunca havíamos concebido. Essa nova consciência cria possibilidades que jamais existiriam se não tivéssemos sido forçados a aprender algo novo. Por que nossos ancestrais desenvolveram a agricultura, a sociedade, a medicina e coisas semelhantes? Para sobreviver. Os elementos de nosso mundo um dia foram apenas soluções para os nossos medos.

Se você aprender conscientemente a considerar os "problemas" em sua vida aberturas para adotar uma maior compreensão e desenvolver uma maneira melhor de viver, sairá do labirinto do sofrimento e aprenderá o significado de prosperidade.

O pensamento é a base de todas as nossas ações. Mas, diferentemente do que se pode imaginar, aprender a pensar é também aprender a amar, compartilhar, coexistir, tolerar, doar, criar. Nosso dever mais importante é aproveitar o potencial com o qual nascemos — tanto para nós mesmos quanto para o mundo.

O que está nas entrelinhas de tudo o que escrevo é: "Essa ideia mudou a minha vida." Porque o que muda a nossa vida são as ideias — e essa foi a primeira ideia que mudou a minha.

Brianna Wiest — julho de 2016

1

COMPORTAMENTOS SUBCONSCIENTES
que
IMPEDEM VOCÊ
de ter A VIDA
QUE DESEJA

Cada geração tem uma espécie de "monocultura", um padrão de governo ou sistema de crenças entendido inconscientemente como "verdadeiro".

É fácil identificar a "monocultura" da Alemanha na década de 1930 ou dos Estados Unidos em 1776. O que as pessoas naquela época e naqueles lugares aceitavam como "bom" e "verdadeiro" é evidente, mesmo que, na realidade, nem sempre tenha sido o caso.

A objetividade necessária para perceber os efeitos da "monocultura" atual é muito difícil de ser desenvolvida. Quando uma ideia é amplamente aceita como "verdadeira", deixa de ser registrada como "cultural" ou "subjetiva".

Grande parte de nossa inquietação é resultado de uma vida que não desejamos, apenas porque aceitamos, sem pensar, uma narrativa interna daquilo que é "normal" e "ideal".

Os fundamentos de qualquer "monocultura" tendem a cercar aquilo pelo que deveríamos viver (nação, religião, nós mesmos etc.), e há uma série de maneiras pelas quais o nosso sistema atual nos leva a dar um tiro no pé quando tentamos avançar. Aqui temos oito das mais difundidas:

01 | Você acredita que, para melhorar de vida, é preciso decidir o que quer e depois correr atrás do objetivo, mas, na

realidade, você é psicologicamente incapaz[3] de prever o que o fará feliz.

Seu cérebro só é capaz de perceber o que já conhece, então, quando você escolhe o que deseja para o futuro, na verdade está apenas recriando uma solução ou ideal do passado. Quando as coisas não tomam o rumo desejado, você só pensa que falhou porque não recriou algo que considerava desejável. Na verdade, é provável que tenha criado algo melhor, mas, por ser diferente, seu cérebro interpretou como algo "ruim". (Moral da história: viver o momento presente não é um ideal sublime reservado para as pessoas zen e os iluminados; é a única maneira de viver uma vida que não seja repleta de ilusões. É a única coisa que seu cérebro pode compreender de verdade.)

02 | Você extrapola o momento presente porque acredita que o sucesso é um lugar que precisa ser "alcançado". Então, está sempre tentando fazer uma rápida avaliação pontual de sua vida e ver se já pode ser feliz.

Você se convence de que qualquer momento representa sua vida como um todo. Por estarmos programados para acreditar que o sucesso é um lugar ao qual devemos chegar — onde as metas são cumpridas e as coisas são concluídas —, estamos sempre medindo os nossos momentos presentes por quão "finalizados" eles estão, quão bem a história soa, como outra pessoa julgaria aquela conversa banal. Nós nos pegamos pensando: "Será que isso é tudo o que existe?", porque esquecemos que tudo é transitório e nenhuma instância pode resumir o todo. Não há um lugar para "chegar". A única coisa para a qual você está correndo é a morte. O sucesso não está nas metas cumpridas, mas sim no quanto você cresce durante o processo.

---

3 Gilbert, Daniel. *Felicidade por acaso: como equilibrar as expectativas do futuro para alcançar uma vida feliz no presente.* Companhia das Letras, 2021.

03 | Você supõe que, quando se trata de seguir os seus "instintos mais profundos", a felicidade é "boa" e o medo e a dor são "ruins".

Quando você pensa em fazer algo que realmente ama e com o qual está envolvido, sente uma onda de medo e dor, principalmente porque isso significa se tornar vulnerável. Os sentimentos ruins nem sempre devem ser interpretados como impedimentos — também podem ser um sinal de que você está fazendo algo assustador e que vale a pena. Afinal, você se torna indiferente diante de algo que não quer fazer. Medo = interesse.

04 | Você cria problemas e crises desnecessárias em sua vida porque tem medo de vivê-la de verdade.

O hábito de gerar crises desnecessárias na vida é, na verdade, uma técnica de prevenção. Isso o distrai de ter que se tornar vulnerável ou de ser responsabilizado por tudo aquilo de que tem medo. Você nunca se preocupa pelo motivo que imagina — no centro do seu desejo de criar um problema está apenas o medo de ser quem você é e de viver a vida que deseja.

05 | Você acha que, para mudar as suas crenças, precisa adotar uma nova linha de pensamento, em vez de buscar experiências que tornem esse pensamento evidente.

Uma crença é o que você sabe ser verdadeiro porque a experiência tornou aquilo evidente. Se você quer mudar a sua vida, mude as suas crenças. Se você quiser mudar as suas crenças, saia e tenha experiências que tornem os novos pensamentos reais para você. Não o contrário.

06 | Você acha que "problemas" são obstáculos para alcançar o que deseja, quando na realidade são caminhos.

Marco Aurélio resumiu bem: "O impedimento para a ação a faz avançar. O que se interpõe no caminho torna-se o caminho." Em resumo, encontrar um "problema" o obriga a agir para resolvê-lo. Inevitavelmente, essa ação o levará a pensar de outra maneira, se comportar de outra maneira e escolher de outra maneira. O "problema" se torna um catalisador para você conquistar a vida que sempre desejou. Ele o tira de sua zona de conforto.

07 | Você acha que o seu passado o define e, pior, que é uma realidade imutável, quando, na verdade, sua percepção de passado muda com você.

Como a experiência é sempre multidimensional, há uma variedade de lembranças, vivências, sentimentos, "essências" que você pode escolher para relembrar... e o que você escolhe reflete seu estado mental atual. Muitas pessoas permitem que o passado as defina ou assombre simplesmente porque não evoluíram o suficiente para verem como ele não as impediu de alcançarem a vida que desejavam. Na verdade, ele as ajudou. Isso não significa ignorar ou encobrir experiências dolorosas ou traumáticas, mas ser capaz de lembrá-las com aceitação e situá-las no contexto de sua evolução pessoal.

08 | Você tenta mudar as pessoas, situações e coisas (ou apenas reclama ou fica chateado com elas), sem saber que raiva = autorreconhecimento. A maioria das reações emocionais negativas significa que você está identificando um aspecto dissociado de si mesmo.

Seus "eus sombrios" são aquelas partes de você que o convenceram em algum momento de que "não eram legais", e então você as reprimiu e fez tudo ao seu alcance para não reconhecê-las. Mas isso não significa que você não goste dessas partes de si mesmo. Por isso, ver outra pessoa exibindo uma dessas características o deixa irritado, não porque não goste inerentemente daquilo, mas porque precisa lutar contra o seu desejo de integrá-las plenamente em sua consciência. O que você ama nos outros é o que ama em si mesmo. O que você odeia nos outros é aquilo que não consegue ver em si mesmo.

2

A
PSICOLOGIA
da ROTINA DIÁRIA

As pessoas mais bem-sucedidas da história — aquelas consideradas por muitos como "gênios" em suas áreas de atuação, mestres em seus ofícios — tinham uma coisa em comum, além do talento: a maioria aderia a rotinas rígidas (e específicas).

As rotinas parecem enfadonhas, a antítese do que dizem constituir uma "vida boa". Deduzimos que a felicidade vem da eterna busca por "mais", seja lá o que for esse "mais". No entanto, o que não percebemos é que ter uma rotina não significa se sentar no mesmo escritório todos os dias por um determinado número de horas. Sua rotina pode ser viajar para um país diferente a cada mês. Pode ser rotineiramente não rotineira. A questão não é no que consiste a rotina, mas como sua mente subconsciente se torna estável e segura ao manter movimentos repetidos e conseguir resultados esperados.

Não importa no que você deseja que consista a sua vida cotidiana, o importante é que você decida e se atenha a isso. Em suma, a rotina é importante porque o hábito cria o seu estado de espírito, e o seu estado de espírito cria o aspecto "bem-sucedido" de sua personalidade. Além disso, se deixar abalar pela impulsividade é um terreno fértil para tudo aquilo que você essencialmente não deseja.

A maioria das coisas que trazem a verdadeira felicidade não são apenas gratificações temporárias e imediatas; elas vêm com resistência e exigem sacrifício. No entanto, há uma maneira de anular o sentimento de "sacrifício" quando você integra uma tarefa à "norma" ou impõe resistência à regra. Por essas e todas as outras razões, a rotina é tão importante (e as pessoas felizes tendem a segui-la).

01 | Seus hábitos criam o seu estado de espírito, e seu estado de espírito é um filtro pelo qual você experimenta a vida.

Faria sentido supor que o estado de espírito é criado a partir de pensamentos ou fatores de estresse, coisas que surgem durante o dia e nos perturbam. Mas não é assim. O psicólogo Robert Thayer argumenta que os estados de espírito são criados por nossos hábitos: o quanto dormimos, o quanto movimentamos nosso corpo, o que pensamos, com que frequência pensamos e assim por diante. A questão é que não é um pensamento o que nos deixa inquietos: o padrão de vivenciar continuamente esse pensamento é que aumenta seu efeito e o faz parecer válido.

02 | Você deve aprender a deixar suas decisões conscientes — não seus medos ou impulsos — ditarem o seu dia.

Uma mente indomada é um campo minado. Sem regras, foco, base ou autocontrole, qualquer coisa pode persuadi-lo a pensar que você deseja algo que, na verdade, não deseja. "Quero sair para tomar um drinque hoje à noite em vez de me preparar para aquela apresentação de amanhã" parece um pensamento válido no curto prazo, mas, no longo prazo, é desastroso. Provavelmente não vale a pena arruinar uma reunião superimportante para sair para beber uma noite. Aprender a criar uma rotina é o mesmo que permitir que as suas escolhas conscientes sobre como será o seu dia o guiem, deixando todas as outras inutilidades temporárias caírem no esquecimento.

03 | A felicidade não está ligada a quantas coisas você faz, mas ao quão bem-feitas você as faz.

"Mais" não quer dizer "melhor". Felicidade não significa experimentar algo diferente, mas sim experimentar o que você já tem de maneiras novas e diferentes. Infelizmente, quando somos ensinados que a paixão deve orientar todos os nossos pensamentos e decisões, somos basicamente tomados pelo medo de sermos infelizes porque não estamos fazendo "o suficiente".

04 | Quando você regula as suas ações diárias, desativa seu impulso de "lutar ou fugir", uma vez que não está mais enfrentando o desconhecido.

É por isso que todos têm tanta dificuldade em lidar com mudanças e que as pessoas que seguem constantemente seus hábitos experimentam tanta alegria: seu medo instintivo é simplesmente desligado por tempo suficiente para que de fato apreciem alguma coisa.

05 | Na infância, a rotina nos dá uma sensação de segurança. Na idade adulta, nos dá uma sensação de propósito.

Curiosamente, esses dois sentimentos são mais semelhantes do que você pensa (ao menos a origem é a mesma). Equivale ao medo do desconhecido: na infância, não sabemos qual lado é o esquerdo, muito menos por que estamos vivos ou se uma determinada atividade que nunca praticamos será assustadora ou perigosa. Quando somos adultos e investimos na rotina, podemos nos tranquilizar com a simples ideia do "eu sei como fazer, já fiz isso antes".

06 | Você se sente satisfeito porque a rotina reafirma consistentemente uma decisão que você já tomou.

Se decidir escrever um livro — e se comprometer a escrever três páginas por noite pelo tempo que for necessário para concluí-lo —, você não apenas estará afirmando a sua escolha de começar, como também a sua capacidade de fazer isso. Essa é a maneira mais saudável de se sentir validado.

07 | À medida que o seu corpo se autorregula, a rotina se torna o caminho para o "fluxo".[4]

"Fluxo" (caso você não saiba, mas é provável que já saiba) é essencialmente o que acontece quando ficamos tão envolvidos com o que estamos fazendo que todas as ideias ou preocupações desaparecem até estarmos completamente presentes naquela tarefa.

---

4 Csikszentmihalyi, Mihaly. *Flow: a psicologia do alto desempenho e da felicidade.* Objetiva, 2020.

Quanto mais você treina o seu corpo para responder a diferentes estímulos — acordar às sete da manhã, começar a escrever às duas da tarde, e assim por diante —, mais naturalmente você entra no fluxo, com muito mais facilidade, por puro hábito.

08 | Quando não temos uma rotina, dizemos a nós mesmos que o "medo" é um sinal de que estamos fazendo algo errado, em vez de um sinal de empenho no resultado.

A ausência de rotina não passa de um terreno fértil para uma eterna procrastinação. Cria lacunas e espaços para nosso subsconsciente nos dizer: "Bem, você poderia fazer uma pausa agora", quando, na verdade, existe um prazo a cumprir. Mas, se você está acostumado a fazer uma pausa nesses momentos, concordará simplesmente porque "é o que você sempre faz".

3

10 COISAS QUE PESSOAS EMOCIONALMENTE INTELIGENTES *não* FAZEM

Inteligência emocional é provavelmente a característica mais poderosa, embora subestimada, em nossa sociedade.

Acreditamos que devemos orientar as nossas funções cotidianas pela lógica e pela razão, ainda que cheguemos às mesmas conclusões após longos períodos de contemplação ou em um piscar de olhos.[5] Nossos líderes ignoram totalmente o elemento humano presente em nossas questões sociopolíticas, e não preciso citar a taxa de divórcios para que você acredite que não estamos escolhendo os parceiros certos (nem temos a capacidade de manter relacionamentos íntimos por um longo tempo).

Parece que as pessoas acreditam que o mais inteligente a se fazer é não ter emoções. Ser eficaz é ser uma máquina, um produto de seu tempo. Um robô de serviço ao consumidor bem lubrificado, digitalmente sintonizado, altamente inconsciente, mas sobretudo operacional. E assim sofremos.

Veremos a seguir os hábitos de pessoas conscientes daquilo que sentem. Pessoas que sabem expressar, processar, desmontar e ajustar as próprias experiências, pois são o seu próprio *locus* de controle. Elas são as verdadeiras líderes, levam uma vida mais íntegra e genuína, e devemos seguir o exemplo delas. Essas são as coisas que as pessoas emocionalmente inteligentes não fazem:

---

5 Gladwell, Malcolm. *Blink: a decisão num piscar de olhos.* Sextante, 2016.

01 | Não presumem que a maneira como se sentem e o que pensam a respeito de uma determinada situação corresponde à realidade, nem a como será o seu desfecho.

Elas reconhecem as próprias emoções como reações, não como sinais precisos do que está acontecendo. Aceitam que essas reações podem estar relacionadas aos seus próprios problemas em vez da situação objetiva em questão.

02 | Seus pontos de base emocionais não são externos.

Suas emoções não são "obras de outra pessoa" nem, portanto, "um problema para outra pessoa resolver". O fato de entenderem que são a causa principal daquilo que experimentam os impede de cair na armadilha da passividade indignada: quando se acredita que, como o universo fez algo de errado, ele acabará tendo que consertar aquilo.

03 | Não presumem saber o que as fará felizes de verdade.

Uma vez que nosso único parâmetro em um determinado momento é o que aconteceu no passado, não podemos determinar o que nos faria realmente felizes, em vez de apenas nos sentir "a salvo" de tudo aquilo de que não gostamos em nossas experiências anteriores. Ao compreender isso, elas se abrem para qualquer experiência para a qual a vida evolua, sabendo que há partes igualmente boas e más em tudo.

04 | Não acham que ter medo é um sinal de que estão no caminho errado.

A indiferença é um sinal de que você está no caminho errado. Medo significa que você está tentando seguir na direção de algo que ama, mas suas velhas crenças ou experiências não curadas estão atrapalhando. (Ou melhor, estão sendo evocadas para serem curadas.)

05 | Sabem que a felicidade é uma escolha, mas não sentem a necessidade de fazer essa escolha o tempo todo.

Elas não estão presas à ilusão de que "felicidade" é um estado contínuo de alegria. Tiram um tempo para processar tudo o que estão vivenciando. Permitem-se existir em seu estado natural. E, quando não resistem, encontram contentamento.

06 | Não permitem que seus pensamentos sejam definidos pelos outros.

Elas reconhecem que, devido ao condicionamento social e à mente eternamente irrequieta do ser humano, muitas vezes podem ser influenciadas por pensamentos, crenças e mentalidades que nunca foram suas. Para combater isso, fazem um inventário de suas crenças, refletem sobre as suas origens e decidem se esses parâmetros realmente são úteis para elas.

07 | Reconhecem que ter uma compostura impecável não significa ter inteligência emocional.

Elas não reprimem os próprios sentimentos ou tentam moderá-los ao ponto de torná-los quase nulos. No entanto, têm a capacidade de conter a resposta emocional até estarem em um ambiente onde seja apropriado expressar o que estão sentindo. Elas não suprimem sentimentos; em vez disso, os administram de maneira eficaz.

08 | Sabem que um sentimento não as matará.

Elas desenvolveram resistência e consciência suficientes para saber que todas as coisas, até mesmo as piores, são transitórias.

09 | Não se tornam amigas íntimas de qualquer pessoa.

Elas sabem que a confiança e a intimidade verdadeiras são construídas, e são sentimentos que desejamos reconhecer nas pessoas com quem convivemos. No entanto, não são pessoas reservadas nem fechadas, pois estão atentas e cientes daqueles a quem admitem em suas vidas e em seus corações. São gentis com todos, mas só se abrem de verdade para alguns.

10 | Não caem no erro de achar que um sentimento ruim significa que a vida vai mal.

Elas estão cientes e evitam extrapolar, ou seja, projetam o momento presente no futuro previsível — acreditando que o momento atual representa a vida inteira, em vez de apenas uma experiência passageira e transitória do todo. Pessoas emocionalmente inteligentes se permitem ter dias "ruins". Elas se permitem ser totalmente humanas. Quando não resistem, encontram a maior paz possível.

4

COMO *as* PESSOAS QUE DEIXAMOS DE AMAR *voltam a ser* ESTRANHAS

É interessante pensar em como pessoas que antes eram tudo para nós deixam de ser importantes. Em como aprendemos a esquecer e como forçamos o esquecimento, e o que colocamos no lugar dessas pessoas no processo. A dinâmica que vem depois do término sempre diz mais do que o próprio relacionamento — o luto é um professor mais competente do que a alegria. Mas o que significa voltar a ser um estranho na vida de alguém? Na verdade, vocês nunca pararam de se conhecer. Talvez não haja outra escolha a não ser tornar a pessoa que era o centro de sua vida alguém diferente em sua mente, não aquela que conhecia suas ansiedades diárias, que sabia como é você nu, o que o fazia chorar e o quanto você a amava.

Quando a nossa vida deixa de girar ao redor de alguém, isso não acontece de uma hora para outra, mesmo que tudo o que reste seja apenas um resquício de lembrança. Sempre há aqueles vestígios que permanecem. As lembranças que ficam gravadas nos lugares que vocês visitaram, nas coisas que disseram e nas músicas que ouviram.

Uma hora, todos nós acabamos ouvindo uma daquelas músicas tocar na fila do caixa e então nos pegamos mais uma vez orbitando ao redor daquela pessoa. E talvez nunca tenhamos parado de orbitar.

É possível se esquecer do aniversário de seu amor ou de todas as suas primeiras vezes, íntimas ou não? Seu aniversário de casamento voltou a ser um dia do ano como outro qualquer? As promessas e tudo o mais que fizeram foram realmente deixados para trás? Tornaram-se vazios agora que vocês se separaram ou você os ignora porque não tem outra escolha? Acredito que a mente lhe diz para seguir em frente e força o seu coração a fazer mesmo.

Quero crer que ou você ama alguém (de algum modo) para sempre, ou nunca realmente amou. Que uma vez que duas substâncias químicas reativas se cruzam, ambas são alteradas. Que as feridas que deixamos nas pessoas às vezes são muito pungentes para nos arriscarmos a voltar a elas. Não quero crer que nos separamos simplesmente porque não temos mais importância um para o outro. Eu sei que o amor não é descartável. Eu me pergunto, e talvez espere que, se nos forçamos a amar, o fizemos por necessidade.

Talvez seja apenas porque estamos todos no centro de nossos próprios pequenos universos, e às vezes estes se sobreponham aos de outras pessoas, e esse ligeiro cruzamento altere uma parte. A colisão pode nos destruir, nos mudar, nos deslocar. Às vezes nos fundimos em um só, e outras vezes nos separamos porque o conforto de perder aquilo que pensávamos que sabíamos é maior.

De qualquer modo, é inevitável que você se expanda. Que fique sabendo muito mais sobre o amor e o que ele é capaz de fazer, e a dor que somente um vazio em seu coração, um espaço em sua cama e uma cadeira vazia ao seu lado podem trazer. Se esse vazio algum dia voltará a ser preenchido pela pessoa que o criou... eu não sei. Também não sei se outra pessoa será capaz de ocupar o espaço vazio de alguém que ficou marcado tão profundamente dentro de você.

Todos somos estranhos para alguém em algum momento. As escolhas que fazemos quando o assunto é amor parecem inevitáveis. Sem nenhuma explicação, achamos as pessoas atraentes. Encontramos almas feitas da mesma matéria que as nossas. Encontramos colegas de classe, parceiros, vizinhos, amigos da família, primos, irmãs, e nossas vidas se cruzam de uma forma que nos faz sentir como se nunca pudessem ser separadas. E isso é lindo. Mas não é pela facilidade e pelo acesso que ansiamos. Não é sobre isso que estou escrevendo agora. Não é ao redor disso que orbitamos depois que aquilo se foi. Estamos todos apenas esperando que outro universo colida com o nosso, para mudarmos o que nós mesmos não conseguimos mudar. É interessante como percebemos que a tempestade passou, mas que agora vemos as estrelas de maneira diferente e não sabemos, e não podemos escolher, quais destroços podem fazer isso por nós.

Todos somos estranhos para alguém em algum momento, mas também esquecemos que raramente escolhemos quem acabará se tornando um estranho.

5

16 SINAIS
de uma PESSOA
SOCIALMENTE
INTELIGENTE

Embora você possa não saber o que torna alguém socialmente inteligente, talvez já tenha experimentado o tipo de insensibilidade social que o deixa, na melhor das hipóteses, frustrado e, na pior, fisicamente desconfortável.

Na nossa cultura, boas maneiras significam inteligência social. No entanto, parece que a "polidez" tradicional está começando a se tornar menos atraente — ela pode sugerir a anulação da personalidade de alguém em nome de um comportamento mais uniforme. Queremos poder interagir com as pessoas de uma maneira confortável para todos, mas não devemos sacrificar nossa verdadeira expressão em favor de um aceno educado ou de um sorriso gentil. Uma coisa não exclui a outra.

Pessoas socialmente inteligentes pensam e se comportam de uma maneira que vai além do que é culturalmente aceitável em um determinado período. Elas têm a capacidade de se comunicar com os outros deixando-os à vontade, sem sacrificar quem elas são e o que querem dizer. Essa, claro, é a base da conexão, aquilo que nosso cérebro está programado para desejar e que impulsiona nosso crescimento pessoal.

A seguir, as principais características das pessoas socialmente inteligentes:

01 | Não tentam obter uma forte reação emocional da pessoa com quem estão conversando.

Elas não se comunicam de uma forma que engrandeça as suas realizações para incitar admiração, nem exageram as suas dificuldades para suscitarem compaixão. Isso geralmente acontece quando o assunto abordado não merece uma reação tão intensa e, portanto, deixa os outros desconfortáveis porque se sentem pressionados a fingirem uma reação emocional.

02 | Não são taxativas sobre pessoas, questões políticas ou ideias.

A maneira mais rápida de parecer pouco inteligente é dizer: "Essa ideia é errada." (Ela pode ser errada para você, mas, se existe, é porque é certa para outra pessoa.) Pessoas inteligentes dizem: "Eu, particularmente, não entendo essa ideia nem concordo com ela." Fazer afirmações taxativas sobre qualquer pessoa ou ideia é fechar os olhos para a multiplicidade de pontos de vista que existem sobre o assunto. É a definição de uma mente fechada e uma visão estreita.

03 | Não rebatem as críticas imediatamente nem têm uma reação emocional tão forte a ponto de se tornarem inacessíveis ou não aceitarem fazer mudanças.

As pessoas mais difíceis de se relacionar são aquelas que se sentem tão ameaçadas pela mais leve crítica que acabam ficando com raiva de quem fez o comentário, reforçando o problema. Pessoas socialmente inteligentes ouvem as críticas antes de reagir — uma resposta emocional imediata e sem uma análise cuidadosa não passa de uma atitude defensiva.

04 | Não confundem a opinião delas sobre alguém com o que a pessoa realmente é.

Pessoas socialmente inteligentes não dizem "Ele é um idiota" como se isso fosse um fato. Em vez disso, dizem: "Tive uma experiência negativa com ele e me senti muito desconfortável."

05 | Nunca generalizam outras pessoas com base no comportamento delas.

Elas não dizem "você sempre..." ou "você nunca..." para provar um ponto. Da mesma forma, apresentam seus argumentos com frases iniciadas por "eu acho" em vez de "você é". Elas fazem isso porque escolher uma linguagem que não pareça ameaçadora para o interlocutor é a melhor maneira de fazê-lo se abrir para o seu ponto de vista e criar o diálogo que levará à mudança desejada.

06 | Elas se expressam com precisão.

Dizem o que pretendem sem meias-palavras. Falam com calma, simplicidade, concisão e atenção. Concentram-se em comunicar algo, não apenas em receber uma resposta.

07 | Sabem como praticar uma dissociação saudável.

Em outras palavras, sabem que o mundo não gira ao redor delas. São capazes de ouvir alguém sem achar que qualquer comentário é uma crítica contra elas. São capazes de se dissociar de suas próprias projeções tentando entender o ponto de vista do outro sem presumir que tem tudo a ver com o seu.

08 | Não tentam chamar a atenção para a ignorância das outras pessoas.

Quando você acusa alguém de estar errado, o impede de considerar outra perspectiva, levando-o a ficar na defensiva. Se você validar a posição do interlocutor primeiro ("Que interessante, nunca pensei nisso dessa forma..."), a sua própria opinião em seguida ("Algo que aprendi recentemente é que..."), e, então, mostrar que ele ainda tem voz na conversa ao pedir a opinião dele ("O que você acha?"), você abre espaço para que a pessoa se envolva em um diálogo em que ambos poderão aprender em vez de apenas se defenderem.

09 | Validam os sentimentos dos outros.

Validar os sentimentos de uma pessoa é aceitar a forma como ela se sente sem tentar usar a lógica para rejeitar, negar ou fazê-la mudar de ideia. (Por exemplo: "Estou triste hoje." "Bem, você não deveria, sua vida é ótima!") É importante deixar claro que validar sentimentos não é a mesma coisa que validar ideias. Existem muitas ideias que não precisam ou merecem ser consideradas, mas os sentimentos de todos merecem ser levados em conta, reconhecidos e respeitados. Validar as emoções de alguém é validar quem essa pessoa realmente é, ainda que, no lugar delas, você não fosse reagir da mesma forma. Em outras palavras, é validar quem alguém é, mesmo que seja diferente de você.

10 | Reconhecem que as características, os comportamentos e os padrões que as irritam nos outros na verdade são os seus "eus sombrios".

O ódio de alguém por um político mal-informado pode ser uma projeção de seu medo de ser pouco inteligente ou subqualificado. A aversão intensa por um amigo particularmente passivo pode ser uma identificação de sua própria tendência de dar poder aos outros. Nem sempre a conexão é tão óbvia, mas se há uma forte reação emocional envolvida, esse provavelmente é o caso. Se você não gostasse mesmo de alguma coisa, simplesmente se desligaria daquilo.

11 | Não discutem com quem só quer vencer a discussão, em vez de aprender.

Você pode identificar que esse é o caso quando as pessoas começam a "puxar" argumentos ou a recorrer a uma lógica frágil, apenas para parecer que estão em vantagem. Pessoas socialmente inteligentes sabem que nem todo mundo quer se comunicar, aprender, crescer ou se conectar — e por isso não tentam forçá-los.

12 | Elas escutam para ouvir, não para responder.

Enquanto ouvem outras pessoas, elas se concentram no que está sendo dito, não em como vão responder. Isso também é conhecido como "escuta ativa".

13 | Não postam nada on-line que teriam vergonha de mostrar aos pais, explicar a um filho ou que não gostariam que seu chefe descobrisse.

Tirando o fato de que, mais cedo ou mais tarde, uma dessas coisas (senão todas) vai acontecer, postar algo que você não apoie com segurança significa que você não está agindo de acordo com a sua verdade, mas sim de acordo com aquele seu lado que deseja que outras pessoas validem sua ação.

14 | Não se consideram as donas da verdade.

Elas não dizem "você está errado", mas sim "acho que você está errado".

15 | Elas não "envenenam o poço" ou caem na falácia *ad homi-nem* para refutar um argumento.

"Envenenar o poço" é difamar alguém para desacreditar o (possivelmente muito válido) argumento apresentado. Por exemplo, se alguém que come três barras de chocolate por dia disser: "Não acho que seja saudável crianças comerem doces demais todos os dias", uma pessoa socialmente inteligente não retrucaria com algo como: "E quem é você para dizer isso?" Ela seria capaz de entender o objetivo daquele comentário. Normalmente, as pessoas que de fato sofrem com um problema são mais capazes de falar sobre a importância daquilo (mesmo que pareça hipocrisia).

16 | Priorizam o relacionamento consigo mesmas e trabalham nele incansavelmente.

As pessoas socialmente inteligentes entendem, acima de tudo, que o relacionamento delas com os outros é uma extensão do relacionamento que mantêm consigo mesmas.

6

SENTIMENTOS DESCONFORTÁVEIS
que, na verdade,
INDICAM
que você está no
CAMINHO CERTO

Desconforto é o que sentimos quando estamos à beira da mudança. Infelizmente, muitas vezes confundimos isso com infelicidade e lidamos com esse sentimento enquanto fugimos do incômodo. Costuma ser um tanto desconfortável chegar a um novo entendimento, se libertar de uma crença limitante, sentir motivação para produzir uma mudança real. O desconforto é um sinal, geralmente muito útil. Eis aqui alguns sentimentos (não muito desejáveis) que podem indicar que você está no caminho certo:

01 | Parece que você está revivendo os problemas de sua infância.

Você percebe que problemas enfrentados na infância estão ressurgindo na vida adulta e, embora possa parecer que você não os superou, na verdade está se tornando consciente da razão pela qual pensa neles e se sente de determinada maneira, para que então possa transformá-los.

02 | Você se sente "perdido" ou sem direção.

Sentir-se perdido é, na verdade, um sinal de que você está se tornando mais presente em sua vida, que está vivendo menos nas narrativas e ideias que criou e mais no momento presente. Até se acostumar com isso, parecerá que está sem rumo (mas não está).

03 | Sente o lado esquerdo do cérebro "enevoado".

Quando você utiliza o hemisfério direito do cérebro com mais frequência (quando está se tornando mais intuitivo, lidando com emoções, sendo criativo), pode ser que se sinta confuso com as funções do lado esquerdo. Coisas como se concentrar, se organizar e se lembrar de detalhes se tornam difíceis de repente.

04 | Seus acessos de tristeza ou raiva irracional sem motivo aparente se intensificam até você não conseguir mais ignorá-los.

Em geral, as emoções entram em erupção quando querem ser reconhecidas, e nosso trabalho é aprender a parar de confrontá-las ou de resistir a elas e apenas nos tornarmos totalmente conscientes de sua existência. Ao fazermos isso, nós as controlamos, e não o contrário.

05 | Você tem padrões de sono imprevisíveis e dispersos.

Você precisa dormir muito mais ou muito menos, acorda no meio da noite porque não consegue parar de pensar em algo, fica cheio de energia ou completamente exausto e poucas coisas em sua vida seguem um meio-termo.

06 | Um acontecimento capaz de mudar a sua vida está ocorrendo ou acabou de ocorrer.

De repente você precisa se mudar, está se divorciando, perdeu o emprego, está lidando com um carro enguiçado etc.

07 | Sente uma grande necessidade de ficar sozinho.

Subitamente, a ideia de passar todos os fins de semana socializando não parece mais tão interessante, e os problemas das outras pessoas o esgotam mais do que prendem a sua atenção. Isso significa que você está recalibrando.

08 | Tem sonhos intensos e vívidos dos quais quase sempre se lembra em detalhes.

Se os sonhos são a forma como seu subconsciente se comunica com você (ou projeta uma imagem de sua experiência), então a sua mente com certeza está tentando lhe dizer algo. Você está tendo sonhos com uma intensidade que nunca experimentou antes.

09 | Você reduz o seu grupo de amigos por se sentir cada vez mais desconfortável perto de pessoas negativas.

As pessoas negativas raramente percebem que são assim e, como você não se sente à vontade para dizer isso a elas (e ainda menos à vontade para mantê-las em sua vida), anda evitando velhos amigos.

10 | Sente que os sonhos que você tinha para a sua vida estão desmoronando.

O que você não percebe neste momento é que está abrindo caminho para uma realidade ainda melhor do que poderia imaginar, mais alinhada com quem você é, não com quem pensava que seria.

11 | Sente que seus piores inimigos são os seus pensamentos.

Você está começando a perceber que os seus pensamentos criam a sua experiência e que, frequentemente, só tentamos controlá-los quando somos levados ao nosso limite — e é nesse momento que percebemos que estávamos no controle o tempo todo.

12 | Sente insegurança quanto a quem você realmente é.

Suas antigas ilusões a respeito de quem você "deveria" ser estão se dissolvendo. Você se sente inseguro porque está em um momento de incerteza! Está em processo de evolução e, quando mudamos para pior, não sentimos incerteza; geralmente ficamos com raiva e nos fechamos. Em outras palavras: se o que está vivenciando é insegurança ou incerteza, é bem provável que isso o levará a algo melhor.

13 | Reconhece que ainda há um longo caminho pela frente.

Quando você percebe isso, significa que também é capaz de ver para onde está indo; você finalmente sabe onde e quem deseja ser.

14 | Você "sabe" coisas que não quer saber, como o que alguém está de fato sentindo, ou que um relacionamento não vai durar, ou que você não vai ficar muito mais tempo no seu emprego.

Boa parte de nossa ansiedade "irracional" vem de algo que sentimos inconscientemente, embora não levemos isso a sério por não ser lógico.

15 | Tem um desejo intenso de se impor.

Ficar furioso com o quanto você se deixou pisotear ou com o quanto se deixou levar pelas coisas que os outros disseram é um sinal de que você finalmente está pronto para parar de ouvi-los e amar a si mesmo, respeitando-se em primeiro lugar.

16 | Você percebe que é a única pessoa responsável por sua vida e por sua felicidade.

Esse tipo de autonomia emocional é aterrorizante, porque significa que, caso você erre, a culpa será sua. Ao mesmo tempo, perceber isso é a única maneira de ser verdadeiramente livre. Neste caso, o risco sempre vale a recompensa.

7

O QUE *os* SENTIMENTOS
que você mais
REPRIME
estão tentando
LHE DIZER

Inteligência emocional não significa sentir algo "ruim" raramente por ter desenvolvido a disciplina e a sabedoria para "não sentir". Não significa decidir com facilidade o que pensa, o modo como permite que seus pensamentos o afetem ou como reage a qualquer situação com serenidade.

A verdadeira maturidade emocional está relacionada a quão profundamente você se permite sentir qualquer coisa. Tudo. O que vier. É simplesmente saber que a pior coisa que poderia acontecer... seria apenas um sentimento.

Só isso! Um sentimento. Imagine o pior cenário, e a única coisa ruim nesse caso seria... como você se sentiria sobre ele. Como você o definiria, quais seriam as suas repercussões e como ele afetaria o modo como você se sente.

Uma sensação de medo, um beliscão, um latejar ou uma picada. Uma dor no estômago ou um chute no ego. A sensação de inutilidade, a ideia de não pertencer. (É interessante como os sentimentos físicos são sempre rápidos e transitórios, enquanto as ideias que temos sobre a dor parecem persistir...)

Mas evitamos sentir qualquer coisa porque fomos de certa forma ensinados que nossos sentimentos têm vida própria. Que continuarão para sempre se lhes dermos um mínimo instante de nossa consciência.

Você já sentiu alegria por mais do que alguns minutos? E raiva? Não? E tensão, depressão e tristeza? Essas duraram mais, não é mesmo? Semanas, meses, anos, certo? Isso porque não são sentimentos. São sintomas. Mas chegaremos às causas deles em um minuto.

O que você precisa saber é que o sofrimento é somente a recusa em aceitar aquilo que existe. Só isso. Etimologicamente, vem da palavra em latim que significa "carregar por baixo". Ou "resistir, suportar, submeter".

Portanto, a cura para o sofrimento é, na verdade, apenas permitir-se senti-lo.

É desenterrar os seus traumas, constrangimentos e as suas perdas, se abrindo às emoções que você não pôde liberar no momento em que estava passando por aquelas situações. É se permitir filtrar e processar o que você precisou suprimir naquele momento para prosseguir, talvez até para sobreviver.

Todos nós tememos que os nossos sentimentos sejam muito fortes, sobretudo no momento em que os experimentamos. Fomos ensinados a não sermos muito amorosos, caso contrário nos magoaríamos; a não sermos muito inteligentes, ou seríamos intimidados; muito medrosos, ou ficaríamos vulneráveis. A sermos complacentes com o que as outras pessoas querem que sintamos. Quando crianças, éramos punidos por chorarmos caso a nossa experiência emocional não estivesse de acordo com o que convinha aos nossos pais. (Não é à toa que ainda reagimos do modo como reagimos.)

A questão é que não é você quem tem medo de sentir demais. São as pessoas que chamam você de louco, dramático e estranho. São as pessoas que não sabem como lidar com isso, que querem que você fique na sua. Essas são as pessoas que querem que você continue sem sentir. Não você. E sabe como eu sei disso?

Porque a sua apatia não está em não sentir nada, mas em sentir tudo e não ter aprendido a processar absolutamente nada. O neutro representa o nada, e não o entorpecimento. Este, na verdade, é tudo de uma vez.

Porque a sua tristeza está lhe dizendo: "Ainda estou apegado a algo que é diferente." Enquanto sua culpa lhe diz: "Tenho medo de ter feito algo que alguém considere errado", e sua vergonha: "Tenho medo de que alguém me considere uma má pessoa."

A sua ansiedade é uma resistência ao processo, sua última tentativa de assumir um controle que você cada vez mais sabe não ter. Seu cansaço é a sua resistência a quem você realmente é, a quem realmente deseja ser. Seu aborrecimento é a sua raiva reprimida. Sua depressão — fatores biológicos à parte, é claro — é tudo vindo à tona enquanto você se controla para deter.

E chegar à conclusão de que não pode continuar assim, que está perdendo, está fora do caminho e se sentindo preso e perdido é sinal de que percebe que não precisa mudar os seus sentimentos. Basta aprender a se voltar para eles e ouvir o que estão tentando lhe dizer.

Tentar mudar a forma como você se sente é como encontrar uma placa de sinalização que aponte na direção oposta de onde você pretendia ir e tentar virá-la para outro lado em vez de mudar o seu curso de ação.

Quando retemos as emoções que acompanham as nossas experiências, nunca nos damos tempo para processá-las. Tentamos nos forçar a nos sentir de certa maneira em um dado momento e desconsideramos aquilo que nos trará a paz definitiva: apenas permitir, sem julgamento.

Portanto, não se trata de mudar a forma como você se sente. Tem a ver com ouvir. Não aceitar o que parece significar — o que é importante —, mas realmente seguir sua intuição pelo caminho que ela está tentando sinalizar. Sua intuição é como você se comunica consigo mesmo.

Cada sentimento vale a pena. Você perde muito tentando mudá-los, achando que há alguns que são certos ou errados, bons ou maus, se perguntando se deveria tê-los ou não, tudo porque tem medo de dizer para si mesmo algo que não quer ouvir.

Os sentimentos que você mais reprime são as maneiras mais importantes de se orientar. Sua apreensão em ouvi-los não é um desejo seu. É o medo de ser algo mais ou menos, maior ou pior ou simplesmente diferente daquilo que aqueles ao seu redor deram a entender que aceitarão.

Quando você opta por valorizar a aprovação de outras pessoas mais do que a sua própria, você aceita viver lutando contra a própria intuição para se acomodar às necessidades do ego dos outros. Nesse ínterim, um mundo e uma vida inteira de ouvir, se inclinar, se permitir, seguir, perceber, sentir e experimentar... foge de você.

A tristeza não o matará. A depressão também não. Mas lutar contra isso, sim. Ignorar, sim. Tentar fugir em vez de confrontar, sim. Negar, sim. Sufocar, sim. Prendê-lo em seu subconsciente profundo, para ali se incorporar e controlá-lo, sim. Não que você vá se matar ou destruir tudo de "bom" que recebe (embora também seja possível).

Mas isso vai matá-lo conforme priva você de cada pedaço de vida que lhe resta: ou você se permite sentir tudo, ou se entorpece para não sentir nada. Emoções não podem ser selecionadas. Ou você está de acordo com o seu fluxo, ou resistindo à sua natureza. No final, a escolha é sua.

AQUILO EM VOCÊ
que não faz parte
DO SEU "EU"

Vamos imaginar por um instante que separamos todos os seus órgãos e os colocamos sobre uma mesa.

Sinta o seu batimento cardíaco; imagine isso fora do seu corpo. Você não olharia para o seu coração e pensaria: "Esse sou eu." Mas sim: "Esse é o meu coração."

Agora sinta a sua respiração. Sinta-a em sintonia com os seus batimentos cardíacos, coisas das quais você geralmente não se dá conta, ambas em constante atividade. Você não diz: "Eu sou a minha respiração." Mas sim: "Estou respirando."

Pense no seu fígado. E nos seus rins. Pense nos seus ossos e no seu sangue. Pense em suas pernas, em seus dedos, em seu cabelo e em seu cérebro. Você os vê objetivamente. São apenas peças. Em última análise, são (em sua maioria) removíveis e substituíveis, órgãos temporários. Você não pensa neles e vê um "eu". Você pensa neles como coisas. Se você os separasse, seriam apenas compilações de células. Você não os vê e pensa: "Isso sou eu!" Mas sim: "Isso é meu."

Qual é a diferença entre quando as compilamos ou anexamos?

Há uma concentração de energia, de forte presença, em seu peito, em sua garganta e um pouco em sua cabeça, talvez. Está centrado. Você não se sente em suas pernas. Você não tem emoções em seus braços. Está no centro.

Nesse mesmo espaço coexistem os órgãos com os quais não nos identificamos e a energia com a qual nos identificamos. Se removêssemos essa energia, o que sobraria? O que restaria ali? O que existe quando você não existe?

Já pensou nisso? Já pensou nisso alguma vez? Já sentiu cada parte de seu corpo e percebeu que elas não são "eu"? Já sentiu a presença que de algum modo ganha vida quando anexada? Você já identificou a diferença entre o que você chama de seu e o que chama de si mesmo?

O início de tudo é saber quem você é. Isso lhe dá uma noção da trajetória. Mas quando atribuímos palavras e significados àquilo que sabemos que gostamos, valorizamos e queremos, criamos apegos. Em seguida, nos esforçamos para manter as coisas dentro dos parâmetros que já aceitamos. Com isso, criamos para nós mesmos o fracasso, o sofrimento. Começamos a acreditar que uma ideia estática pode representar um ser dinâmico e em evolução. Não viver de acordo com as ideias em nossa mente se torna nossa maior mágoa.

Acho que às vezes nos apegamos às estruturas porque não gostamos do conteúdo. Investimos mais em como somos percebidos do que em quem somos, mais no que o título representa do que nas funções diárias do nosso trabalho, mais no "você promete me amar para sempre?" do que no verdadeiro amor do dia a dia. Isso quer dizer que nos sentimos mais reconfortados com a ideia das coisas do que com aquilo que elas realmente são. Gostamos de pensar em nós mesmos como corpos porque isso não nos deixa com o "o que mais?" em aberto.

Mas e se esse "o que mais?" não for o pensamento final, mas o começo? E se a consciência disso nos libertar de muitas coisas, reprimir muitos pensamentos, aliviar muitas dores? E se a cura para si mesmo não se tratar de fixar uma atitude, não se tratar de mudar uma opinião, alterar uma estética, mas alterar uma presença, uma consciência, uma energia?

Nesse caso, reparar as partes não corrige o todo.

A única coisa que muda você e a sua vida é a consciência das partes que não são "eu". É o todo, é onde você termina, é onde você começou, é a única coisa que se altera, se eleva e facilita a centelha de consciência que o fez questionar os elementos que o constituem. Na verdade, não estou pedindo que você considere as teorias. Só estou perguntando se você sente isso ou não.

9

20 SINAIS
de que você está se saindo
MELHOR
do que
PENSA

01 | **Você pagou as contas do mês e talvez até tenha sobrado dinheiro para gastar em futilidades.** Não importa o quanto você adiou o pagamento das contas que iam chegando; o fato é que elas chegaram, e você resolveu de algum jeito.

02 | **Você se questiona. Tem dúvidas sobre sua vida. Há dias em que se sente arrasado.** Isso significa que você ainda está aberto ao crescimento. Que é capaz de ser objetivo e autoconsciente. As melhores pessoas voltam para casa no fim do dia e pensam: "Ou... talvez haja outra maneira."

03 | **Você tem um emprego.** Seja lá por quantas horas, seja lá qual for o salário, você está ganhando o dinheiro que lhe permite ter o que comer, ter onde dormir e ter o que vestir todos os dias. Se não é como imaginava, não quer dizer que tenha fracassado: você está valorizando sua independência e assumindo a responsabilidade por si mesmo.

04 | **Você tem tempo para fazer algo de que gosta, mesmo que seja se sentar no sofá, pedir o jantar e assistir à Netflix.**

05 | **Você não precisa se preocupar com sua próxima refeição.** Há comida na geladeira ou na despensa, e você tem o suficiente para escolher o que quer comer.

06 | **Você come por prazer. Não é uma questão de mera sobrevivência.**

07 | **Você tem um ou dois amigos realmente próximos.** As pessoas se preocupam com a quantidade, mas acabam percebendo que o número de pessoas que alegam pertencer ao grupo delas não influencia no nível de intimidade, aceitação, comunhão ou alegria que sentem. No fim das contas, tudo o que realmente queremos são algumas pessoas próximas que nos conheçam (e nos amem).

08 | **Você pôde pagar uma passagem de metrô, uma xícara de café ou a gasolina do carro esta manhã.** As menores conveniências (e muitas vezes, necessidades) não são uma incerteza para você.

09 | **Você não é a mesma pessoa de um ano atrás.** Está aprendendo e evoluindo, e pode identificar como mudou para melhor e para pior.

10 | **Você tem tempo e meios para fazer mais do que o mínimo.** Talvez você tenha ido a um show nos últimos anos, você compra livros, pode fazer uma viagem bate e volta para uma cidade vizinha, se quiser — você não precisa trabalhar todas as horas do dia para sobreviver.

11 | **Você tem roupas boas à disposição.** Não está preocupado em não ter um casaco ou um par de luvas para usar no frio, tem roupas frescas para o verão e algo para vestir em um casamento. Você pode não apenas se proteger e se embelezar, mas também escolher as roupas adequadas para cada situação.

12 | **Você consegue perceber o que não vai bem em sua vida.** O primeiro e mais importante passo é simplesmente estar ciente disso. Ser capaz de dizer para si mesmo: "Algo não vai bem, embora eu ainda não tenha certeza do que seria melhor para mim."

13 | Se fosse possível falar com seu eu mais jovem, você poderia dizer: "Nós conseguimos, escapamos, sobrevivemos àquela coisa terrível." Muitas vezes as pessoas trazem os traumas do passado para o presente, e, se você quiser alguma prova de que carregamos quem éramos em quem somos, tudo o que precisa fazer é ver como responde à sua criança interior ao ouvir "Tudo ficará bem" da pessoa que se tornou.

14 | Você tem um espaço próprio. Nem precisa ser uma casa ou um apartamento (mas seria ótimo se fosse). Tudo que você precisa é de uma sala, um canto, uma escrivaninha, um lugar onde possa criar ou descansar à vontade; onde decide quem faz parte de seu pequeno e estranho mundo, e com qual intensidade. É uma das poucas coisas que podemos realmente controlar.

15 | Você encerrou relacionamentos. Mais importante do que o fato de simplesmente ter tido relacionamentos é que você ou seus ex-parceiros escolheram não se acomodar. Você se abriu para as novas possibilidades que pode encontrar por aí.

16 | Você se interessa por algo. Seja qual for o tema: como viver uma vida mais feliz, manter melhores relacionamentos, literatura, cinema, sexo, sociedade ou o eixo em que o mundo gira, algo o estimula a explorar.

17 | Você sabe se cuidar. Sabe de quantas horas de sono precisa para se sentir bem no dia seguinte, a quem recorrer quando estiver magoado, o que o diverte, o que fazer quando não se sentir bem etc.

18 | Você está avançando em direção a uma meta. Mesmo que esteja exausto e pareça estar a quilômetros de distância dele, você tem um sonho, por mais vago e instável que seja.

19 | Mas não está comprometido com nada para o seu futuro. As pessoas mais felizes e equilibradas são aquelas que podem tornar qualquer situação ideal, que estão muito imersas no momento para fazerem planos mirabolantes e se comprometerem conscientemente com qualquer resultado específico.

20 | **Você já passou por uns bons perrengues.** Pode olhar para os desafios que enfrenta hoje e comparar com os que já pensou nunca ser capaz de superar. Pode se tranquilizar ao considerar as experiências pelas quais passou. A vida não ficou mais fácil; foi você que ficou mais esperto.

10

ROMPENDO *o seu* "LIMITE SUPERIOR" *e como* AS PESSOAS SE PRIVAM *de alcançar a verdadeira* FELICIDADE

A maioria das pessoas não quer ser feliz, e por isso não são. Elas não percebem que é isso que acontece.

São programadas para perseguir o seu maior desejo quase a qualquer preço. (Basta se lembrar dos poderes sobre-humanos movidos pela adrenalina que desenvolvemos em situações de vida ou morte.) É só uma questão de saber que desejo é esse. Muitas vezes, é o conforto. Ou a familiaridade.

As pessoas sabotam a própria felicidade pelos mais variados motivos, mas muitos deles ocorrem pela suposição de que isso significaria desistir de conquistar mais. Ninguém quer acreditar que a felicidade é uma escolha, porque tal atitude exige responsabilidade. É a mesma razão pela qual as pessoas sentem autopiedade: para atrasar a ação, para reclamarem com o universo, talvez achando que quanto mais afirmarem que as coisas vão mal, maiores serão as chances de outra pessoa mudá-las.

A felicidade não é uma onda de emoção positiva provocada por eventos aleatórios que confirmam a maneira como você acha que algo deve ser. Não a felicidade sustentável, pelo menos. A verdadeira felicidade é o produto de uma prática diária, consciente e intencional, e começa com a sua escolha de se comprometer com ela.

Todo mundo tem um nível de tolerância à felicidade, um limite máximo, como afirmou Gay Hendricks.[6] É o quanto nos permitimos nos sentir bem. Outros psicólogos chamam isso de "linha de base", a quantidade de felicidade que sentimos "naturalmente" e à qual acabamos voltando, mesmo que certos eventos ou circunstâncias nos façam mudar temporariamente de trajeto.

O limite superior é a razão pela qual não permitimos que essas mudanças se tornem linhas de base — assim que as nossas circunstâncias ultrapassam a quantidade de felicidade com a qual estamos acostumados e com a qual nos sentimos confortáveis, inconscientemente começamos a nos autossabotar.

Somos programados para buscar o que conhecemos. Portanto, embora pensemos que buscamos a felicidade, estamos na verdade tentando encontrar aquilo a que estamos mais acostumados, e projetamos isso no que de fato existe o tempo todo. Esses são apenas alguns dos muitos impedimentos psicológicos que nos privam de ter a vida emocional que afirmamos desejar. Aqui vão alguns outros:

01 | Todo mundo tem um limite de tolerância para se sentir bem.

Quando as coisas vão além desse limite, nós nos sabotamos para que possamos voltar à zona de conforto. O velho clichê sobre sair delas serve a um propósito crucial: torna as pessoas confortáveis com o desconforto, que é a porta de entrada para expandir a sua tolerância à felicidade.

02 | Há um "limite de simpatia" que as pessoas não gostam de ultrapassar: todo mundo tem um nível de "sucesso" que considera admirável — e não ameaçador para os outros.

A maioria das coisas que fazemos é um esforço para "conquistar" o amor. Muitos desejos, sonhos e ambições são construídos a partir de um espaço de extrema carência. É por este motivo que a maioria das pessoas mais emocionalmente limitadas também são

---

6 Hendricks, Gay. *The Big Leap: Conquer Your Hidden Fear and Take Life to the Next Level.* HarperOne, 2010.

as mais bem-sucedidas: elas usam o desejo de aceitação, amor e plenitude como combustível — para o bem e para o mal. O que acontece com essas pessoas é que, quando elas ultrapassam o ponto em que pensam que os outros começarão a criticá-las e ridicularizá-las (em vez de elogiá-las) pelo seu sucesso, elas prontamente se isolam ou se desvalorizam/minimizam severamente para se manterem bem aos olhos daqueles de quem desejam aprovação. (Em última análise, não é que as pessoas valorizem o ego e o material em vez do amor, mas elas pensam que tais coisas farão com que conquistem o amor.)

03 | A maioria prefere o conforto daquilo que conhece à vulnerabilidade do desconhecido.

Mesmo quando "o desconhecido" é, objetivamente, muito melhor. Se redefinirmos "felicidade" considerando o que os seres humanos naturalmente desejam (conforto, inclusão, propósito etc.), podemos então escolher buscar conforto em coisas que estão alinhadas com aquilo que queremos alcançar.

04 | Muitas pessoas têm medo de que "ser feliz" signifique desistir de realizar mais.

Essencialmente, felicidade é aceitação. É chegar ao objetivo final, ultrapassar a linha de chegada, deixar a onda de realizações tomar conta de você. Decidir ser assim todos os dias pode fazer parecer que a corrida já terminou e, então, inconscientemente, associamos "felicidade" e "aceitação" a "desistência". Mas o oposto acontece: o caminho para uma vida melhor não é "sofrer até alcançar algo", mas permitir que pedacinhos de alegria, gratidão, significado e propósito cresçam aos poucos.

05 | As pessoas demoram a tomar uma atitude quando conhecem a verdade — e o intervalo entre saber e fazer é o espaço em que o sofrimento prospera.

Na maioria das vezes, não se trata de não saber o que fazer (ou não saber quem você é). Trata-se de resistência entre o que é certo e o que é fácil, o que é melhor no longo prazo contra o mais favorável no curto prazo. Nós escutamos nossa intuição, mas simplesmente não a ouvimos. Essa é a raiz mais comum do desconforto: o espaço entre saber e fazer. Somos culturalmente viciados em procrastinar, mas também somos apaixonados pela deflexão. Quando não agimos imediatamente, pensamos que estamos mudando a verdade, mas, em vez disso, estamos apenas gerando um desconforto para que possamos senti-la mais completamente (embora estejamos sofrendo sem necessidade).

06 | As pessoas acreditam que apatia é segurança.

Todos temos medo de perder as peças e as pessoas que compõem nossas vidas. Alguns tentam se desviar da curva da dor e não aceitam que querem ou que gostam dessas coisas. Tendem a sentir que tudo termina e que tudo é impermanente e, embora haja algum grau de verdade nisso, a realidade é um pouco diferente: a morte dá sentido à vida. O fato de que podemos perder tudo é o que torna o que temos sagrado, precioso e maravilhoso. Não se trata da dor que você sofre, e sim pelo que você sofre. Você pode escolher se privar de se sentir bem se tornando apático para atenuar o sentimento de perda, ou pode ter uma vida incrível e lamentar profundamente quando tudo acabar — mas ao menos terá havido um sentido para esse fim.

07 | Poucos sabem como praticar o ato de se sentir bem (ou por que isso é necessário).

É quase essencial elevar o seu limite superior, aumentar a sua linha de base e, por fim, assimilar o(s) novo(s) capítulo(s) de sua vida sem destruí-lo(s) por estar(em) na sua zona de conforto. Para se sentir bem, basta reservar um momento para se permitir sentir. Prolongue essa emoção por mais alguns segundos, medite sobre algumas coisas pelas quais você é grato e deixe que isso o envolva o máximo possível. Busque o que é positivo e descobrirá que o seu limite para sentir essas coisas se expande à medida que você decide que pode se expandir.

08 | As pessoas pensam que a felicidade é uma resposta emocional motivada por um conjunto de circunstâncias em vez de uma escolha e uma mudança de percepção/consciência.

Aparentemente, as pessoas que acreditam que as circunstâncias geram a felicidade não se deixam persuadir — e isso faz sentido. E nós acreditamos nisso pelo mesmo motivo: é mais fácil. É uma maneira de aparar arestas em nossa vida emocional. É algo que parece lógico e bastante fácil de se conseguir, então por que não defender isso com unhas e dentes? Porque, no fundo, é uma ideia falsa. Porque, de acordo com ela, você deve esperar para ser feliz e, como sabemos, a menos que você esteja trabalhando para que sua linha de base esteja no topo de tudo ao seu redor, você passará o resto da vida pulando de um ponto alto para outro. Segundo as estatísticas, alguns dos países mais felizes do mundo são pobres. Alguns dos indivíduos mais notáveis e pacíficos que passaram pela face da Terra morreram com apenas alguns centavos no bolso. O que todos eles têm em comum é um senso de propósito, pertencimento e amor: coisas que você pode escolher sentir e cultivar, não importam as circunstâncias físicas ou materiais.

09 | A maioria das pessoas não sabe que é possível mudar a própria linha de base, já que achamos que ela "é assim mesmo".

Já devo ter ouvido umas mil vezes alguém ansioso dizer: "Eu sou assim mesmo." Ou o homem que atribui um monte de medos irracionais à "própria personalidade". O fato é que nada precisa ser uma parte essencial sua, a menos que você decida que seja — e isso inclui a ansiedade e o medo. Na verdade, essas coisas não são parte essencial de ninguém; são comportamentos aprendidos. São reações não controladas do ego. São o nosso íntimo piscando luzes e acenando com bandeiras para sinalizar que algo não está certo, mas que estamos evitando fazer a mudança, principalmente por supor que a circunstância está fora de nosso controle.

10 | As pessoas acreditam que o sofrimento as dignifica.

Ter coisas maravilhosas em nossa vida sem ter sofrido por elas se traduz, de algum modo, na sensação de que não as "conquistamos" de verdade e que, portanto, não são completamente nossas. Por outro lado, a ideia de que coisas maravilhosas e alegres poderiam simplesmente ser nossas, sem nenhuma criação consciente de nossa parte, é aterrorizante, porque o oposto também poderia ser verdadeiro.

11 | Muitas pessoas acreditam que podem vencer a corrida contra o medo.

A preocupação é o passatempo cultural do Ocidente, e uma distração do fato de que flutuamos entre extremos: ou não ligamos para nada, ou nos importamos tanto com alguma coisa que poderíamos ser completamente destruídos por ela.

A preocupação nos condiciona aos piores resultados possíveis para que estes não nos causem tanta dor caso ocorram. Pensamos em todas as possibilidades irracionais para sermos capazes de reagir e nos preparar em vez de sermos pegos de surpresa. Tentamos imaginar todas as coisas "ruins" que uma pessoa poderia dizer a nosso respeito para que ela não seja a primeira a dizê-lo.

Mas isso não muda nada. Você ainda não espera que problemas aconteçam. Nunca saberá o que as pessoas estão realmente pensando ou com que frequência. Não será capaz de se preparar para lidar com os seus medos irracionais, porque não há base em uma realidade com a qual você poderia estar pronto para lidar. Você não pode vencer a corrida contra o medo. Não está enganando e contornando a dor, mas sim buscando cada vez mais dor.

12 | Pessoas felizes muitas vezes são vistas como ingênuas e vulneráveis.

Entre outras coisas, as pessoas felizes são estigmatizadas como sendo ignorantes e mal-informadas, positivas em um nível delirante e desconectadas da realidade, mas os únicos que as percebem dessa maneira são os que fazem o possível para justificar a negatividade na própria vida, que sentem não poder controlar. Aqueles que não escolhem uma vida melhor são os verdadeiros ingênuos e vulneráveis, pois as "pessoas felizes" podem perder tudo o que têm, mas as que não decidem tomar as rédeas da vida por completo nunca têm nada.

A FELICIDADE
da EXCELÊNCIA

Eric Greitens diz que existem três formas principais de felicidade: a do prazer, a da graça e a da excelência.[7] Ele as compara às cores primárias, a base para a criação de todo o espectro.

A felicidade do prazer é amplamente sensorial: desfrutar uma boa refeição quando você está com fome, sentir o cheiro que recende depois de chover, a sensação de acordar em sua cama aconchegante e quentinha. A felicidade da graça é a gratidão. É ver o amor da sua vida dormindo ao seu lado e sussurrar "obrigado". É fazer um inventário daquilo que você possui e se sentir grato. É falar com algo maior do que você, expressando humildade e admiração.

E, então, temos a felicidade da excelência. O tipo de felicidade que vem da busca por algo maior. Não no momento em que você chega ao topo da montanha e ergue os punhos, vitorioso, mas no processo de se apaixonar pela caminhada. É um trabalho significativo. É um fluxo. É o propósito que marca a identidade, constrói o caráter e canaliza a nossa energia para algo maior do que a insaciável busca diária pelos nossos desejos passageiros.

Assim como remover uma das cores primárias tornaria muitas outras impossíveis (sem amarelo, você não poderia ter qualquer tom de verde), é quase impossível prosperar sem todas essas formas de felicidade.

Uma não pode substituir a outra. Todas são necessárias. Mas tentamos mesmo assim.

Beber demais, por exemplo, é uma ação motivada pela busca do prazer comum quando a felicidade da excelência não está sendo procurada. Mas não é, e nunca será, a solução.

---

7 Greitens, Eric. *Resilience: Hard-Won Wisdom For Living a Better Life*. Mariner Books, 2016.

"Muito vermelho nunca fará o azul. Os prazeres nunca o tornarão inteiro."

A felicidade da excelência é o trabalho da resiliência emocional. É a classificação mais alta na hierarquia de Maslow. É medida, deliberada e consistente. Esse tipo de felicidade costuma ser evitado porque gera um desconforto palpável, e a recompensa não é instantânea. Não há nenhum prazer nos primeiros dias de treinamento de uma maratona, por exemplo, quando os seus pulmões parecem estar encolhendo e você quer vomitar. Com o tempo, porém, você desenvolve a habilidade. Começa a imaginar o que poderia realizar. Você se apaixona pelo processo.

Embora todas as três felicidades sejam diferentes, todas dependem do contexto. Alguém que ficou três dias sem comer está mais sintonizado com a felicidade do prazer do que quem tem comida e um teto garantidos.

Da mesma forma, aqueles que nunca se familiarizaram com o poder e o prazer de trabalhar por algo movido não pelas faíscas da paixão, mas pelas brasas de uma resolução sóbria e consistente, não sabem que, do outro lado do esforço exercido, há uma grande recompensa.

Muitos de nós são daltônicos para as alegrias e complexidades da vida, e isso acontece porque nos falta uma parte do alicerce. Queremos ser escritores, mas sem ter de desenvolver a disciplina necessária para nos sentarmos e escrevermos quatro horas por dia durante anos. Queremos ser lendas, gênios e mestres, mas pouco nos preocupamos em desenvolver a disciplina necessária para nos dedicarmos ao árduo trabalho da prática.

Felicidade não é apenas a maneira como podemos surpreender os nossos sentidos, mas também a paz de espírito de saber que estamos nos tornando quem queremos e precisamos ser. Isso é o que ganhamos quando buscamos a felicidade da excelência: não realização, mas identidade. Uma noção de identidade que carregamos em todas as esferas da vida. Um pigmento tecnicolor que dá vida a todo o espectro.

A LACUNA DO SABER-FAZER: *por que* EVITAMOS FAZER O QUE É MELHOR PARA NÓS *e como* CONQUISTAR A RESISTÊNCIA DE VEZ

Os antigos gregos chamavam de *Akrasia*, os zen-budistas chamam de resistência, você e eu chamamos de procrastinação, todo guru da produtividade na internet chama de "bloqueio". Jeffrey Pfeffer e Robert Sutton chamam de "lacuna do saber-fazer", ou a experiência de saber o que deve ser feito, mas mesmo assim executar outra coisa.[8]

O bom senso nos diz que se dedicássemos mais uma hora escrevendo um romance a cada noite, comêssemos melhor, acordássemos mais cedo, cultivássemos pensamentos positivos, falássemos honestamente e nos conectássemos de forma mais autêntica, viveríamos uma vida melhor. Mas a verdadeira questão e o verdadeiro trabalho não é entender o que é bom para nós, mas por que escolhemos o contrário. Compreender o tecido da resistência é a única maneira de descosê-lo.

Existem muitos motivos pelos quais nos autossabotamos, e a maioria deles tem a ver com conforto. A sociedade moderna — pautada pela inovação, pela cultura, pela riqueza, pelo sucesso — é projetada para nos convencer de que uma "vida boa" é aquela que

---

8 Pfeffer, Jeffrey. *The Knowing-Doing Gap: How Smart Companies Turn Knowledge Into Action*. Harvard Business School Press, 2000.

é mais confortável, ou capaz de nos dar a sensação de estarmos livres do sofrimento e em segurança. Isso está diretamente relacionado ao fato de que os seres humanos são programados para buscarem conforto, o que se traduz para nós como sobrevivência — somos fisiologicamente projetados dessa maneira. Portanto, faz muito sentido querermos o mesmo em nossa vida intelectual e emocional.

Ultrapassar a resistência é uma questão de mudar a sua percepção de conforto. É uma questão de considerar a alternativa. É alterar a sua mentalidade para se concentrar no desconforto que enfrentará caso não faça o que está diante de você, em oposição ao desconforto que enfrentará se o fizer.

Se não for preenchida, a lacuna do saber-fazer o apresentará à sombra da pessoa que você pretendia ser. Isso destruirá os seus relacionamentos mais íntimos e apaixonados, impedindo-o de atingir a produtividade diária necessária para realizar qualquer objetivo pelo qual valha a pena trabalhar. Isso o manterá em um estado maníaco de indecisão (faço ou não faço? Qual sentimento eu deixo me guiar?). Você precisa assumir o controle de si mesmo, e pode fazer isso considerando o quadro geral. A alternativa. A maneira como a sua vida será se você não fizer aquilo.

Como você contabilizará este ano? O que terá feito? Quantas horas terá perdido? Se tivesse que viver o dia de hoje — ou qualquer outro dia normal — repetidas vezes pelo resto da vida, o que você faria? O que você realizaria? Você ficaria feliz? Quais relacionamentos teria estimulado? Você olhará para trás sabendo que provavelmente perdeu quem poderia ter sido o amor de sua vida porque não estava "pronto"? E quanto às horas em que você poderia estar tocando música, escrevendo, pintando ou fazendo qualquer outra coisa? Para onde foram?

Você nunca estará pronto para as coisas que importam, e esperar se sentir pronto antes de começar a agir é aumentar a lacuna do saber-fazer. É desconfortável trabalhar, estender a sua capacidade de tolerância e ser vulnerável com alguém que é extremamente importante para você, mas passar a vida inteira sem as coisas que realmente deseja está longe de ser mais confortável.

A ansiedade entra em ação em nossas horas ociosas. O medo e a resistência criam asas quando evitamos o trabalho. A maioria das coisas não são tão difíceis ou desafiadoras quanto imaginamos; na verdade, são divertidas e gratificantes, são expressões de quem realmente somos. É por isso que as queremos. Dar pequenos passos vai lembrá-lo disso, e o deixará tranquilo de uma forma que o simples pensamento de tomar uma atitude nunca deixaria. É mais fácil agir a partir de uma nova maneira de pensar do que pensar em uma nova maneira de agir, então faça algo pequeno hoje e deixe o impulso crescer.

E agradeça à força dentro de você, seja lá qual for, que sabe que algo maior está reservado — aquela que o incentiva a se sentir confortável com menos.

101 COISAS
melhores para
PENSAR
do que SEJA LÁ
O QUE ESTIVER
CONSUMINDO VOCÊ

01 | **A sensação de ter a vida que deseja.** O lugar onde você vai morar, as roupas que vai vestir, o que vai comprar no supermercado, quanto dinheiro vai economizar, qual trabalho terá mais orgulho de ter realizado. O que vai fazer nos fins de semana, qual vai ser a cor dos seus lençóis, o que você vai fotografar.

02 | **As partes de si mesmo que você precisa trabalhar, não porque outra pessoa não goste delas, mas porque você não gosta.**

03 | **O fato de que, às vezes, a expressão máxima de amor-próprio é admitir que você não gosta de si mesmo e propor passos para mudar as coisas que você sabe que pode e que fará melhor.**

04 | **Uma lista das coisas que deram certo para você e qual sentimento acompanhou cada uma delas.**

05 | **A forma como você contabilizará este ano.** Quantos livros gostaria de dizer que leu, quantos projetos terminou, em quantas relações de amizade ou de família você investiu ou reacendeu, como você passou os seus dias.

06 | As coisas do passado que você pensava que nunca superaria e que hoje lhe parecem insignificantes.

07 | O que você vai criar hoje, o que vai comer e com quem vai se relacionar. (Estas são as únicas coisas que você carrega consigo.)

08 | Como você aprende melhor e como poderia integrar essa forma de compreensão mais frequentemente à sua vida. (Faça coisas mais visuais ou ouça melhor, tente experimentar mais vezes e assim por diante.)

09 | O fato de você não precisar ser excepcionalmente bonito, talentoso ou bem-sucedido para experimentar o que torna a vida profunda: amor, conhecimento, conexão, noção de comunidade etc.

10 | O cosmos e a forma como, apesar de sermos partículas insignificantes, somos todos essenciais para a colcha de retalhos que constitui a humanidade e que, sem qualquer um de nós, nada seria tal qual é agora.

11 | As conjugações de verbo corretas em um idioma que você poderia falar bem.

12 | As pessoas para quem você sorriu na rua esta manhã, as pessoas para quem você envia mensagens regularmente, a família que você poderia visitar mais — todos esses pequenos exemplos de conexão humana verdadeira que você negligencia porque estão sempre ali.

13 | Como você se lembrará dessa época de sua vida daqui a vinte anos. O que você gostaria de ter feito ou deixado de fazer, o que esqueceu, as pequenas coisas que passaram despercebidas, mas que deveriam ter sido apreciadas.

14 | De quantos de seus dias você realmente se lembra.

15 | Como você provavelmente não se lembrará deste dia específico daqui a vinte anos.

16 | Tudo o que você não gostava na pessoa com quem se relacionava, agora que não tem mais a obrigação emocional de mentir para si mesmo a respeito dela.

17 | Uma lista de todas as coisas que você fez para si mesmo recentemente.

18 | Pequenas maneiras de melhorar seu dia a dia, como quitar dívidas, aprender a preparar uma refeição ou organizar o seu armário.

19 | Os padrões em seus relacionamentos fracassados e o grau de responsabilidade que você pode legitimamente atribuir a si mesmo.

20 | O que você, no nível do subconsciente, adora nos "problemas" que luta para superar. Ninguém se apega a algo a menos que pense que aquilo lhe traz alguma vantagem (geralmente, o que nos mantém "seguros").

21 | A ideia de que talvez o problema não seja a dificuldade que você está enfrentando hoje, mas sim a sua percepção distorcida ou o fato de você não estar pensando em soluções da mesma forma que está concentrado em seu desconforto.

22 | Os seus fracassos e a forma como você pode se comprometer a fazer tudo melhor, não apenas para si mesmo, mas também para as pessoas que o amam e confiam em você.

23 | Como sua situação atual, embora talvez não tenha sido planejada ou desejada, poderia ser o caminho para onde você sempre quis estar de verdade se ao menos começasse a pensar nela dessa maneira.

24 | Sua mortalidade.

25 | Como você pode aproveitar e valorizar mais ativamente as coisas ao seu redor enquanto ainda as tem.

26 | Como a sua vida parece aos olhos de outras pessoas. Não porque você deva valorizar isso mais do que valoriza os seus próprios sentimentos, mas porque considerar outras perspectivas é importante.

27 | O que você já realizou em sua vida.

28 | Como você, no fim das contas, gostaria de ser definido. Gostaria de ser conhecido como que tipo de pessoa? (Gentil? Inteligente? Generosa? Centrada? Útil?)

29 | Levando em conta suas atitudes e interações mais frequentes, como você poderia ser definido, de verdade, agora. É da forma que você realmente deseja?

30 | Como as suas suposições inconscientes sobre o que é verdadeiro e real influenciam a maneira como você pensa a respeito da realidade.

31 | Quais outras opções existem fora de sua maneira padrão de pensar; o que seria verdade se as coisas que você presume ser verdade não o fossem.

32 | Os detalhes de tudo em que você está trabalhando agora.

33 | Como você pode se dedicar mais a esse trabalho, que merece o seu tempo, atenção e energia mais do que qualquer coisa com a qual você se distraia.

34 | Como você pode ajudar outras pessoas, mesmo que seja apenas se sentando para conversar com um velho amigo, pagando o jantar para alguém, compartilhando uma matéria ou citação que chamou a sua atenção.

35 | As motivações e os desejos de outras pessoas.

36 | O fato de você não pensar exatamente como as outras pessoas e que talvez os seus problemas com elas sejam, na verdade, lapsos na compreensão que você tem delas (e vice-versa).

37 | Os padrões das pessoas que você conhece e o que dizem a respeito de quem realmente são.

38 | O fato de presumirmos que as pessoas são como as imaginamos — uma compilação das experiências emocionais que tivemos com elas —, em vez de considerarmos os padrões revelados no comportamento delas. Temos uma ideia mais precisa das pessoas pelo que elas fazem com frequência.

39 | Se pudesse dizer apenas uma coisa para cada pessoa no mundo, o que seria?

40 | Se pudesse dizer apenas uma coisa ao seu eu mais jovem, o que seria?

41 | Quantos anos levaria para aprender a tocar cada instrumento de sua música favorita. O poder e a criatividade necessários para simplesmente criar uma melodia ou uma peça musical que o comova profundamente.

42 | De onde vem a sua comida.

43 | Qual é o seu grande objetivo. Se você não souber o que quer fazer com o tempo precioso e limitado que tem neste mundo, você não fará quase nada.

44 | O que você colocaria em uma caixa se precisasse se mudar para o outro lado do país e só pudesse levar aquilo.

45 | Chegar a um total de zero mensagem em sua caixa de entrada.

46 | O quanto seu animal de estimação o ama.

47 | Como você pode se permitir sentir e expressar a dor de maneira saudável e adequada quando ela surgir (em vez de enlouquecer e tentar se livrar dela o mais rápido possível).

48 | **Reviravoltas na trama.** As complexidades e contradições de seus personagens favoritos nos livros de que mais gosta.

49 | **Por quem você também gostaria de viver caso os seus desejos e interesses não fossem mais a sua única prioridade.**

50 | **O que o seu eu do futuro pensaria e diria sobre a situação em que você está agora.**

51 | **Uma próxima viagem, mesmo que ainda não esteja programada.** O que você fará, que fotos vai tirar, o que poderá explorar, com quem estará, quem conhecerá.

52 | **As piores noites de sua vida.** O que você teria feito de diferente. O que você faria se pudesse voltar no tempo e aconselhar seu eu do passado.

53 | **As melhores noites de sua vida.** Não apenas o que você estava fazendo e com quem, mas o que estava pensando e qual era o seu foco.

54 | **O fato de tudo ser difícil: é difícil estar em um relacionamento, é difícil não estar em um.** É difícil ter um trabalho que você ame e no qual esteja emocionalmente envolvido; é difícil não estar vivendo os seus sonhos ao ter atingido certa idade. Tudo é difícil; é só uma questão de decidir pelo que você acha que vale a pena se esforçar.

55 | **O que você acha que vale esse esforço.** Pelo que você está disposto a sofrer.

56 | **A estética que você aprecia.** O tipo de espaço em que você não apenas deseja morar e trabalhar, mas que o faz se sentir mais como você mesmo.

57 | Quais ações, escolhas e comportamentos você acha que poderiam ter salvado os seus pais.

58 | Seu medo mais profundo e íntimo.

59 | O que seu medo mais profundo e íntimo lhe diz sobre o seu desejo mais profundo e íntimo.

60 | **As pequenas maravilhas.** O cheiro de chuva quando as janelas estão abertas no verão, sua camiseta favorita, as músicas que você adorava quando criança, sua comida favorita.

61 | **Suas histórias.** As coisas estranhas, simples e bonitas que você experimentou e como você pode compartilhá-las com outras pessoas.

62 | O que o motivará quando o medo não for mais uma opção.

63 | O que você se motivará a fazer quando o medo não for mais uma opção.

64 | **O que "suficiente" significa para você.** O que é dinheiro, amor e produtividade suficientes. A realização depende do que consideramos "suficiente", caso contrário, você estará sempre buscando mais.

65 | **Os momentos dos seus sonhos.** Fazer uma festa de aniversário em que todas as suas pessoas queridas vão estar, pegar um avião para a Tailândia, quitar as suas dívidas ou reformar a casa.

66 | O que você faria se tivesse 5 mil reais de renda extra todo mês.

67 | O que você poderia fazer para dar passos na direção da vida que deseja: onde você poderia buscar oportunidades de relacionamento, quais amigos nas cidades próximas você poderia visitar, como você poderia sair mais.

68 | A sensação do sol em sua pele.

69 | O cheiro da primavera.

70 | O que você pode fazer com os seus minutos, e não com suas horas ou dias.

71 | Quanto de sua autopercepção é resultado da cultura, das expectativas ou da opinião de outras pessoas.

72 | Quanto de sua autopercepção é sustentado pela cultura, pelas expectativas ou pela opinião de outras pessoas.

73 | Quem você é quando está sozinho.

74 | O que você pensava que seria quando era mais jovem. Como esses elementos atuam em sua vida agora.

75 | Que atitudes diferentes você tomaria se toda essa realidade de espaço-tempo fosse uma ilusão holográfica sobre a qual você tem controle.

76 | Que atitudes diferentes você tomaria se o seu destino dependesse dos pensamentos que você cultiva e das ações que realiza em um determinado momento.

77 | Uma premissa básica de várias filosofias antigas e que ressoa profundamente em você.

78 | Melodias de músicas que ainda não foram compostas.

79 | O fato de que você muda a sua vida aprendendo a pensar de forma diferente, e para pensar de outro jeito, é preciso mudar aquilo que você lê.

80 | O que você leria se escolhesse livros e matérias que realmente te interessassem, e não o que outras pessoas dizem ser literatura "de verdade".

81 | O que você ouviria se escolhesse músicas que realmente te interessassem, e não o que outras pessoas dizem ser música "de verdade".

82 | O que realmente desperta o seu interesse.

83 | Quais qualidades você mais admira nas pessoas. (Isso é o que você mais gosta em si mesmo.)

84 | Quais qualidades você mais detesta nas pessoas. (Isso é o que você não consegue, ou não aceita, ver em si mesmo.)

85 | Como o amor salvaria a sua vida, caso fosse capaz de fazer isso. (E ele é capaz.)

86 | A infinitude do universo; quão infinitesimais nós somos; como talvez cada um seja um reflexo e uma extensão do outro.

87 | Como as perguntas são complicadas e como as respostas são simples.

88 | Como o "sim" lhe parece. Muitas vezes as pessoas se concentram nos sinais de alerta de que algo está errado, mas não nos sinais sutis de que algo está certo.

89 | Quantas ocorrências aleatórias e casuais influenciaram quase todos os progressos importantes em sua vida.

90 | Um mantra, ou muitos mantras, todos trabalhando para sustentar a sua convicção inabalável de que o futuro será diferente e que você descobrirá como fazer isso acontecer.

91 | O amor que vale a pena escolher e preservar é aquele que inclina um pouquinho o eixo ao redor do qual o seu mundo gira, não deixando que nada volte a ser igual ao que era antes.

92 | Como argumentar melhor. Como expressar os seus pensamentos e sentimentos com eloquência, sem colocar as pessoas na defensiva e iniciar uma discussão que não leva a nada, em vez de criar uma conexão mais profunda.

93 | Pelo que você viveria se o seu interesse principal não fosse os seus desejos e necessidades.

94 | As pessoas que dependem de você e como elas ficariam absolutamente arrasadas caso você não fizesse mais parte da vida delas.

95 | Quem e onde você estará daqui a cinco anos se continuar seguindo o mesmo caminho.

96 | As coisas mais importantes que você aprendeu sobre a vida até agora.

97 | Como você aprendeu as coisas mais importantes que sabe até agora.

98 | Quantas pessoas vão para a cama à noite chorando, desejando ter o que você tem: emprego, amor, casa, seu grau de instrução, seus amigos e assim por diante.

99 | Quantas vezes na vida você foi para a cama chorando, desejando poder ter o que tem agora: emprego, amor, casa, seu grau de instrução, seus amigos e assim por diante.

100 | O que você pode fazer para se lembrar disso mais vezes.

101 | Como é a versão do seu eu mais plenamente realizada. Como pensa o seu melhor eu. Pelo que ele é grato, a quem ama. O primeiro e mais importante passo para ser a pessoa que você pretende ser é concebê-la. Depois disso, o resto se ajeita.

14

EXPECTATIVAS
QUE VOCÊ DEVE
abandonar
AOS VINTE ANOS

01 | Você nasceu para ser extraordinário.

Pessoas extraordinárias são apenas isso: raras. Reconhecer esse fato não significa que você está desistindo de seu potencial, e sim que está dissolvendo suas ilusões sobre o que significa ser você mesmo e levar a vida da melhor forma possível. Buscamos ser um caso raro de sucesso, como se esse fosse, naturalmente, o objetivo final de quem investe em si e trabalha duro. Não é. A verdadeira questão é: qual trabalho você está disposto a fazer, mesmo que ninguém o aplauda? O que valerá a pena mesmo que não seja reconhecido? Como você se sentirá amado por algumas pessoas se não for reconhecido por muitas? Encontrar o excepcional no comum é o verdadeiro extraordinário.

02 | Você está no início de sua vida.

Alguns de vocês que estão lendo isto não passarão dos vinte anos. Outros não passarão da meia-idade, ou mesmo deste ano. Mantenha uma caveira em sua escrivaninha se quiser — ninguém acha que vai morrer jovem, mas isso não significa que isso não possa acontecer.

03 | Seus defeitos são mais perdoáveis, e suas qualidades, mais excepcionais.

Acreditar que você é menos responsável por seus pontos fracos e que é mais excepcionalmente habilidoso em seus pontos fortes é uma mentalidade que muitas pessoas adotam, mas, no fim das contas, só as impede de crescer. Se você não reconhecer a magnitude das escolhas erradas que fez, certamente achará justificável voltar a fazê-las; se viver e agir como se pudesse se safar sempre, porque se acha um pouco melhor do que todo mundo, nunca experimentará nada de verdade.

04 | Você pode ser o que quiser.

Se você não tem o QI de um engenheiro aeroespacial, não pode ser um. Se não tem coordenação para ser um dançarino profissional, não será um. Querer algo intensamente não qualifica ninguém a consegui-lo.

Você não pode ser o que quiser, mas se trabalhar duro, não desistir e nascer em um contexto favorável, talvez possa fazer algo que una as suas habilidades aos seus interesses. E se você for mesmo inteligente, descobrirá como ser grato por isso, ainda que em tempos difíceis.

05 | Você pode vencer a dor usando a inteligência.

Não é possível superar racionalmente a dor. Você não pode prever, evitar ou fingir que não a sente. Fazer isso é viver somente uma parte da vida e fará de você somente uma parte da pessoa que deveria ser.

06 | O amor é algo que as outras pessoas lhe dão.

As pessoas não podem transmutar emoções, o que é algo interessante de se considerar quando percebemos como todos os seres humanos estão totalmente absorvidos pelo conceito de fazer com que outras pessoas os amem. Isso ocorre porque, quando pensamos que outras pessoas nos amam, nos damos permissão para sentir o amor. É um jogo mental no qual contamos com todos, menos com nós mesmos, para nos permitirmos sentir aquilo que já está dentro de nós. (Se você acha que o amor é algo que existe em qualquer lugar, menos dentro de seu próprio coração e de sua mente, você nunca o terá.)

07 | Sentir algo profundamente significa que aquilo "era para ser".

A intensidade com que você experimenta algo (ou alguém) não equivale a quanto aquilo está "destinado a ser". Muitas pessoas sentem, do fundo do coração, que foram feitas para serem famosas em sua área, mas não têm a habilidade ou a coragem para isso. A maioria das pessoas que se casam sente com todas as forças que está no relacionamento certo, mas isso não significa que seja impossível que um dia tudo acabe em divórcio.

Términos acontecem. Desemprego, mágoas e decepções também. Como sabemos disso? Porque acontecem com tanta frequência que são os redirecionamentos mais importantes. Deixe para lá a imagem que você tem de como sua vida deve ser. Ela nunca vai se realizar da maneira que você acha que deveria e, enquanto isso, só fará com que você desperdice o que tem no momento. Há apenas um destino final aqui. A única coisa rumo à qual você está correndo é para o fim de sua vida.

08 | Se você investir em si mesmo o suficiente, não precisará mais lutar.

Se você investir em si mesmo o suficiente, entenderá para que serve essa luta.

09 | Você pode controlar o que as outras pessoas pensam a seu respeito.

Você pode controlar como trata as pessoas, mas não o que elas pensam. Pensar que ter um determinado comportamento vai provocar uma determinada resposta é uma ilusão que o fará manipular marionetes a vida inteira. Isso o distanciará da pessoa que deseja ser e da vida que deseja viver. E para quê? As pessoas vão julgar, criticar, condenar, amar, admirar, invejar e cobiçar com base nas próprias percepções subjetivas.

10 | Trabalho árduo é garantia de sucesso.

Se está buscando um resultado específico com todo o seu trabalho árduo, provavelmente ficará decepcionado. Trabalho duro serve para que você reconheça a pessoa na qual ele o transforma, e não aquilo que você "consegue" com ele (você pode controlar a primeira opção; a segunda, não).

11 | Você vai pensar diferente quando estiver em uma situação diferente.

A maioria das pessoas presume que, quando a vida delas mudar, seus pensamentos mudarão. Quando tiverem alguém que as ama, pensarão que são dignas do amor. Quando tiverem dinheiro, vão lidar com ele de forma diferente. Infelizmente, o que acontece é o contrário — quando você adota uma nova mentalidade em relação ao dinheiro, começa a se comportar de maneira diferente e, então, provoca mudanças em sua vida financeira, por exemplo. Sua mente produz; ela não é produzida.

12 | As outras pessoas são responsáveis por seus sentimentos.

O único lugar onde você tem controle total sobre o que lhe dizem ou o que é dito perto de você é em sua casa. Fora dela, você existirá em um mundo com uma infinidade de pessoas e opiniões diversas, que, em um ou outro momento, provavelmente o "ofenderão". Se você decidir achar que é o foco da vida de todo mundo e atribuir significado a cada comentário e ideia que não esteja alinhada com o seu sistema de crenças, sua vida será muito difícil. O seu nível de indignação não vai mudar o modo como as outras pessoas o tratam e o que pensam a seu respeito, mas estar disposto a explicar, ensinar e compartilhar pode ser um caminho. Uma atitude defensiva nunca leva ao crescimento, ela o retarda.

13 | Inteligência emocional é manter uma compostura impecável; autoestima é acreditar que você é completamente "bom"; a felicidade depende da ausência de problemas.

A inteligência emocional é a capacidade de sentir, expressar e interpretar os seus sentimentos de maneira produtiva; autoestima é quando você acredita que é digno de amar e ser amado, apesar de não ser completamente "bom" o tempo todo; a felicidade depende de como você lida com os seus problemas e de como os encara como as oportunidades que de fato são.

14 | A pessoa certa virá na hora certa.

Você não estará pronto quando o amor de sua vida chegar. Provavelmente também não estará pronto quando se deparar com o anúncio do emprego dos seus sonhos, quando comprar uma casa, tiver um filho, largar o emprego e tentar escrever o livro que tem em mente, adoecer, perder um parente ou morrer. Se você esperar estar "pronto", ficará esperando para sempre e, pior, perderá o melhor daquilo que está bem diante de você.

15 | Você pode adiar a sua felicidade, guardando-a como se fosse dinheiro em um banco.

As pessoas adiam a própria felicidade para que se sintam seguras. Elas procuram outro problema para resolver, outro obstáculo para superar, outro caminho até que possam sentir a felicidade que sabem que há em sua vida. Você não pode economizar a sua felicidade; pode senti-la no momento ou pode perdê-la. Simples assim. De qualquer modo, é algo temporário. A única variável é se você já a sentiu ou não.

16 | Ansiedade e pensamento negativo são coisas irritantes e desagradáveis que você só precisa aprender a evitar.

A ansiedade é uma das principais forças motrizes que mantêm você e toda a espécie humana vivos. Lutar contra uma superabundância de ansiedade paralisante geralmente significa que você não está prestando atenção a ela, ou que há algum problema importante em sua vida que você se recusa a encarar ou tentar resolver. O poder do pensamento negativo é que ele nos mostra o que é importante e como precisamos reagir à nossa vida.

17 | Concentrar-se apenas em suas próprias necessidades o deixará mais feliz.

Apesar do que muitos sites dizem, a autossuficiência é apenas uma precursora da felicidade. É a base. É crucial, mas não é a conexão a partir da qual os seres humanos evoluem. Comprometer-se, sacrificar-se, tentar várias vezes pelas pessoas que você ama e pelas coisas nas quais acredita é o que faz a vida valer a pena. Atender às suas próprias necessidades é o primeiro passo, não o objetivo final.

LEIA ISTO
se você
"NÃO SABE
O QUE ESTÁ
FAZENDO"
da sua
VIDA

Se você perguntar a qualquer jovem adulto qual é a principal fonte de estresse na vida, provavelmente a resposta será algo relacionado à incerteza. Resumido em uma frase, seria algo do tipo: "Eu não sei o que estou fazendo da minha vida."

Quantas vezes você já ouviu alguém dizer isso? (Quantas vezes você já disse isso?) Provavelmente muitas. A ideia de que devemos saber o que fazer da vida é uma besteira socialmente criada e imposta à nossa psique desde o jardim de infância, e está nos impedindo de seguir em frente.

Ninguém — nenhum de nós — sabe "o que está fazendo da vida". Ainda não podemos ter uma visão do todo. Não sabemos o que estaremos fazendo daqui a cinco anos, e fingir que podemos prever isso não é ser responsável ou ambicioso, é nos impedir de viver de acordo com os nossos sistemas internos de navegação e viver segundo a narrativa que antes considerávamos ser a correta.

Você não deve nada ao seu eu mais jovem.

Você não é responsável por ser a pessoa que pensava que seria.

Mas você deve algo ao adulto que é hoje.

Você sabe por que não tem as coisas que antes pensava que queria? Você sabe por que não é a pessoa que pensou que seria?

Porque você não quer mais isso. Pelo menos, não tanto assim. Se quisesse, você as teria e as seria.

Se está se perguntando "o que devo fazer da minha vida?", é provável que esteja no limbo entre perceber que o que queria no passado não te interessa mais e se permitir desejar algo diferente no presente.

Pensar que sabe o que está "fazendo da sua vida" sacia a sua fome. Acalma a sua mente com a ilusão de que o caminho já está traçado à sua frente e não é mais preciso fazer escolhas, o que é outra forma de dizer que você não é mais responsável por se tornar a pessoa que deseja e precisa ser.

A fome é importante. A completa satisfação é o caminho mais rápido para a complacência. As pessoas não evoluem quando estão satisfeitas, ficam estagnadas.

Então, foda-se saber o que você "vai fazer da sua vida".

O que você está fazendo hoje? Quem você ama? O que o intriga? O que você faria hoje se pudesse ser quem você quisesse? Se as redes sociais não existissem? O que você quer fazer neste final de semana?

"O que eu quero?" é uma pergunta que precisa ser feita todos os dias. O que for verdadeiro vai se entrelaçar à sua vida e aquilo que continuar cruzando seu caminho repetidas vezes é o que você seguirá. Serão os lugares nos quais você permanece, as pessoas por quem você é atraído, as escolhas que você faz. As verdades centrais vencerão, mesmo que outras verdades estejam alojadas ao lado delas.

Ouvi-las é dizer: o que eu quero agora?

8 PERSPECTIVAS COGNITIVAS *que* CRIAM *a maneira* COMO VOCÊ PERCEBE A SUA VIDA

A boa notícia é que provavelmente a sua vida é diferente de como você pensa que é. Infelizmente, essa também é a má notícia. Como diz Daniel Kahneman, psicólogo vencedor do prêmio Nobel: "A confiança que as pessoas têm nas próprias crenças não é uma medida da qualidade da evidência, mas da coerência da história que sua mente conseguiu construir."

No entanto, as ferramentas para essa construção não são apenas as nossas experiências, esperanças, desejos e medos. Há preconceitos psicológicos que nos impedem de enxergar uma realidade objetiva. Em certo sentido, nossa realidade coletiva nada mais é do que a experiência subjetiva em um confronto com a experiência subjetiva. As pessoas que não entendem isso acreditam que a experiência subjetiva delas, na verdade, é objetiva. Nossa incapacidade de coexistir não é resultado de uma disfunção social inerente, mas sim de uma falta de compreensão dos aspectos mais fundamentais dos corpos que habitamos.

Este fenômeno tem sido estudado desde a filosofia grega antiga e é normalmente citado como "realismo ingênuo": a suposição de que vemos o mundo como ele realmente é, e que nossa impressão é uma representação objetiva e precisa da realidade.

O psicólogo David McRaney resume isso da seguinte maneira: os últimos cem anos de pesquisa sugerem que você, e todos os outros, ainda acreditam em uma forma de realismo ingênuo. Você ainda acredita que, embora as suas informações não sejam perfeitas, quando começar a pensar e a sentir, esses pensamentos e sentimentos serão confiáveis e previsíveis. No entanto, sabemos que não há como você conhecer uma realidade "objetiva", e sabemos que nunca saberá quanto da realidade subjetiva é fabricado, porque nunca experimenta outra coisa além daquilo que é produzido pela sua mente. Tudo o que já aconteceu com você, aconteceu dentro da sua cabeça.

Então, quais são esses preconceitos que nos afetam tão profundamente? Bem, para começo de conversa, embora muitos sejam identificáveis, nada o impede de criar os próprios preconceitos e, de fato, talvez a maioria das pessoas faça isso. No entanto, eles provavelmente são feitos da combinação desses elementos:

01 | Projeção

Como experimentamos o mundo através de nossos sentidos e, em última análise, de nossa psique, inevitavelmente projetamos as nossas próprias preferências e nossa consciência naquilo que vemos e o interpretamos de acordo com isso. Em outras palavras, o mundo não é como é, e sim como somos. Superestimamos quão típicas e normais as outras pessoas são, com base em quão "estranhos" ou "diferentes" nos sentimos. Presumimos que as pessoas pensam como nós, porque a nossa narrativa interna e o modo como processamos o mundo é tudo o que conhecemos.

02 | Extrapolação

Extrapolação é o que acontece quando projetamos o momento atual em que estamos como se significasse o todo. Fazemos suposições baseadas no que nossa situação atual "significa" para nós, e, então, começamos a acreditar que as coisas sempre serão do jeito que estão. Eis porque as tragédias parecem tão insuperáveis e a felicidade tão passageira — ao temermos que a felicidade não durará para sempre, nós a perdemos; e, ao temermos que a dor durará para sempre, nós a criamos.

03 | Ancoragem

Somos muito influenciados pela primeira informação que ouvimos. Por exemplo, a nossa visão de mundo tende a ser a dos nossos pais, e não as nossas crenças mais íntimas. Durante uma negociação, a pessoa que primeiro apresenta uma oferta cria uma "gama de possibilidades". Por exemplo, se você por acaso ouviu falar que três pessoas receberam um determinado valor ao publicarem seus livros, já acha que sabe o que pode esperar se fizer o mesmo, simplesmente se baseando nessas primeiras referências.

04 | Negatividade

Não conseguimos desgrudar os olhos de um acidente de carro, prestamos mais atenção nas notícias ruins do que nas boas e ficamos fascinados pelas catástrofes e pelos dramas da vida das pessoas — e não é porque somos mórbidos ou masoquistas. Na verdade, é porque nossa atenção é seletiva, e julgamos as notícias negativas mais importantes e profundas, portanto, mais merecedoras de nossa atenção. Em parte, é a aura de mistério que provoca esse comportamento, pois quando não sabemos o propósito da negatividade em um sentido existencial, ficamos fascinados por ela.

05 | Conservadorismo

Irmão da "ancoragem", o conservadorismo implica dar mais credibilidade a algo simplesmente por ter sido nossa primeira crença. Em outras palavras, é o receio de aceitar novas informações, mesmo que sejam mais úteis ou precisas.

06 | Ilusão de agrupamento

"Agrupamento" é quando você começa a perceber padrões em eventos aleatórios, e isso ocorre porque você tomou essa decisão inconscientemente. É o que acontece quando você vê o carro dos seus sonhos em todos os lugares ou presta atenção em todos que estão vestindo vermelho quando também está usando essa cor. Você cria padrões subconscientes que, para outras pessoas, seriam aleatórios, simplesmente porque está buscando uma confirmação tendenciosa.

07 | Confirmação

Uma das tendências mais comuns, a confirmação acontece quando ouvimos seletivamente informações que apoiam ou comprovam nossas ideias preconcebidas sobre uma questão ou um assunto. É como isolamos mentalmente a nós mesmos e a nossa visão de mundo. É também como nos autovalidamos.

08 | Apoio à escolha

Quando você "escolhe" algo conscientemente, tende a vê-lo de maneira mais positiva e a ignorar ativamente seus defeitos, mais do que faria com algo que não escolheu. É por isso que a ideia de que temos autonomia para decidir o que é certo para nós é tão crucial, pois dita como nos relacionaremos com essa decisão para sempre.

O QUE AS PESSOAS EMOCIONALMENTE ESTRUTURADAS *não* FAZEM

01 | Não acreditam que todo sentimento significa alguma coisa.

Elas não atribuem valor a tudo o que sentem. Sabem que a convicção não torna algo verdadeiro.

02 | Não se sentem ameaçadas por não estarem certas.

Entendem que ter uma crença mal fundamentada ou uma ideia incorreta não as invalida como pessoas.

03 | Não usam a lógica para negar as próprias emoções.

Elas validam os próprios sentimentos ao reconhecê-los; não dizem que alguém "não deveria" se sentir da forma como está se sentindo.

04 | Não projetam significado em tudo o que veem.

Não presumem que tudo o que veem ou ouvem tem algo a ver com elas. Não se comparam com os outros, simplesmente porque a ideia de que uma pessoa existe em comparação com outra é, na melhor das hipóteses, estúpida e, na pior, egoísta.

05 | Não precisam provar que têm poder.

Em vez de ostentarem a imagem de que são imbatíveis, em geral se mostram pacíficas e tranquilas, o que é a marca registrada de uma pessoa verdadeiramente segura.

06 | Não evitam a dor, mesmo que a temam.

Elas lidam com o desconforto para que possam desconstruir um velho hábito. Rastreiam a causa do problema em um relacionamento, em vez de se desviarem dos sintomas. Reconhecem que o desconforto está em evitar a dor, não na dor em si.

07 | Não apontam os defeitos de outras pessoas para menosprezar as qualidades delas.

Elas não reagem às vitórias de alguém comentando os fracassos dessa pessoa.

08 | Não reclamam (demais).

Quando as pessoas reclamam, querem que os outros reconheçam a sua dor e a considerem legítima. Embora esse desejo não seja o verdadeiro problema, é, em todo caso, uma forma de afirmação.

09 | Não filtram certos aspectos de uma experiência para transformá-la em uma catástrofe.

Pessoas que pulam de A a Z e só pensam nos piores cenários geralmente não acreditam que podem cuidar de si mesmas caso surja um imprevisto. Por isso, se preparam para o pior e, quando fazem isso, acabam se privando do melhor.

10 | Não têm uma lista de coisas que as pessoas "deveriam" ou "não deveriam" fazer.

Reconhecem que as noções de "certo" e "errado" são altamente subjetivas e que acreditar que existe um código de conduta universal ao qual todas as pessoas precisam aderir é uma eterna fonte de decepção.

11 | Não se consideram donas da verdade.

Não pensam que a atitude que julgam ser ideal em uma situação é a solução que servirá para todos, principalmente na hora de oferecer conselhos aos amigos.

12 | Não tiram conclusões gerais de suas experiências pessoais.

Não tiram conclusões gerais sobre a espécie humana com base na pequena porcentagem do mundo que vivenciam a cada dia.

13 | Não mudam de personalidade dependendo da companhia.

Todos têm medo da rejeição, mas nem todo mundo consegue vivenciar de fato a experiência de ser aceito sendo incondicionalmente quem se é.

14 | Conseguem se impor sem serem agressivas ou defensivas.

Embora pareça uma contradição, agressividade ou defensividade são indicadores de insegurança. Impor-se com tranquilidade é sinal de determinação e uma boa autoestima.

15 | Não presumem que a vida delas será sempre da mesma forma.

Elas têm em mente que seus sentimentos, sejam bons ou ruins, são temporários. Isso as faz focar no que é positivo, abrindo mão do que é negativo com mais facilidade.

10 PONTOS-CHAVE QUE NÃO ENTENDEMOS
sobre a EMOÇÃO

01 | Os efeitos de longo prazo do abuso emocional podem ser tão ruins, senão piores, do que os do abuso físico.[9]

O abuso emocional muitas vezes não é levado tão a sério porque nem sempre pode ser "visto". Mas a gravidade dos efeitos de longo prazo de qualquer tipo de abuso não é muito diferente. O abuso emocional é semelhante ao abuso físico, pois desgasta sistematicamente a autoconfiança de uma pessoa e a forma como ela se percebe e se valoriza. O abuso emocional pode se manifestar de várias maneiras, incluindo o ato de controlar, de ameaçar, de degradar, de depreciar, de criticar, de gritar etc.

02 | As emoções duram mais que as memórias que as criaram.

Pegamos emoções passadas e as projetamos em situações atuais de nossa vida. Isso quer dizer que, a menos que resolvamos o que aconteceu no passado, sempre seremos controlados por ele. Além disso, nossos medos irracionais e ansiedades mais graves do dia a dia podem ser atribuídos a uma causa, que precisa ser tratada para interromper o efeito de maneira eficaz.

---

9 Spinazzola, Joseph. "Childhood Psychological Abuse as Harmful as Sexual or Physical Abuse." *Psychological Trauma: Theory, Research, Practice, and Policy*. American Psychological Association, 2014. <http://www.apa.org/pubs/journals/tra/index.aspx>.

03 | Algumas pessoas criativas ficam deprimidas por um motivo.[10]

A expressão e a experiência de emoções negativas estão relacionadas a atividades no córtex frontal direito (bem como a outras estruturas, como a amígdala), ou seja, as mesmas áreas que são ativadas quando a pessoa está sempre usando a criatividade e dando significado abstrato à realidade concreta de qualquer que seja a experiência atual.

04 | Medo não significa desejo de fuga, e sim que você está interessado.

Acredite ou não, a emoção mais associada ao medo é o interesse. Já foi dito que o medo tem duas faces invisíveis: uma que quer fugir e outra que quer investigar. Ou seja, nada é "assustador" para nós, a menos que alguma parte de nós também queira entender isso, saiba que fazemos parte disso e sinta que isso se tornará parte de nossa experiência.

05 | Ter outros sentimentos que não sejam a felicidade não é sinal de fracasso. O saudável é ter um espectro de emoções.

Emoções negativas são boas para você. Na verdade, estar consistentemente em um estado de pura "felicidade" ou de qualquer outra emoção seria um sinal de disfunção mental. Não é assim que nosso corpo e nossa mente são estruturados. Em outras palavras, você não precisa ser feliz o tempo todo. Ouça o que seu corpo está lhe dizendo. Emoções negativas são um sinal de que algo não vai bem. A emoção não é o problema; mas ela está chamando a sua atenção para o que é um problema.

---

10 Adams, William Lee. "The dark side of creativity: Depression + anxiety x madness = genius?" CNN, 2014.

06 | As emoções são capazes de "prever o futuro". Ou, em outras palavras, a intuição existe.

Um estudo da Universidade de Columbia,[11] que vem sendo chamado de "Efeito do Oráculo Emocional", praticamente comprovou que as pessoas que confiam em suas emoções podem prever resultados futuros. Como costumam recorrer ao que sentem, elas têm uma janela para a mente subconsciente, que nada mais é que um poço inconsciente de informações.

07 | Podemos reviver a dor social mais do que a dor física — motivo pelo qual alguns pesquisadores acreditam que, de certa forma, esse tipo de sofrimento é mais prejudicial.

Quando não há fatores psicológicos relacionados à dor física, ou melhor, quando não há instinto inato que precisemos processar ou nos reajustar para sobreviver, esquecemos o sofrimento. No entanto, nosso cérebro vai priorizar a rejeição ou outra emoção, ou humilhação social, porque precisamos permanecer na "tribo" para sobreviver.

08 | O estresse pode ser a mais perigosa das emoções (ainda mais se fizer parte da rotina) e, no entanto, é a que mais passa despercebida.

Relaxar não deve ser encarado como um agrado para si mesmo, mas sim como algo absolutamente essencial. O estresse debilita cada parte de você e, de uma forma ou de outra, está relacionado às principais causas de morte no mundo inteiro: acidentes, câncer, doenças cardíacas, suicídio etc.

---

11 Lee, Leonard; Stephen, Andrew; Pham, Michel. "The Emotional Oracle Effect." *Journal of Consumer Research*, 2012. <https://www8.gsb.columbia.edu/newsroom/newsn/1957/the-emotional-oracle-effect>.

09 | Na verdade, as redes sociais estão nos tornando mais desconectados emocionalmente.

O consumo de trechos da vida das pessoas nos leva a criar uma determinada noção da realidade — uma noção que está longe da verdade. Desenvolvemos tanta ansiedade ao redor das redes sociais (ou se estamos realmente cumprindo os padrões esperados de nós) que começamos a priorizar o tempo que passamos on-line em vez do tempo longe das telas. Como somos seres que precisam de intimidade (romântica ou não) para sobreviver, isso está se tornando uma força cada vez mais prejudicial em nossa cultura.

10 | "Você não pode anestesiar a emoção seletivamente. Quando entorpecemos [as mágoas], entorpecemos a alegria, a gratidão e a felicidade."

Brené Brown argumenta que você não pode se entorpecer para uma experiência sem se entorpecer para todas as outras.[12] Você não pode ignorar a tristeza sem também se tornar imune à felicidade. Ou seja, é mais saudável experimentar tudo, do bom e do mau.

---

12 Brown, Brené. *A coragem de ser imperfeito: como aceitar a própria vulnerabilidade, vencer a vergonha e ousar ser quem você é.* Sextante, 2016.

19

PEQUENAS COISAS QUE ESTÃO AFETANDO
a maneira como você se sente
EM RELAÇÃO AO SEU CORPO
sem você perceber

01 | Como seus pais se sentiam em relação ao próprio corpo e o que diziam sobre ele — e sobre o dos outros — quando você era pequeno ou quando pensavam que você não estava ouvindo. Meu ditado favorito é: "A forma como falamos com os nossos filhos torna-se a voz interior deles."

02 | Imagens tão bem editadas no Photoshop que você nem percebe que foram manipuladas (tornando sua percepção de "normal" totalmente distorcida).

03 | As atitudes da primeira pessoa com quem você namorou ou teve intimidade, e se ela admirava ou não o corpo incrível que você tinha (tem). Por algum motivo, os problemas das pessoas com o próprio corpo muitas vezes podem ser rastreados até essas experiências iniciais, principalmente se foram negativas.

04 | Como você julga outras pessoas. O primeiro insulto que passa pela sua cabeça quando você quer xingar alguém — especialmente quando é físico — fala muito mais sobre você do que sobre a pessoa agredida.

05 | A maneira como seus amigos se comportam e tratam do próprio corpo. Nesse caso, é muito mais o que você percebe

através das ações deles do que eles lhe dizem sobre si mesmos. Subconscientemente começamos a adotar a mentalidade do grupo de pessoas com quem mais convivemos.

06 | **Que tipo de mídia você consome.** Os livros e revistas que você lê, os sites que visita, os programas de TV aos quais assiste, tudo isso se combina para criar o seu conceito do que é "normal" e do que é "ideal" — e, em geral, você produz essas ideias com base nos personagens com que mais se identifica.

07 | **A herança do meio em que você nasceu.** A comida é uma parte integrante da cultura — é ao redor dela que mais socializamos — e está ligada ao meio cultural em que você foi criado. A alimentação emocional pode começar cedo, e ouvir críticas à sua aparência por parentes, mesmo que não bem-intencionados, pode realmente marcar a sua psique.

08 | **Se você teve ou não um relacionamento em que sentiu uma conexão profunda.** É difícil crer que o amor pode existir sem depender de expectativas físicas, até que você o experimente e comece a perceber que a aparência não é o mais importante.

09 | **Se você acredita que cuidar do corpo é um meio para alcançar um objetivo — sendo esse objetivo um corpo diferente —, em vez de encarar como algo holístico para mantê-lo funcionando.**

10 | **Quão autênticas são as suas amizades.** Se você só mantém relacionamentos por conveniência — se não há ninguém em sua vida para quem você seja importante por ser quem é e não pelo que faz por essa pessoa, suas atenções tenderão a se concentrar na manutenção de um tipo de aceitabilidade física e exterior.

11 | **Os comentários que as pessoas fazem na rua — mesmo o fiu-fiu com a intenção de ser um elogio — reduzem o seu corpo a um objeto.**

12 | O quanto você entende sobre saúde e constituição genética, sobre o fato de que não perdemos as células de gordura (elas apenas encolhem) e se você compreende que as noções de grande e pequeno, de pesado e leve, são completamente subjetivas. Se você avaliar o quanto seu corpo é aceitável comparando-o com os outros, nunca estará satisfeito com a sua aparência.

13 | Dizer que um alimento é "bom" ou "ruim" de acordo com o que ele fará pela sua aparência. Isso distorce a sua ideia do que é importante para o seu corpo de uma maneira geral.

14 | Não passar tempo ao ar livre. O sol regenera o seu corpo — somos tão movidos pela energia solar quanto pelos alimentos que comemos — e negar essa fonte de luz e calor ao seu corpo é esgotar os hormônios que provocam sensações de bem-estar e todo o restante para o que você foi feito para viver.

15 | Basear a sua autoestima apenas na aparência. Quando você sente que não tem nada mais importante para oferecer ao mundo, é inevitável que você se prenda ao que é mais fácil de ver e julgar.

16 | Amor não correspondido. É fácil pensar que alguém não está interessado em você por causa da sua aparência. Mas alguém que só o ame quando você estiver dez quilos mais magro não é a pessoa com quem você quer estar.

17 | A atenção constante dada ao corpo das celebridades, com que frequência você consome esse tipo de informação e quão sério a leva. Quer estejam "se recuperando" após uma gravidez ou simplesmente passando pelos fluxos e descaminhos da vida, as celebridades sofrem um tipo de escrutínio que quase faz parecer que ficar obcecado com cinco quilos a mais após um parto é algo normal. Parte do trabalho das celebridades é suportar esse tipo de coisa, o que é terrível, mas você não precisa ser mais uma pessoa que se diverte com isso. Não ajuda ninguém. Atenha-se ao seu próprio padrão.

18 | Esquecer aquilo para que nosso corpo foi feito — rir, brincar, pular, abraçar e amar — e que não há nenhuma vantagem evolutiva em ter quadris bem delineados para fazer essas coisas.

METAS
que ajudam você a
DESFRUTAR
o que você tem
EM VEZ DE CORRER ATRÁS
do que não tem

Os marcos são sinais de que você está evoluindo: eles não nos deixam satisfeitos emocionalmente da maneira que imaginamos. É por essa confusão que, no início de cada ano, fazemos resoluções para mudar a nossa vida em vez de a nós mesmos. Mas e se estabelecêssemos metas mais voltadas para amar o que temos em vez de perseguirmos o que não temos? E se percebêssemos que o que temos agora eram as coisas que estávamos buscando lá no início? É algo a considerar, ou até mesmo tentar um pouco. Eis aqui algumas ideias para você começar:

01 | **Continue de onde parou.** Termine os livros lidos pela metade que estão em sua estante. Coma o que tem na despensa. Vista suas roupas de formas que nunca pensou. Peça desculpas sinceras. Ligue para velhos amigos. Revisite projetos antigos. Experimente outros caminhos.

02 | **Busque maneiras de gostar das pessoas como elas são, não como você gostaria que fossem.** Não é seu trabalho julgar quem é merecedor de seu amor e bondade. Não é seu trabalho mudar ninguém. Sua função se restringe a amá-las da maneira que for apropriada. Você não é o deus de ninguém.

03 | **Dedique mais tempo aos amigos que tem do que procurando aqueles que não tem.** Pare de contar quantas pessoas existem em sua vida, como se atingir um determinado número fizesse você se sentir amado. Comece a apreciar a raridade e a beleza que é ter apenas um amigo próximo na vida. Nem todo mundo tem tanta sorte.

04 | **A cada dia, escreva uma coisa que seu corpo permitiu que você fizesse.** Seja assistir ao seu programa favorito, ouvir os sons da rua a caminho do trabalho, ser capaz de ver uma tela de computador ou abraçar alguém que você ame, concentre-se naquilo que o seu corpo faz em vez de na aparência que tem quando está fazendo essas coisas.

05 | **Aprenda a gostar do que é barato.** Aprenda a gostar e a cozinhar comidas simples, sair ao ar livre, desfrutar a companhia de um amigo, passear, ver o sol nascer, ter uma noite inteira de sono, um bom dia de trabalho.

06 | **Comece um "registro diário" e escreva uma ou duas frases para resumir cada dia do ano.** O motivo de as pessoas só conseguirem manter um diário por cerca de uma semana é que ninguém tem tempo (ou energia) para registrar detalhadamente o dia a dia. Por outro lado, quando deixamos de fazer esses registros, perdemos a incrível oportunidade de perceber como chegamos longe e o que realmente importa em nossa vida. Então, facilite as coisas para você: antes de dormir, escreva uma frase que resuma o seu dia. Após um ano, você se sentirá grato por ter feito isso.

07 | **Encontre significado e alegria no trabalho que você faz, não no trabalho que gostaria de ter feito.** Encontrar realização no trabalho não quer dizer perseguir a ideia que você tem de seu "propósito", e sim infundir propósito em tudo aquilo que você já faz.

08 | Crie as suas tradições de férias. Faça com que os dias mais especiais do ano reflitam quem você é, o que você ama e como deseja celebrar a sua vida.

09 | Faça um "corte de gastos", usando somente aquilo que tem. Ensine a si mesmo a arte de negar a gratificação imediata em prol de algo mais importante e prove para si mesmo que você já tem tudo de que precisa ou, ao menos, mais do que você pensa.

10 | Dê um "lar" para tudo o que você possui; essa é a chave para se sentir em paz em seu espaço. Avalie os seus pertences e guarde apenas aquilo que é significativo ou bonito para você — e, em seguida, atribua a cada uma dessas coisas um "lar" ou um espaço para o qual voltar a cada noite. Isso mantém um fluxo em seu espaço de uma forma fácil e tranquila.

11 | Aprenda a viver dentro de suas possibilidades — não importa quanto dinheiro você ganhe, seus "hábitos percentuais" permanecerão os mesmos. Se você costuma ver toda a renda que ganha como "dinheiro para gastar" (em vez de dinheiro para investir, economizar etc.), sempre voltará a esse hábito, não importando o quanto ganhe. Somente ao aprender a viver confortavelmente dentro de suas possibilidades é que você será capaz de realmente atingir os seus objetivos quando ganhar mais.

12 | Ligue para a sua mãe. Nem todo mundo tem esse privilégio.

13 | Deseje ser alguém que dá sentido às coisas, não alguém que busca coisas que lhe darão sentido. Em vez de buscar o "sucesso", busque a bondade. Em vez de acreditar que a riqueza é a prova de uma vida bem vivida, acredite que a inteligência, a bondade, ou a mente aberta são.

14 | Faça as coisas mais importantes logo de manhã cedo. Dedique a sua energia ao que é mais importante quando ela está no nível máximo. Isso também ajuda a definir o que realmente importa para você.

15 | Jogue fora o que não serve mais para você. Saiba abrir mão das coisas grandes aprendendo a abrir mão das pequenas. É mais fácil contornar pensamentos e emoções de natureza negativa quando você é capaz de se livrar de pertences e objetos com associações negativas.

16 | Encontre o seu ritmo. Se você ficar sem fôlego, é sinal de que está indo rápido demais. Manter o corpo relaxado deve ser uma prioridade, não importa o que você esteja fazendo. Mantenha o controle de sua respiração o tempo todo. Direcione sua atenção, sua presença e intenção em tudo o que fizer. O importante não é a quantidade, e sim a qualidade daquilo que realizamos.

102 MANEIRAS
de impedir que
PENSAMENTOS IRRACIONAIS ARRUÍNEM A SUA VIDA

01 | **Aprenda a diferenciar o que está acontecendo daquilo que você está pensando no momento.**

02 | **Aprenda a diferença entre verdade e sinceridade.** A maneira como você diz se sentir, com toda a sinceridade, pode ser diferente de como realmente se sente — a primeira geralmente é temporária, a última, mais profunda e consistente.

03 | **Pare de tentar seguir em frente enquanto a floresta estiver escura.** Quanto mais você estiver consumido pela emoção, mais desejará tentar fazer mudanças em sua vida, mas esse é o pior momento para isso. Não tome decisões quando estiver perturbado. Espere até se acalmar.

04 | **O fogo pode tanto queimar a sua casa quanto cozinhar o jantar e mantê-lo aquecido no inverno.** O mesmo se aplica à sua mente.

05 | **Reconheça que a ansiedade vem da vergonha.** A ideia de que a pessoa que você é ou aquilo que está fazendo "não está certo" provoca um surto de energia destinado a ajudá-lo a "consertar" ou mudar a situação. Você sofre porque não há nada que possa fazer para que esse sentimento urgente de pânico vá embora. Essa é uma percepção mal-administrada de quem e como você é.

06 | **Quando sua visão estiver limitada, escreva a sua narrativa em um pedaço de papel.** Comece com: "Meu nome é..." e depois faça uma lista de onde você mora, no que trabalha, o que você já realizou, com quem passa o tempo, no que está trabalhando, do que se orgulha.

07 | **Perceba que pensamentos são ilusões poderosas.** Faça um inventário de todas as coisas nas quais pensou e com as quais se preocupou e que, no fim das contas, não eram reais. Pense em todo o tempo que você perdeu se preparando para resultados que nunca se concretizariam e problemas que só existiam em sua mente.

08 | **Pratique a visualização negativa.** Crie soluções tangíveis para os seus medos intangíveis. Mostre para si mesmo que você não vai morrer se perder o emprego ou o parceiro. Faça uma lista das coisas com que você mais se preocupa, imagine o pior resultado e, em seguida, faça um plano de como você lidaria com isso caso acontecesse.

09 | **Pare de focar tanto em atividades intelectuais. Faça coisas com as mãos. Cozinhe, limpe, saia ao ar livre.**

10 | **Evolua além do pensamento unidimensional.** Pessoas que se preocupam demais geralmente são muito firmes em suas convicções sobre aquilo que é e o que não é. Elas não conseguem ver a complexidade, a oportunidade, a maior parte do iceberg que é a realidade que não conhecem e não podem ver.

11 | **Pratique o desconforto saudável. Aprenda a lidar com o estresse sem resistir a ele.**

12 | **Mude de objetivo.** O objetivo não é se sentir "bem" o tempo todo, e sim ser capaz de expressar emoções saudáveis sem se reprimir ou sofrer.

13 | **Quando um pensamento o perturbar, pergunte-se: "Isso é verdade? Tenho certeza absoluta de que isso é verdade?"**

Na maioria das vezes, a resposta será "não" para pelo menos uma das perguntas.

14 | **Faça mais.** Se você costuma perder tempo com pensamentos irracionais e vertiginosos, arranje mais coisas em que se concentrar, em que trabalhar e até pelas quais sofrer. Trate de viver em vez de só pensar em viver.

15 | **Aceite o fato de que todo mundo, em toda parte, tem pensamentos estranhos, incorretos e perturbadores, que não têm relação com a realidade.** Você não é uma aberração. Você (provavelmente) não está doente. Só precisa aprender a não se deixar intimidar por sua própria mente.

16 | **Quando algo em sua vida precisa mudar, você não precisa entrar em pânico.** Depressão, raiva, resistência, tristeza... é o que acontece quando algo não está certo. Pare de avaliar o quanto as coisas vão mal tendo como parâmetro o seu nível de pânico e comece a avaliar qual é a sua homeostase emocional. Assim você saberá o que realmente está certo ou errado, o que você faz consistentemente e como costuma se sentir.

17 | **Quando entrar em parafuso, seja capaz de dizer em voz alta: "Estou tendo um ataque de pânico. Estou tendo pensamentos irracionais."** Fazer isso é o primeiro passo para voltar à realidade.

18 | **Identifique as suas zonas de conforto e volte para elas de vez em quando.** Ir além do lugar ao qual está acostumado é um processo gradual, e ir rápido demais é o caminho mais fácil para um surto.

19 | **Prove que você está errado.** Mostre para si mesmo que os seus pensamentos não têm base na realidade. Vá ao médico e confirme que você não está morrendo de alguma doença incurável. Se não souber o que alguém sente por você, pergunte. Não viva na incerteza quando houver respostas disponíveis.

20 | **Não confie sempre em si mesmo.** Permita-se errar. Abra-se para a ideia de que você simplesmente não sabe o que não sabe. Se os seus sentimentos são estimulados por pensamentos irracionais, podem muito bem estar equivocados.

21 | **Confie naquilo que lhe dá paz.** Mesmo que a ideia de um relacionamento íntimo ou de uma carreira na área dos seus sonhos o assuste num primeiro momento, se for o que você realmente deseja, também lhe dará uma sensação de "sim". Confie em seus sentimentos de "sim".

22 | **Considere os momentos de maior desconforto como indicadores de que é hora de se expandir.** Você precisa aprender a pensar de maneira diferente, ver de maneira diferente, agir de maneira diferente. Precisa se abrir para o novo. Caso contrário, ficará preso na fase do casulo para sempre.

23 | **Apaixone-se pelo desconhecido, pelo fato de que ele quase sempre trará coisas melhores do que você poderia ter imaginado — as coisas que são piores quase sempre são produtos de seu próprio pensamento ou uma percepção do que significam sobre você ou seu futuro.**

24 | **Pratique a aceitação radical.** Aprenda a externalizar as partes da sua história que você prefere varrer para baixo do tapete. Você tem permissão para dizer "Eu não gosto do meu corpo. Eu me sinto um pouco preso agora. Não estou feliz no meu relacionamento. Estou devendo dinheiro" sem precisar se condenar por isso.

25 | **Perceba que você tem três camadas: sua identidade, sua vergonha e seu verdadeiro eu.** Sua identidade é a camada mais externa. É a ideia que, em sua mente, as outras pessoas têm de você. Sua vergonha é o que o está impedindo de expressar o seu verdadeiro eu, que está em sua essência. É neste lugar que os pensamentos irracionais se reproduzem e ganham força. Trabalhe para fechar a lacuna entre quem o mundo pensa que você é e quem você sabe ser. Sua saúde mental mudará significativamente.

26 | **Aprenda exercícios de respiração profunda.** Você pode achar isso meio irritante se já experimentou e não funcionou, mas, na verdade, é uma das soluções mais eficazes para uma crise de pânico.

27 | **Expanda as suas percepções.** Se você se sente desconfortável, é porque está sendo pressionado a pensar fora da caixa. Está sendo convocado a se ver de uma nova maneira. Abra-se para possibilidades que você normalmente não consideraria, ou camadas de si mesmo que você ainda não conhece.

28 | **Pratique o pensamento racional, e de forma consistente.** Você não deve esperar que a sua mente pense de forma saudável no piloto automático. Você precisa treiná-la.

29 | **Parte desse treinamento incluirá saber o que fazer quando algo irracional surgir, ou seja: fazer uma avaliação objetiva, decidir se é útil para você e rir caso não seja.**

30 | **Pensamentos irracionais às vezes são produtos de medos intensos e racionais que você ainda não reconheceu ou com os quais não lidou completamente.** Quando estiver em um estado de espírito estável, sente-se e seja honesto consigo mesmo sobre quais são esses medos.

31 | **Diferencie a linha tênue entre o que você pode e o que não pode controlar.** Por exemplo, pode controlar o quanto se empenha em seu trabalho, mas não como as outras pessoas vão reagir ao seu trabalho. Você pode controlar o que veste todos os dias, mas não quão bem-vestido as outras pessoas pensam que você está.

32 | **Pare de fingir que sabe o que as outras pessoas estão pensando.**

33 | Pare de fingir que sabe o que o futuro lhe reserva, indefinidamente.

34 | Entenda que a sua noção de identidade é inteiramente mental e que é a base da sua sanidade. Se você acredita ser o tipo de pessoa que pode suportar a dor ou a perda, será esse tipo de pessoa. Se acreditar que é digno de ser amado, sentirá amor quando ele surgir.

35 | Redefina seu senso de identidade por meio de coisas que não são materiais ou superficiais. Em vez de pensar que você é alguém atraente e bem-sucedido, aprenda a pensar em si mesmo como alguém resiliente, ávido por novas experiências, capaz de amar profundamente os outros e assim por diante.

36 | Aprenda a ver os dias do ponto de vista do seu eu mais velho.

37 | Pense em quem você era há dois ou cinco anos. Tente se lembrar de um dia aleatório em sua vida durante esse período. Observe como seu foco imediatamente se volta para o que você tinha de ser grato. Aprenda a fazer o mesmo com o presente.

38 | Às vezes, a melhor maneira de superar alguma coisa é fazer um esforço para esquecê-la. Nem tudo requer análise.

39 | A melhor maneira de esquecer é preencher a vida com coisas novas e melhores. Coisas pelas quais você não esperava, das quais não fazia ideia ou nunca imaginou que gostaria.

40 | Aceite o fato de que pensamentos irracionais, como ansiedade, tristeza ou qualquer outra coisa, sempre farão parte da sua vida. Eles não vão desaparecer. Experimentá-los não é um sinal de que você regrediu, que está fora do caminho ou que algo está errado.

41 | **Reconheça que existe uma correlação entre apreensão e criatividade.** É o aspecto mais básico da evolução humana: quanto mais tememos algo, mais encontramos soluções criativas para nos adaptarmos à alternativa. Encare os seus medos como catalisadores que melhorarão a sua vida, não como algo que o condena ao sofrimento.

42 | **Lembre-se de que você pode escolher aquilo que pensa e, mesmo quando não parecer, saiba que você é quem está escolhendo acreditar nisso.**

43 | **Como disse Marco Aurélio:** "Escolha não ser prejudicado, e você não se sentirá prejudicado. Não se sinta prejudicado, e você não será."

44 | **Saia ao ar livre, olhe para as estrelas e beba uma taça de vinho.**

45 | **Experimente ter um diário.** Ao relê-lo, começará a identificar os seus padrões, particularmente aqueles que te autossabotam.

46 | **Medite e imagine-se falando com o seu eu mais velho, mais sábio e ideal.** O que você está fazendo é acessar profundamente o seu subconsciente. Deixe as suas escolhas serem guiadas pela pessoa que você espera ser.

47 | **Ria.**

48 | **Quando pedir conselhos a outras pessoas sobre qualquer preocupação sua, primeiro pergunte a si mesmo o que você espera que elas digam.** Isso é o que você quer dizer para si mesmo.

49 | **Converse com outras pessoas e peça que elas contem as coisas bobas com as quais se preocupam sem necessidade.** Você estará em boa companhia.

50 | **Desenvolva sua força mental.** Treine a sua mente como treinaria o seu corpo. Foque em se concentrar, pensar, imaginar. Essa é a melhor coisa que você pode fazer pela sua vida.

51 | **Agradeça por se preocupar tanto consigo mesmo.**

52 | **Lembre-se de que aquilo que você teme é o lado sombrio do que você ama.** Quanto mais medo, mais amor. Aprenda a ver o que está certo, em vez de só se preocupar com o que não está.

53 | **Permita-se sentir-se bem.** É por isso que amamos quando outras pessoas nos amam. Ninguém mais pode transmutar a sensação de amor — nós ansiamos por isso vindo dos outros porque nos permite acionar o interruptor mental que nos dá permissão para sermos felizes, orgulhosos, animados ou contentes. O truque, todo o trabalho de "amar a nós mesmos", é aprender a fazer isso por conta própria.

54 | **Mantenha os seus espaços limpos e organizados.**

55 | **Recite mantras, orações ou discursos motivacionais no espelho, se necessário.** Qualquer coisa que volte a sua mente para algo positivo e esperançoso.

56 | **Ocupe a mente com coisas que lhe interessam, e não só com problemas.**

57 | **Se você não pode fazer isso, significa que ainda não se conhece bem o bastante.** Tudo bem. A questão é que você percebe isso agora e está começando a aprender.

58 | **Pratique a felicidade.** Ao contrário do que pensamos, eventos externos não criam significado, realização ou contentamento. Se você está operando com uma mentalidade estreita, será sempre infeliz, não importando o que você tenha ou conquiste.

59 | **Faça algo inesperado.** Marque uma viagem, permita-se conhecer alguém que não é o seu tipo, faça uma tatuagem, comece a procurar um novo emprego em uma área que você achou que não fosse curtir. Mostre para si mesmo que você não sabe tudo sobre a sua vida ou sobre si mesmo. Não completamente. Ainda não.

60 | **Pratique a aceitação radical.** Escolha amar a sua casa, o seu corpo e o seu trabalho. Escolha construir a sua vida a partir de um espaço de gratidão e visão, em vez de fugir de seus próprios medos.

61 | **Preste atenção em quem o cerca.** Suas companhias vão influenciar bastante o modo como você se sairá nos próximos anos. Fique atento.

62 | **Passe algum tempo sozinho, especialmente quando não tiver vontade.** Você é seu primeiro e último amigo, é com quem vai estar até o fim. Se você mesmo não quer estar em sua companhia, como pode esperar que outra pessoa queira?

63 | **Reescreva a sua narrativa de "sucesso".** Às vezes, sucesso é dormir o suficiente. Às vezes, é fazer o que você sabe que é certo, apesar de todas as outras pessoas em sua vida menosprezarem isso. Às vezes, é apenas sobreviver ao dia ou ao mês. Reduza as suas expectativas.

64 | **Escreva os seus medos, nos mínimos detalhes.**

65 | **Ouça podcasts assustadores ou assista a filmes de terror.** Exponha-se a coisas assustadoras. (Isso pode tornar tudo melhor ou pior, mas, ei, tente.)

66 | **Sonhe alto.** Se você sente que está sempre remoendo os mesmos problemas em sua mente, precisa visualizar um futuro maior do que o seu presente. Quando você tem algo mais importante ao qual se dedicar — ou alguém para quem ser melhor — a obsessão por pequenos problemas inventados se dissolve rapidamente.

67 | **Não confunda um desejo fracassado com um futuro fracassado.**

68 | **Não confunda um coração arrasado com uma vida arrasada.**

69 | **Crie uma rotina que você adore, com a dose necessária de sono e descanso e um equilíbrio realista entre "coisas que você sabe que deve fazer" e "coisas que você realmente quer fazer".**

70 | **Valide a si mesmo.** Escolha acreditar que a vida que você tem é mais do que suficiente.

71 | **Reserve uma noite (ou algumas) para meditar sobre o seu passado.** Pense em toda a dor e a tristeza que deixou para trás. Permita-se sentir essas coisas. Quando você as deixa vir à tona, elas deixam de controlá-lo.

72 | **Escolha fazer as coisas porque deseja alegria, não porque quer evitar a dor.**

73 | **Olhe para a sua vida com honestidade e avalie tudo o que você construiu como uma maneira de evitar a dor. Veja se esses medos são, ou não, válidos.** Você se coloca para baixo para que ninguém mais possa fazer isso? Você escolhe relacionamentos em que não é desejado para não precisar se abrir para a vulnerabilidade do amor?

74 | **Faça planos para construir a vida que deseja, não porque você odeia a que tem, mas porque está apaixonado pela pessoa que quer se tornar.**

75 | **Seja criterioso sobre o que você aceita como verdade, para quem você dedica a sua energia, o que faz quando procrastina e do que se cerca quando está em casa.**

76 | Relacione-se com as pessoas. Relacione-se com as pessoas. Relacione-se com as pessoas.

77 | **Crie murais. Ou apenas use mais o Pinterest. Visualizar a vida que você deseja ter é o primeiro passo para realizá-la.**

78 | **Lembre-se de que você não está chateado com o que perdeu, mas sim com o que nunca teve a chance de ter.** Você se arrependerá do que não fez, não do que fez.

79 | **Dedique tempo para ajudar outra pessoa.** Seja voluntário em um abrigo para sem-tetos, doe os seus pertences, trabalhe com crianças. Faça com que sua vida não gire apenas em torno dos seus próprios desejos.

80 | **Redefina "felicidade" não como algo que você experimenta quando consegue o que deseja, mas como algo que você sente quando tem algo significativo no que trabalhar a cada dia.**

81 | **Concentre-se em melhorar, mas deixe de lado o objetivo final. Você fica melhor, não perfeito.**

82 | **Deixe-se amar do jeito que você é.** Você rapidamente perceberá que a pessoa que mais o critica é você mesmo.

83 | **Pare de julgar os outros.** Veja a todos com dignidade, perceba que todos têm uma história e, por isso, razões para serem como são e fazerem o que fazem. Quanto mais aceitar as outras pessoas, mais aceitará a si mesmo, e vice-versa.

84 | **Canalize a sua imaginação hiperativa para algo criativo.** Escreva um romance incrível. Escreva um conto de terror. Crie músicas e grave-as em seu celular, só para você.

85 | **Ou faça como todo sábio e use a sua imaginação hiperativa para conceber os melhores resultados possíveis, em vez de os piores, e então pense no que você pode fazer para chegar lá.**

86 | Deixe de lado a ideia de que as coisas lhe são "dadas" ou "tiradas". Você cria. Você escolhe.

87 | **Peça ajuda quando precisar.** Se você não aprender a pedir ajuda, acabará agravando um milhão de outras questões menores e atraindo atenção para elas, só porque não tem o que precisa, que é apoio nos momentos que realmente importam.

88 | **Pare de pensar que estar triste ou arrasado o torna desagradável ou uma má pessoa.** Seus momentos de honestidade não destroem relacionamentos, eles os fortalecem (desde que você seja sincero).

89 | **Pensar que há crianças famintas no outro lado do mundo não aliviará a sua dor, então pare de tentar comparar.**

90 | **Dito isso: você poderia estar em uma situação muito pior e, se parar e pensar, provavelmente se lembrará de quando já esteve.**

91 | **Leia livros do seu interesse com frequência.** Ouvir uma nova voz em sua mente o ensina a pensar diferente.

92 | **Tire um cochilo.** Sério, enrole-se em um cobertor e durma por vinte minutos. É como apertar o botão "atualizar" em seu cérebro.

93 | **Reconheça que o medo é um indicador de que algo é poderoso e vale a pena.** Quanto mais profundo o medo, mais profundo é o amor.

94 | **"O obstáculo é o caminho."**

95 | **Deixe que aquilo de que você não gosta no presente seja um guia para o que você quer gostar no futuro.**

96 | **Sempre que puder, desafie-se a pensar em possibilidades que você nunca imaginou.** Deixe a sua mente crescer e explorar a si mesma.

97 | Ninguém está pensando em você da maneira como você está. Estão todos pensando em si mesmos.

98 | Reconheça que, quando você está perdido, também está livre. Quando você precisa recomeçar, tem a oportunidade de fazer escolhas melhores. Se você não gosta de si mesmo, tem uma chance de se apaixonar por si mesmo. Não fique parado na beira da estrada para sempre; trace um novo caminho.

99 | "Isso também passará."

100 | Tente, caramba. Falando sério: tente. Invista tudo no seu trabalho. Seja gentil com pessoas que não merecem. Você terá muito menos energia para gastar com preocupações quando a estiver canalizando para coisas que realmente valem a pena.

101 | Aprenda a relaxar. Esforce-se para aprender a curtir o ócio com alegria.

102 | Acredite que as coisas melhoram com o passar do tempo. Não porque o tempo cura, mas porque você cresce. Você descobre que é capaz. Você percebe que o seu quarto relacionamento fracassado nem de longe dói tanto quanto o primeiro. Não é porque a vida ficou mais fácil, e sim porque você ficou mais inteligente.

22

O ZEN INERENTE
da
CRIATIVIDADE

Ser criativo é tão inerente ao ser humano quanto comer, falar, andar e pensar. Sempre foi um processo que priorizamos naturalmente; nossos ancestrais de algum modo encontraram tempo para registrar as suas imagens e histórias nas paredes das cavernas. Mas passamos a considerar isso como um tipo de luxo sem nenhum motivo — você terá sorte se tiver os meios para poder se expressar.

Na verdade, é uma forma de educação, comunicação e, em última análise, introspecção, e estamos sempre a manifestando. O suporte pode ter passado de rochas para pixels, mas todos nós ainda percebemos que há algo inerentemente humano em querer imprimir, gravar, criar, esculpir, formar, pintar, escrever e moldar algo abstrato naquilo que é perceptível para outra pessoa.

Não é surpresa para ninguém, portanto, que o processo criativo mais eficaz pareça ser aquele que segue a arte do zen — meditação, atenção plena, intuição, não resistência, não julgamento etc.

Não comecei a escrever porque gostava. Escrever foi como descobri o meu caminho para sair da dor. Não demorei muito para perceber que não queria passar a vida criando ou escalonando problemas apenas para superar meu sofrimento por meio de um trabalho. Eu queria ser capaz de escrever e criar, ponto. Só porque estou viva, respirando e posso fazer isso.

Tive de aprender que a minha expressão não precisava ser justificada, ela é legítima porque sou um ser humano legítimo, igual a você e a todo mundo.

Nesse ínterim, porém, experimentei todas as rotinas de escrita tradicionais, indicadas por grandes nomes da literatura, as fórmulas prometidas para a criação consistente e rítmica. Tentei ser estruturada, fiz de tudo para induzir o "fluxo", esquadrinhei os lugares mais recônditos, escuros e intocados de mim mesma, fui metódica mesmo quando não pretendia ser e descobri que cada pedacinho daquilo era um beco sem saída.

Eu estava tentando criar estrutura onde ela não era necessária, e isso só estagnou o processo.

A razão principal é que não ficamos saindo e voltando para o estado criativo. Ele é uma constante invisível, presente desde as roupas que escolhemos até as frases que dizemos e a maneira como arrumamos a nossa mesa no trabalho.

Tudo se resume a imaginar a escrita (ou pintura, ou canção, ou qualquer outra coisa que você faça) tão naturalmente quanto respirar: é um processo fluido que transforma o que está fora de você à medida que passa pelo seu interior. Quando tentamos fazê-lo conscientemente, a coisa fica tensa, estressante, atrofiada e mais difícil.

Na verdade, qualquer expressão criativa tende a ser prejudicada pelos objetivos finais. É quase obrigatório que você esteja completamente atento ao momento, simplesmente permitindo que tudo que está passando por você flua para fora.

Porque quando existe um caminho previamente traçado em sua mente, isso significa que você está tentando se alinhar com o de outra pessoa. Isso significa que a inspiração que você teve e o fez funcionar e fluir foi a de criar a sua própria versão de algo mais de outra pessoa.

Você raramente será inspirado por um trabalho originário de uma verdade central, porque isso mostra algo a seu respeito. Não apenas algo, a verdade mais verdadeira — é isso o que torna o processo tão insuportável.

E é por isso que buscamos estrutura, é isso que nos faz parar o processo. É por isso que queremos inspiração, validação e apoio externo.

Na verdadeira essência do zen, o máximo de criatividade pode ser estimulado quando você aprende a fazê-lo sem julgamentos, da mesma forma que observar os seus pensamentos e sentimentos de forma objetiva também é um caminho para a paz.

Você desejará compartilhar ou tornar consumível parte do que escrever. Outra parte, não. Tudo bem, também. Nem mesmo os grandes artistas foram consistentemente prolíficos, muito menos na vida pública. Mas considerar essa "inatividade" uma ausência, uma perda ou um fracasso é apenas atribuir a tudo isso um significado motivado pelo ego.

Você não pode quantificar a sua criatividade e, embora esta seja uma extensão, uma impressão e uma expressão de si mesmo, ela não o define.

Você é livre para manter a sacralidade de seu interior mais profundo apenas dentro de sua própria existência. Quanto mais você puder expressar e viver isso sem julgamento e no momento presente, mais se sentirá livre para ser honesto e se abrir para si mesmo. Quanto mais você se sentir confortável com esse eu central, mais se sentirá capaz de criar a partir de um lugar tranquilo. Só por isso. Quando você quiser.

TUDO
está aqui para
AJUDAR VOCÊ: COMO PESSOAS INTRINSECAMENTE MOTIVADAS
se tornam
AS MELHORES VERSÕES DE SI MESMAS

A coisa mais poderosa e libertadora que qualquer um de nós pode fazer é acreditar que tudo está aqui para nos ajudar.

Se quiser entender por que você vê a sua vida da maneira como vê, pergunte a si mesmo qual é o sentido dela. Esta não é uma questão rebuscada que talvez você considere se um dia desenvolver uma tendência para a filosofia. Na verdade, é o ponto fraco de como você pensa e se comporta.

Ou você se vê como uma vítima da situação, ou como alguém que teve a chance de mudar, crescer, enxergar as coisas de maneira diferente e se expandir. Ou você vê os sentimentos desconfortáveis como mais um sofrimento na sua conta, ou como uma oportunidade de aprendizado. Ou você vê o mundo como algo que o faz sentir, ou vê a sua interpretação de mundo como uma projeção de seus sentimentos.

Quando pensamos que há um propósito para a nossa dor, o desconforto desaparece. Ele passa de aborrecimento a oportunidade, e nosso sofrimento termina.

A diferença entre essa mentalidade (intrínseca) e a oposta (extrínseca) é se acreditamos que criamos a nossa experiência ou que as nossas experiências são criadas (e a nós impostas) por uma força externa. Passamos a maior parte da vida aprendendo que a última é a opção verdadeira, e há um motivo para isso.

A sociedade (gosta de acreditar que) prospera quando somos motivados extrinsecamente. Pelo menos, é assim que o capitalismo funciona, é assim que as pessoas permanecem no poder, é assim que somos reprimidos. Quando as pessoas acreditam que são vítimas, elas abdicam de seu poder.

Elas canalizam a energia nas ideias, nos sonhos e nos produtos de outras pessoas.

Temos certeza de que existe algum plano superior no qual enfrentamos obstáculos para crescer? Não. E nunca teremos. O que sabemos é que as pessoas capazes de criar uma vida feliz para si mesmas aqui e agora são aquelas que pensam dessa forma.

Um sofrimento insuportável espera por todos nós. Um breve vislumbre da história confirma isso: nenhum de nós tem a garantia de uma vida feliz. Se quisermos significado, precisamos criá-lo. Se quisermos encontrar a paz, precisamos saber que há um propósito para o sofrimento.

Ou você se sentirá desconfortável pelo resto da vida, ou crescerá e se tornará melhor nas coisas que são mais difíceis. É muito nítido quem faz o quê.

COMO SABER
se a única
COISA NO CAMINHO
da sua
FELICIDADE
É VOCÊ MESMO

01 | **O único problema da sua vida é a maneira como você a pensa.** Sendo objetivo, você tem tudo o que poderia desejar ou precisar, e sua infelicidade simplesmente vem da sua incapacidade de valorizar essas coisas (o que é um traço cultivado, uma prática).

02 | **A solução para a maioria dos seus problemas depende só de mudar a maneira como você pensa neles.** Por exemplo, aprender que as opiniões das pessoas sobre você em grande parte são projeções de como elas veem a si mesmas resolveria o seu problema, que é avaliar a sua vida com base na visão de outras pessoas.

03 | **Você não está se empenhando o bastante.** Você sabe que deve estar mais presente, mas não se esforça para colocar isso em prática. Sabe que deve meditar e aprender a treinar o cérebro a se concentrar para que não seja dominado pela negatividade, mas, em vez disso, vai para a academia. Você resiste a praticar os hábitos que mais importam, e esse é o seu maior problema.

04 | **Você realizou coisas que pensava que o fariam feliz e imediatamente as passou de "metas" para "objetivos cumpridos".**

Depois de alcançar um objetivo, você logo começa a encarar essa realização como "mais uma coisa feita" em vez de "mais uma coisa para curtir em minha vida".

05 | **Não tem a prática de sustentar a sensação de felicidade.** Todos temos uma tolerância para quão "bem" nos permitimos sentir, nosso "limite superior". Para superar isso, precisamos nos permitir sentir de verdade — caso contrário, nos autossabotamos e nos forçamos a voltar à nossa zona de conforto.

06 | **Você se preocupa mais com o conforto do que com a mudança.** Você até prefere permanecer um pouco desconfortável do que lidar com a incerteza de que uma mudança real está acontecendo em sua vida.

07 | **Escolhe conscientemente ficar com pessoas que não são "boas" para você.** Ou seja: não se importam de verdade com você ou o influenciam a se desviar do que você está tentando alcançar. Em outras palavras, elas revelam o que há de pior em você, mas, mesmo assim, você continua a vê-las.

08 | **Não deixa a sua ideia de si mesmo evoluir.** Você só se sente confortável quando pensa em si mesmo do modo como era há três, cinco ou dez anos porque é assim que as outras pessoas se sentem confortáveis em vê-lo.

09 | **Você escolhe o que acha que talvez seja certo em vez do que realmente é.** Você é mais leal às ideias que tem sobre as coisas do que ao que de fato elas são.

10 | **Você não se desculpa.** Nem para si mesmo e nem para os outros. Você não está aberto ao erro, e certamente não está aberto a suportar o golpe no ego que é admitir que nem sempre fez o seu melhor. No entanto, esse é o primeiro passo para mudar isso.

11 | **Você não assume total responsabilidade por sua vida — ainda está esperando que algo aconteça e mude a maneira como se sente.** Muitas vezes, as pessoas escolhem sofrer

lamentando alto e bom som porque acreditam que, assim, lançam um "grito para o universo". Talvez pensem que, caso sejam um livro aberto sobre como tudo vai mal, algo ou alguém acabará tendo de resolver a situação para elas.

12 | **Você atribui a felicidade a um nível de realização, não a um estado de espírito.** Você acha que apenas algumas pessoas podem ser felizes porque as suas condições de vida são ideais, em vez de escolher buscar a felicidade no momento e perceber que uma coisa não tem nada a ver com a outra.

13 | **Você pensa que "felicidade" é se sentir "bem" permanentemente, quando na verdade é uma "linha de base" mais elevada para a percepção.** Você é mais capaz de processar todas as emoções e, por fazer isso de maneira saudável, retorna rapidamente ao seu estado geral de contentamento.

14 | **Você aceita o que lhe é ensinado, mesmo que não pareça certo.** Você confia mais no dogma, no ensino ou na religião, porque foi isso que aprendeu primeiro, não porque ressoe dentro de você ou realmente o ajude.

15 | **Você tem uma vida boa e sabe disso.** No fim das contas, você sabe que basta escolher se concentrar mais nisso.

25

A PSICOLOGIA
da
AÇÃO
e as três
ETAPAS PARA
CRIAR HÁBITOS
AUTÔNOMOS

O sucesso é mais um produto do hábito do que do talento. Para se destacar em algo, você deve ser capaz de fazer aquilo de maneira prolífica. Muitas pessoas escrevem bem, mas poucas fazem isso de modo consistente. O que separa os especialistas do restante de nós é uma combinação de profundo autocontrole, disciplina e uma dedicação inabalável.

Embora o talento inato seja mais ou menos algo com que você nasce, o autocontrole é algo que você desenvolve. A maioria das pessoas acredita no oposto: que podem aperfeiçoar o seu talento, mas que o impulso para fazer isso virá com facilidade.

Nossa mente tem meios de autocontrole limitados. Isso quer dizer que só somos capazes de nos abstermos de nossos impulsos e desejos por um determinado período de tempo a cada dia. Com a prática, podemos estender esse período.

Pessoas que entendem isso usam o próprio tempo com sabedoria: elas eliminam tomadas de decisão desnecessárias, reduzem distrações, minimizam o que não importa e, então, se concentram. Com o tempo, isso se torna natural. Na verdade, na década de 1960, os psicólogos identificaram três estágios específicos[13] que devemos percorrer para adquirir essas novas habilidades:

Cognitivo: Quando intelectualizamos a tarefa pela primeira vez, cometemos erros e, por fim, criamos novas estratégias para um melhor desempenho.

Associativo: quando o esforço ainda é necessário para completar a tarefa, mas não é tão cansativo mentalmente quanto antes. Alguns aspectos da tarefa começam a vir naturalmente, erros ainda são cometidos.

Autônomo: entramos no "piloto automático" ou, em alguns casos, no "fluxo". Podemos deixar de lado o foco consciente e permitir que nossa programação assuma o controle.

Contudo, em algum momento entre as duas últimas fases, nos vemos em uma espécie de platô: fazemos a tarefa com bastante frequência, mas achamos que ainda estamos a quilômetros de distância de executá-la da forma como esperamos. É o que Ira Glass chama de "lacuna criativa", o ponto em que a maioria das pessoas desiste.

"Quando você faz alguma coisa, os primeiros anos não são tão bons. Você tenta ser bom, tem potencial, mas não é. Mas o seu gosto pelo que o estimulou a entrar no jogo ainda é forte. E esse gosto é o motivo pelo qual o seu trabalho o decepciona. Muitas pessoas nunca passam dessa fase, elas desistem... Se você está apenas começando ou ainda está nesta fase, precisa saber que isso é normal e que a coisa mais importante é continuar se empenhando. Estabeleça um prazo para terminar um conto a cada semana. É só quando você se esforça muito para preencher essa lacuna que o seu trabalho será tão bom quanto você ambiciona. Eu demorei mais do que qualquer pessoa que conheci para descobrir como fazer isso. Vai demorar. É normal demorar um pouco. Você só precisa se esforçar para abrir o seu caminho."

---

13 Abdi, Hervé; Fayol, Michel; Lemaire, Patrick. "Associative Confusion Effect in Cognitive Arithmetic: Evidence For Partially Autonomous Processes." *European Bulletin of Cognitive Psychology*, n. 5, 1991.

A diferença entre os que perseveram para que seu trabalho esteja de acordo com os seus padrões e os que jogam a toalha não é um talento puro e sem precedentes. É apenas uma questão de ter o comprometimento (muitas vezes desconfortável) de continuar crescendo.

Se você não tem o desejo e nem a capacidade de ultrapassar o platô, então a fuga é uma maneira de mostrar que existe algo mais adequado para você. Se tiver, deve eliminar os detalhes desnecessários, trabalhar com o seu limite atual de autocontrole e seguir em frente. Desvencilhar-se é perceber que você nunca esteve preso; que você simplesmente parou para se perguntar: "É para isso que estou aqui?"

A ÚNICA PERGUNTA
a se fazer
SE VOCÊ ESTÁ CANSADO
de lutar pelo
AMOR DE ALGUÉM

Falamos muito sobre como ser amado.

Na verdade, falamos sobre isso sem parar. Como conseguir um encontro, atrair alguém, arranjar um namorado, ser respeitada, admirada, vista como uma pessoa bem-sucedida. Conversamos sobre como convencer alguém a se comprometer, a se casar, a nos convidar para sair de novo. Tudo isso são maneiras de tentar manipular o amor que as pessoas nos dão.

Falamos muito sobre como ser amado, mas muito pouco sobre amar.

Falamos sobre conquistar o amor como se isso fosse uma condição para doá-lo. Como se dar e não receber nos tornasse fracos. Como se nenhuma pessoa respeitável devesse continuar a ser gentil e amorosa com pessoas que não a amem de volta. Como se amar fosse ser dedicado, em vez de ser forte, honesto e verdadeiro e, às vezes, ser preciso ir embora.

Você não pode convencer alguém a amá-lo se essa pessoa não o ama.

Acima de tudo, isso é uma regra. Amor não é algo a ser "conquistado". Não é algo que outra pessoa tenha para dar e que você deva receber. Não é algo que exista fora de você. Quando alguém não quer expressar afeto, amor e respeito por você, restam-lhe duas opções: ou pode tentar mudar esse fato (e ficar preso ali), ou pode continuar a dar amor (o que permitirá que você siga em frente).

A dor de não ter o amor é a dor de sentir seu coração fechar.

A dor de perder o amor é a dor de sentir seu coração fechar.

A dor de perder o amor é tentar mudar ou manipular alguém para que pense ou veja você de outra maneira. Na verdade, não é uma perda de amor; é um passo para a ilusão e a negação. É a adoção da ideia de que você não é passível de ser amado como de fato é.

No entanto, o amor não é algo que alguém possa tirar de você. (Também não é algo que alguém possa lhe dar de verdade.) Não é algo que você "conquista"; é algo que você vive — e essa troca requer uma contribuição igual, honesta e voluntária de cada lado. Não é algo que alguém lhe deva ou que tenha a obrigação de fazer por você.

Se continuar vivendo como se as outras pessoas fossem obrigadas a lhe dar amor, você nunca o experimentará de fato.

Se continuar vivendo como se o amor fosse algo que sempre é exigido de você, o encontrará em tudo. Em cada estranho no metrô, em relacionamentos que vão durar três encontros, em casos de amor de seis anos que quase foram "o caso" etc. Todos esses amores diferentes tornam-se igualmente importantes. A dor de perder se transmuta na beleza de ter descoberto algo mais importante do que alguém que possa lhe prometer amá-lo para sempre.

Sua vida se transforma em uma série de pequenas histórias de amor que o ensinam a como amar melhor, a como doar mais, a como ser mais de si mesmo. Também mostram do que você gosta ou não gosta, como se afastar graciosamente, como se respeitar de verdade e ouvir a sua intuição.

Quando você quiser ter pena de si mesmo pelo pouco amor que está recebendo, peço que pare e pense: quanto você está oferecendo?

ESTEJA ONDE SEUS PÉS ESTÃO: MANTRAS *que o* LEMBRARÃO *que a sua vida* ESTÁ ACONTECENDO NESTE MOMENTO

Presença é tudo o que temos, embora muitas vezes isso se torne a última prioridade. Sabemos que é importante estar presente, mas falar é fácil, o difícil é fazer. Em um mundo que exige cada vez mais de nossa atenção, não podemos nos esquecer de nos dedicarmos ao que é mais importante: um vislumbre do que está acontecendo agora. Tudo o que você sempre sonhou, desejou, pelo qual trabalhou, ansiou e está esperando decorre deste momento. O que você faz agora não é apenas mais uma coisa, é tudo.

A seguir, quinze pequenos mantras que você pode repetir para si mesmo quando precisar relembrar que a vida acontece em uma série de momentos, e que quaisquer outras ideias são apenas ilusões que o afastam dela.

01 | Tudo o que existe é o que está diante de mim.

02 | Potencial não realizado se transforma em dor.

03 | A única maneira de ser extraordinário depende do que faço com aquilo que é comum.

04 | Um passo de cada vez.

05 | Tudo o que temos é o agora.

06 | Se eu tivesse a vida que queria, como seria o dia de hoje?

07 | Se eu tivesse o amor que queria, como seria o dia de hoje?

08 | Comece de onde está, use o que tem, faça o que puder.

09 | Quais são as coisas mais importantes que devem acontecer hoje?

10 | Os meus dias formam a minha vida. O que estou fazendo com este dia em particular?

11 | O que meu eu mais plenamente realizado faria hoje?

12 | Estou fazendo mesmo o melhor que posso?

13 | Se eu não estivesse me sentindo cansado, o que faria hoje?

14 | Esteja onde seus pés estão.

15 | Eu estou aqui.

16 PERGUNTAS
que mostrarão
QUEM VOCÊ É
(e o que deve fazer)

Ao contrário do que costumamos pensar, compreender quem somos tem mais a ver com lembrança do que com descoberta. Você já percebeu algo sem antes se atentar para uma longa lista de exemplos, momentos isolados, experiências sem sentido e relacionamentos aleatórios que se compilam para revelar um padrão ou uma verdade? Provavelmente não.

O verdadeiro esforço, em qualquer situação, é simplesmente se tornar consciente do que já é verdade.

O ponto-chave de um sistema de orientação psicológica — pelo menos de um que funcione — não é suplantar uma mentalidade em você, seja esse sistema religioso ou não. Em vez disso, é lhe dar as ferramentas de introspecção para que possa descobrir as respostas por conta própria. Fazer perguntas, dar exemplos, estimulá-lo a refletir e, através desse reconhecimento, conectar-se ao seu sistema de orientação interior, à intuição e ao seu eu essencial.

Digo isso com total sinceridade: as respostas a essas perguntas mudaram o rumo da minha vida. Eu teria sido negligente caso não as compilasse e as compartilhasse. Então, seguem aqui as dezesseis perguntas mais importantes que você deve fazer para si mesmo:

01 | Pelo que e por quem vale a pena sofrer?

02 | O que você defenderia se soubesse que ninguém o julgaria?

03 | O que você faria se soubesse que ninguém o julgaria?

04 | Com base em sua rotina, onde você estará daqui a cinco anos? Dez? Vinte?

05 | Quem você mais admira e por quê?

06 | O que não quer que ninguém saiba sobre você?

07 | Quais são as coisas que você pensou que jamais superaria enquanto estava passando por elas? Por que pareciam tão intransponíveis? Como você se saiu?

08 | Quais são as suas maiores conquistas até agora?

09 | Se alguém lhe dissesse o que está por vir em sua vida, o que seria bom demais para ser verdade?

10 | Você ainda tenta ser aceito por qual pessoa do seu passado?

11 | Se você não precisasse mais trabalhar, o que faria da vida?

12 | Tirando o básico, como comer e dormir, quais são as cinco coisas mais comuns em sua rotina diária?

13 | O que você gostaria que essas cinco coisas fossem?

14 | Se realmente acreditasse que não tem controle sobre alguma coisa, você aceitaria esse fato? Sobre o que você reluta aceitar que "não tem controle"? Que parte de você o faz pensar nisso ou esperar o contrário?

15 | Andando pela casa e tocando em cada coisa sua, quantas delas realmente o fazem se sentir feliz ou em paz? Por que você mantém o resto?

16 | O que mais o incomoda nas outras pessoas? O que você mais gosta nos outros? O que mais o incomoda em você? O que você mais gosta em você? (Insista até perceber a correlação.)

29

COMO SABER
QUE VOCÊ EVOLUIU
mais do que
PENSA

É difícil ver como você chegou longe estando tão concentrado em dar cada passo. Provavelmente já teve a experiência de ouvir alguém comentando o quanto você mudou, mas mal consegue perceber que isso aconteceu simplesmente porque está consigo mesmo o tempo todo. Isso é normal, mas também significa que você está se concentrando naquilo que ainda precisa fazer em vez de focar no que já realizou, e é por isso que muitas vezes é difícil dar a si mesmo o crédito realmente merecido. A seguir, alguns pequenos sinais de que você evoluiu mais do que imagina:

01 | **Conquistou algo em sua vida que antes considerava impossível, ou ao menos um sonho seu se tornou realidade.** Parar de beber, conseguir um diploma, um parceiro, um emprego dos sonhos...

02 | **Você esqueceu tudo o que sofreu simplesmente porque isso não passa mais pela sua cabeça.** Parece que o seu passado aconteceu "em outra vida".

03 | **Seu ideal de parceiro(a) romântico(a) não é definido pelas características físicas, mas sim pela personalidade.** Sua ideia de "amor" se expandiu para além da sensação que a atração sexual lhe proporciona.

04 | **Tem outros assuntos além dos seus problemas para conversar com os amigos.** Você tem interesse em mais coisas

do que apenas em fofocas, pois aprendeu que esse tipo de conversa, na verdade, tem pouquíssimo a ver com outras pessoas e absolutamente tudo a ver com você.

05 | **O pior aconteceu e, então, passou. Você perdeu uma pessoa e achou que seria impossível viver sem ela, mas continuou vivendo.** Perdeu um emprego e encontrou outro. Começou a perceber que a "segurança" não está na certeza, e sim na fé de que é possível seguir em frente.

06 | **Você criou um sistema de crenças próprio, e talvez até tenha questionado todo o sistema existente.** Você não adere a mais nada que não o emocione ou não faça sentido para você.

07 | **Você está mais criterioso com quem se relaciona.** Você dá mais valor aos amigos mais próximos do que à ideia de fazer parte de um "grupão".

08 | **Não muda nada sobre você — sua personalidade, suas opiniões, até mesmo a sua roupa — com base em quem vai encontrar no dia.**

09 | **Não culpa mais os outros pelos seus problemas.** Você não prefere sofrer supondo que, se reclamar bastante, o universo terá que consertar aquilo.

10 | **Não se relaciona mais com muitos de seus velhos amigos, mas ainda mantém contato e reconhece o papel que eles tiveram em sua vida.**

11 | **Você não faz questão de se encaixar e, para ser sincero, não quer ser "normal" nem está preocupado em ser "descolado", pois agora sabe que as "pessoas descoladas" do ensino médio em geral não foram muito longe.**

12 | **Você consegue falar sobre problemas de sua vida que achava que jamais superaria — e também sobre como os superou.**

13 | Você para e aproveita a vida com mais frequência, em vez de apenas pular de objetivo em objetivo.

14 | Vê com muita desconfiança qualquer coisa que seja apresentada a você como sendo "do jeito que as coisas são". Você está sempre aberto à ideia de que pode haver uma maneira diferente, melhor, mais gentil e mais iluminada de viver, e está sempre disposto a, pelo menos, tentar.

15 | Se você contasse ao seu eu mais jovem como é a vida que tem agora, ele não acreditaria.

SINAIS DE QUE
O ÚNICO PROBLEMA
DA SUA VIDA
é a maneira
COMO VOCÊ
A ENCARA

01 | **Em geral, você passa mais tempo pensando na vida do que realmente vivendo.**

Você passa mais tempo dissecando problemas do que encontrando soluções; mais tempo sonhando acordado do que se perguntando o que esses pensamentos dizem a respeito do que falta em sua vida; ou surgindo com novas soluções em vez de realmente se comprometer com as que já tem. Você substituiu "reflexão" por "experiência" e se pergunta por que se sente insatisfeito.

02 | **Você não se maravilha mais com os pequenos prazeres.**

Você acha que a natureza é um tédio, que "brincar" é para crianças e que não há nada de inspirador em um raio de sol atravessando a janela, no sorriso de um estranho, em um dia de primavera ou em ler o seu livro favorito na cama. Quando você perde de vista a magia das pequenas coisas, não é porque a magia foi para outro lugar, e sim porque você optou por ignorá-la em prol de outras coisas.

03 | **Você tem algo que desejava no passado, mas não ficou tão satisfeito como pensava que ficaria, ou substituiu esse desejo pela vontade de ter mais.**

Experimente sentir de novo o forte desejo pelo que tem agora, do jeito que sentia no passado. Tente incorporar isso. Você está se satisfazendo mais do que imagina.

04 | Se você dissesse para o seu eu mais jovem como é a sua vida agora, ele não acreditaria.

Você não tinha mesmo como imaginar que se sairia tão bem em sua vida quanto se saiu — que as piores experiências se tornaram momentos de grande mudança, e não intermináveis buracos negros de emoção.

05 | Você pensa em dinheiro como "obrigação", não como "oportunidade".

Você pensa: "Preciso pagar as minhas contas", em vez de: "Vou pagar as contas da casa, comprar roupa e comida, e posso pagar tudo com o meu dinheiro." Se você não valoriza o dinheiro pelo que ele faz por você, nunca achará que tem o suficiente.

06 | Você pensa que não tem amigos suficientes.

Você está avaliando as relações em sua vida pela quantidade, não pela qualidade, supondo que o problema é não ter o suficiente ao seu redor, quando na verdade não há suficiente dentro de você.

07 | Ou confia demais, ou não se apega aos amigos que tem.

Ou você não mantém muito contato, ou se frustra porque acha que os amigos deveriam fazer você se sentir "melhor" e "feliz", de uma maneira irreal. Então você acha que a única maneira de conseguir isso é se apegando demais a eles ou desconsiderando-os quando não cumprem o papel que você lhes impôs. (Daí a sensação de não ter o suficiente!)

08 | Você imagina a sua vida como se outra pessoa estivesse assistindo a ela.

Antes de tomar uma decisão, você narra uma história em sua cabeça. É mais ou menos assim: "Ela foi para a faculdade, conseguiu um emprego, se casou com aquele cara depois de uma separação terrível e tudo ficou bem." Isso é o que acontece quando a sua felicidade começa a depender do que as outras pessoas pensam a seu respeito, em vez do que você acha de si mesmo.

09 | Seus objetivos são consequências, não ações.

Seus objetivos são "ter sucesso" ou "ter certa quantia no banco" em vez de "aproveitar o que você faz todos os dias, não importando o que esteja fazendo" ou "aprender a gostar mais de economizar do que de gastar sem controle". Consequências são apenas ideias. Ações são resultados.

10 | Você supõe que tem tempo.

Quando se trata de fazer o que realmente importa para você, como se reaproximar da família, escrever aquele livro, encontrar um novo emprego, você diz: "Eu só tenho x anos de idade, tenho muito tempo." Se você presume que "tem tempo" para fazer algo, ou que fará mais tarde, provavelmente não quer isso tanto quanto pensa. É impossível saber se você vai ter mais tempo. Você pode morrer amanhã. Isso não significa que precisa fazer tudo hoje, mas que quase nunca existe uma desculpa para não começar.

11 | Uma sensação ruim se transforma em um dia ruim.

Você acha que ter emoções negativas é resultado de um problema em sua vida, quando, na realidade, é apenas uma parte do ser humano. A ansiedade é útil para nós, a dor e a depressão também — são sinais, comunicados, *feedbacks* e precauções que nos mantêm vivos. Se não perceber isso, continuará achando que os sentimentos bons são um sinal para que continue, e os sentimentos ruins, para que pare, e se perguntará por que você está paralisado.

12 | Você acha que ficar desconfortável e com medo significa que não deve agir.

Sentir-se desconfortável e com medo significa que você definitivamente deve agir. Ficar com raiva ou indiferente significa que você definitivamente não deve fazer isso.

13 | Você espera até se sentir motivado ou inspirado antes de agir.

Os perdedores esperam até se sentirem motivados. Pessoas que nunca fazem nada esperam até se sentirem inspiradas. Motivação e inspiração não são forças constantes. Eles surgem de vez em quando e é ótimo quando estão presentes, mas não espere ser capaz de invocá-las a qualquer hora do dia. Você deve aprender a trabalhar sem elas, tirando sua força do seu propósito, não da paixão.

14 | Você está guardando a sua felicidade para outro dia.

Você está no trem a caminho do trabalho, pensando em como é lindo o nascer do sol e como gostaria de ler o seu livro favorito, mas, em vez disso, prefere voltar a ver os e-mails. Começa a sentir admiração por algo simples e bonito, mas se detém, porque sua insatisfação o consome. Você cria problemas em uma área de sua vida para equilibrar o sucesso em outra, porque a sua felicidade está em um contêiner mental.

VOCÊ DISCUTE COM INTELIGÊNCIA? *Da* DEFESA *à* RÉPLICA, AS 7 PRINCIPAIS MANEIRAS COMO AS PESSOAS BRIGAM

Em seu nível mais básico, a argumentação é um reflexo, não uma escolha. Quando nos sentimos ameaçados, nossa reação é fugir, ficar paralisado ou revidar. Com o tempo, a maioria das pessoas começa a perceber que responder inconscientemente a estímulos externos aleatórios é, na melhor das hipóteses, exaustivo e, na pior, destrutivo. Começamos a censurar as nossas reações — e essas são as sementes da autoconsciência.

Contudo, isso não significa que discutir não sirva a um propósito importante. Embora muitas vezes seja uma reação combativa diante de uma ameaça à nossa noção de identidade, também é a maneira como podemos comunicar com firmeza os nossos sentimentos sobre algo importante. Quando feito de maneira inteligente, alguém que saiba argumentar é bem capaz de dominar o ambiente social — nos negócios, no amor e assim por diante. O primeiro passo para fazer isso, no entanto, é não parecer contestador.

Entre na hierarquia. Existem muitas maneiras idiotas pelas quais as pessoas tentam discutir, e a maioria não funciona, sério. Só deixa ambas as partes mais frustradas, pois, no fundo, elas estão contornando o verdadeiro problema.

Ofensas.
Você desvia do assunto chamando alguém de "burro" ou de "idiota" sem nenhum argumento que sustente essa afirmação.

Ad hominem.
Você ataca o caráter ou a autoridade da pessoa se desviando do verdadeiro significado do argumento. (Se um fumante disser que fumar faz mal, você responde: "E quem é você para falar disso?!", em vez de encarar o comentário como uma verdade objetiva.)

Respondendo ao tom.
Você critica o tom ou a dicção da pessoa que está apresentando o argumento como uma maneira de contorná-lo, em vez de considerá-lo.

Contradição.
Você afirma o oposto com pouca ou nenhuma evidência para apoiá-lo. Você argumenta por argumentar e, por algum motivo, simplesmente não quer corroborar ou concordar com a pessoa.

Contra-argumentação.
Você contradiz a afirmação sustentando-a com argumentos e/ou evidências.

Refutação.
Você encontra uma falha no argumento e explica por que aquilo é um erro, usando citações diretas ou inferências da declaração original da outra pessoa.

Refutação do ponto central.
Você refuta abertamente o ponto central do argumento, com lógica e razão sólidas, e talvez se baseando em pesquisas ou na sua experiência pessoal, para corroborar a sua afirmação.

SINAIS DE QUE SEU
colapso mental
É NA VERDADE
UM AVANÇO EMOCIONAL

01 | Você está questionando tudo.

Você cansou de acreditar que as coisas são como parecem, ou que aquilo que você foi criado para acreditar é a maneira certa de pensar. Você está explorando novas ideias filosóficas, espirituais, políticas, novos pensamentos, e está descobrindo coisas que não sabia.

02 | Você está percebendo que existe uma diferença entre pensamentos de felicidade e sentimentos de felicidade.

Você sempre tentou se preencher com "pensamentos de felicidade", mas descobriu que acabou se apegando a um determinado resultado (que não se torna realidade) e se viu ainda mais infeliz. Você está percebendo que há uma diferença entre "uma forma de pensar que lhe permita aproveitar o momento" e "uma forma de pensar que o deixa feliz, mas considerando potenciais, possibilidades e coisas que são tudo, menos o que está acontecendo no presente".

03 | Você está começando a identificar os padrões.

Você está percebendo que muitas das coisas que continuam ressurgindo em sua vida — relacionamentos, empregos, ideias, sentimentos — são resultado daquilo que você acredita que elas são ou deveriam ser. São padrões, e se você descobrir como mudá-los, talvez a maneira como surgem também mude.

04 | Você sente uma raiva irracional.

A raiva é uma boa emoção; isto é, quando você finalmente descobre que não está com raiva do mundo, e sim de si mesmo. É o que geralmente acontece pouco antes de uma mudança. Os irmãos mais novos da raiva — a insatisfação, o ressentimento, a irritação, a autopiedade etc. — são desagradáveis, mas não perturbadores o bastante para levá-lo a agir. A raiva o faz agir. Ela queima dentro de você e o leva a um lugar novo.

05 | Você está começando a questionar: "Isso é tudo que existe?"

Você está começando a se perguntar se realmente foi feito só para dormir, comer, trabalhar e morrer. Está começando a se perguntar se isso é tudo o que existe ou se é apenas uma pequena abertura para uma realidade muito maior.

06 | Você teve a ideia de um milhão de dólares, encontrou "o" relacionamento, teve a grande chance e, de repente, ficou paralisado.

Essa é a boa e velha resistência. Quando vislumbramos a felicidade, também vislumbramos o medo em igual medida. Na verdade, você não está resistindo à nova vida que conquistou. O fato é que está vendo muito claramente o que quer (e experimentando uma quantidade natural e equilibrada de medo diante disso).

07 | Parece que não há motivo para o seu estado emocional.

Você não deveria se sentir ansioso e deprimido, mas se sente. Não há razão para seus medos irracionais, mas eles existem. Você não consegue entender o que está sentindo e percebe que é porque ainda está desenvolvendo essa habilidade.

08 | Você não tem certeza de quem realmente é.

Você já consegue lidar com o fato de ter se definido considerando como as pessoas o veem ou como você pensa que deveria ser, e há uma pequena discrepância entre o que você acha que deseja e o que realmente deseja.

09 | Você está experimentando sentimentos e medos que tinha quando criança.

Tudo está voltando à tona, e você percebe que isso nunca havia ficado para trás de verdade. Os pensamentos, ideias, crenças e sentimentos que estavam guardados guiavam a sua vida silenciosamente. Você simplesmente não sabia.

10 | Você morre de medo de perder.

Ou seja, está com medo de perder uma coisa específica que, em sua mente, vai "salvá-lo" de algum modo (mesmo que apenas emocionalmente). É o que acontece quando você começa a perceber que nada pode fazer isso por você. Seu medo não é da perda, e sim de ser forçado a aceitar essa realidade antes de estar pronto para isso.

11 | Você está desistindo de coisas de que precisa desistir.

Você não está desistindo de seus sonhos. Não está desistindo de seu relacionamento. Está simplesmente desistindo da ideia de que essas coisas serão algo mais do que são. Você está desistindo do que não é certo para você. Está aprendendo que "desistir" é um termo muito negativo para algo que, na verdade, é saudável quando necessário.

12 | Você decidiu que não será mais vítima da própria mente.

As pessoas não surtam, a menos que estejam à beira de "romper barreiras". Os colapsos mentais — ou qualquer tipo de turbulência mental e emocional intensa — são sempre um sinal de que as coisas estão em processo de mudança. Caso contrário, seriam apenas "normais". Você já aceitou o seu antigo "normal" e está se dedicando a coisas maiores, melhores, mais brilhantes e mais felizes.

33

COMO PARAR DE SE PREOCUPAR
com a forma como sua
VIDA PARECE SER
e se
CONCENTRAR EM COMO ELA É

Conte quantas vezes você ficou feliz ao conseguir algo que achava que queria. O que aconteceu depois que conseguiu o relacionamento que desejava? O que aconteceu depois que você conseguiu aquele emprego? O que aconteceu quando você ganhou mais dinheiro? Provavelmente as coisas mudaram, mas para o bem e para o mal, proporcionalmente.

Faça uma lista de todas as pessoas imperfeitas que você conheceu na vida que foram amadas. Que tiveram parceiros românticos, melhores amigos e empregos com os quais você sonhava. Faça uma lista de todas as pessoas que são pouco atraentes, segundo o seu padrão, imperfeitas e que não seguem uma orientação espiritual. Pense em todas as coisas que cada uma delas conquistou apesar de serem como são. Faça disso a prova pessoal de que você não precisa ser perfeito para ser bom o bastante.

Pergunte a si mesmo o que você faria se as redes sociais não existissem. O que faria no sábado, o que faria esta noite? Quais seriam os seus objetivos profissionais, quantas fotos você tiraria? Com quem você sairia, onde viveria se não estivesse silenciosamente se policiando pelas lentes do "que as outras pessoas veem"?

Pergunte a si mesmo o que você faria se o dinheiro não fosse um problema e você pudesse fazer qualquer coisa. Este é um exercício clássico que muita gente despreza por não ser prático. Infelizmente, essas pessoas não estão entendendo o ponto principal. Não se trata de descobrir o que você faria se não precisasse se preocupar com dinheiro (essa não é a nossa realidade), e sim da essência do que você faria e como pode incorporar isso em seu dia a dia. Você tiraria férias? Continuaria no seu emprego? Isso serve para mostrar se você valoriza o descanso, as realizações ou o que quer que seja, e que, para entender quem você é, é crucial entender o que você valoriza.

Tire fotos para relembrar momentos felizes, não para provar que você estava bonito ou que fez algo legal. Crie um álbum especial em seu celular para "momentos felizes". Quando você se sentir bem, quando estiver se divertindo ou tendo algum tipo de revelação, basta tirar uma foto do que estiver diante de você (por mais indigno do Instagram que seja). Quando você olhar para trás, para esses instantâneos aparentemente aleatórios, experimentará esses sentimentos outra vez. Por outro lado, verá a diferença emocional entre capturar momentos que são importantes para você e criar momentos importantes para outras pessoas.

Identifique as "pessoas" que você acha que o estão julgando. Geralmente dizemos: "As pessoas estão me julgando." "Estou preocupado com o que as pessoas vão pensar." Na maioria das vezes, essas "pessoas" são uma multidão sem rosto que só existe em sua mente. Em outras palavras, elas são você, projetado. São você julgando a si mesmo. O primeiro passo é perceber que as "pessoas" com as quais você se preocupa não existem de verdade.

Pense no que o faz sentir mais inveja. O que nos torna mais ciumentos e invejosos geralmente são as coisas às quais sentimos que não estamos correspondendo dentro de nós mesmos. Invejamos a garota bonita não porque queremos ser bonitas como ela, mas porque nos falta algo muito mais importante: o amor por nós mesmas. Temos ciúmes do escritor de sucesso não porque também queremos ser elogiados, mas porque sabemos que não estamos nos esforçando para chegar lá.

Não limpe a casa antes de receber uma visita. A não ser que você não seja muito higiênico, não se preocupe em produzir todo um cenário quando receber alguém. Não estou falando em arrumar ou guardar itens pessoais, mas sim em tentar construir uma aparência que seja o equivalente físico a pintar o cabelo de louro. Deixe as pessoas entrarem em sua vida de uma forma verdadeira. Deixe--as entrar em um momento de sua vida exatamente como ele se apresenta. É a única maneira de criar um vínculo verdadeiro com essa pessoa.

Repense como você comemora os dias mais importantes do ano. A maioria das pessoas passa os feriados com parentes que veem apenas nessas ocasiões, com quem não têm um verdadeiro relacionamento e que as deixam um pouco infelizes ao revê-los. Esses dias de festas, refeições e presentes devem ser passados com quem ama você o ano todo. Não com pessoas que você se sente moralmente obrigado (embora emocionalmente reprimido) a engolir.

Livre-se do que não é significativo nem relevante para você. A razão pela qual isso é tão importante é porque as coisas são definidoras, especialmente quando as compramos com a intenção de nos tornarmos "diferentes". Nossos bens constroem as nossas experiências. Eles criam o que vemos e, por extensão, como nos sentimos. Eles são os meios pelos quais nos recobramos a cada dia. Não se trata de adquirir o mínimo possível, mas de adquirir apenas coisas que têm um propósito ou significado. Faça isso. Transformará a sua vida. (E essa não é uma afirmação irrelevante.)

Pergunte-se: "Se eu soubesse que ninguém me julgaria, o que eu defenderia?" Com o que você concorda inerentemente após remover todos os filtros sociais autoimpostos? As pessoas pensam que estar consciente de seus pensamentos, sentimentos e preconceitos ocultos equivale a não ter consciência e ser ignorante, mas é o contrário. Não saber disso é um problema.

Pergunte a si mesmo: "Se eu pudesse dizer a cada pessoa no mundo apenas uma coisa, uma frase, o que seria?" Você diria: "Vai ficar tudo bem"? "Não se preocupe tanto"? "Busque o melhor nos outros"? "Me segue no Twitter"? Aquilo que você acha que gostaria de dizer a todos é, na verdade, uma projeção do que você mais precisa ouvir. Isso é o que você mais quer dizer.

Decida que ser digno de alguma coisa é apenas ser grato por ter aquilo. Você escolhe como a sua autoestima é medida. Você decide no que basear o seu valor. Você decide se é ou não é bom o bastante para alguma coisa e, por ser esse o caso, conclui que as pessoas que são dignas do que têm são aquelas gratas por ter. Nem mais nem menos.

Perceba que você não pode se medir apenas em função de seu maior obstáculo. Nem em função da perfeição nem em comparação com outras pessoas. Nas palavras de Oprah (quem mais?), você pode ter tudo, mas não ao mesmo tempo. Seja grato por isso: significa que você tem a oportunidade de apreciar o que está à sua frente, e você sempre tem algo mais pelo que trabalhar e pelo que ansiar.

Suponha que todas as coisas vêm para melhor. Quando se preocupam com como a vida delas parece ser, as pessoas se fecham para como a vida delas realmente é. E quando fazem isso, não querem sentir dor. Estar verdadeiramente em paz exige que você perceba que tudo vem para melhor. Tudo em sua vida faz uma destas três coisas: mostra você para si mesmo, cura uma parte sua ou permite que você desfrute uma parte sua. Se você adotar essa perspectiva, não há mais nada a temer.

Pergunte-se: "Se o mundo inteiro fosse cego, quantas pessoas eu impressionaria?" Imagine uma vida na qual você não pode ver as coisas. Na qual tudo o que existe é o modo como você se sente e como faz os outros se sentirem. Nesse mundo, que tipo de pessoa você é? Será que você abriu mão do amor por criar uma vida que pareça boa para ganhar o amor de outras pessoas?

POR QUE VOCÊ
não deve
PROCURAR
COMODIDADE

01 | **Seu cérebro não consegue diferenciar "bom" de "mau"; só conhece "confortável" e "desconfortável".** Dando um exemplo bem grosseiro, esta é a razão pela qual os criminosos nunca pensam que seus atos foram "errados", mas sim justificáveis. É por isso que fazemos coisas que sabemos objetivamente serem ruins para nós, por acharmos que nos fazem "sentir bem".

02 | **Você não quer o que quer, mas sim o que conhece.** Somos incapazes de prever um resultado que está fora do domínio do que já conhecemos. Então, em vez de tentar buscar o que é "melhor", buscamos "o melhor daquilo que conhecemos", mesmo que esse "melhor" seja apenas a solução para um problema que não precisamos criar novamente.

03 | **Um "desconforto já conhecido" parece ser o mesmo que "conforto".** É por isso que tantas pessoas estão presas a "rotinas" ou não querem mudar de jeito nenhum, embora saibam que a mudança seria o melhor para elas.

04 | **A verdadeira segurança não existe.** Buscamos conforto acreditando que isso nos deixa seguros, mas vivemos em um mundo onde não existe segurança de verdade. Nossos corpos foram feitos para evoluir, os objetos que possuímos

são temporários e podem ser perdidos, danificados etc. Para resistir a essa realidade, buscamos conforto em vez de aceitarmos a natureza transitória da vida.

05 | **A única maneira de crescer é encarar o desconhecido.** É por isso que tantas pessoas têm momentos de surto antes de grandes avanços. Em geral, a vida as leva por caminhos melhores do que pensaram ser possível, mas simplesmente não sabiam que isso era "bom".

06 | **A maioria das pessoas não muda até que esta seja a opção mais confortável.** Mas geralmente há um longo período de crescente desconforto antes que "não mudar" se torne o pior cenário. O universo sussurra até gritar, e as pessoas felizes o ouvem enquanto ele ainda está sussurrando.

07 | **As pessoas tendem a ter duas formas de pensar: como explorador ou como colonizador.** Nossa sociedade incorpora a mentalidade de "colonizador"; nosso objetivo é "finalizar": ter uma casa, um casamento, uma carreira etc. Porém, vivemos em um mundo feito para a evolução, habitado por indivíduos que não fazem nada além de crescer, expandir e mudar. Pessoas com a mentalidade de "explorador" são capazes de aproveitar de verdade o que têm e vivenciar isso plenamente, porque são independentes por natureza.

08 | **Não existe conforto de verdade, apenas a ideia daquilo que é seguro.** É algo difícil de engolir, mas realmente não existe "conforto". É por isso que as coisas confortáveis não duram e porque as pessoas mais bem ajustadas se sentem mais "confortáveis" no "desconforto". Conforto é apenas uma ideia. Você escolhe no que deseja basear a sua.

09 | **A vida não é ter "certeza", é tentar mesmo assim.** Conforto é, essencialmente, certeza. Você pode escolher ter certeza do que sabe ou estar certo de que aproveitará o melhor do que

quer que aconteça. (Adivinhe quem vai se sair melhor?) Porque ninguém nunca está completamente certo. As pessoas que amam a vida tentam mesmo assim.

OS 6 PILARES
DA AUTOESTIMA:
não se trata de
COMO VOCÊ SE SENTE,
mas sim do que você
PENSA SER CAPAZ

Tendemos a pensar que a autoestima é estática, um estado em que a mente nos estimula naturalmente com pensamentos positivos e motivacionais, sem qualquer influência de dúvidas ou aversões. É aqui, entretanto, que mora a linha tênue entre a autoestima e o autoengrandecimento.

Nas palavras de Anna Deavere Smith, a autoestima é o que nos dá uma verdadeira sensação de bem-estar. É a sensação inerente de que tudo ficará bem, porque somos capazes de fazer tudo certo. "[Autoestima é saber] que podemos determinar o nosso próprio caminho e que podemos percorrê-lo. Não que devamos percorrer o caminho sozinhos, mas precisamos do sentimento de ação: a sensação de que, se tudo desmoronar, poderemos encontrar uma maneira de colocar tudo no lugar outra vez."

Autoestima não se trata de quanta certeza você tem da percepção positiva das pessoas a seu respeito, mas de quanta certeza tem da sua capacidade de administrar a própria vida.

O interessante em ter uma autoestima sólida é que isso elimina a necessidade de focarmos em como somos superiores aos outros. Quando não nos sentimos no controle de nossa vida (ou insatisfeitos com a forma como as coisas estão indo), muitas vezes nos concentramos em "como estamos nos saindo melhor do que fulano" para amenizar a sensação de fracasso.

Nathaniel Branden descreveu exatamente o que é necessário para se construir uma noção saudável de identidade.[14] Ele observa, em particular, que as pessoas ou adotam a abordagem do "estou numa boa" (sou bonito, sou rico, sou bem-sucedido), o que não passa de um substituto para a realidade, ou de fato constroem essa noção.

Ele diz que os dois elementos fundamentais da autoestima se resumem à autoeficiência, que é "uma confiança básica diante dos desafios da vida", e ao autorrespeito, "uma sensação de ser digno de felicidade".

"[Autoestima] não é uma emoção que oscila de momento a momento, mas uma disposição contínua para experimentar uma sensação de eficiência e respeito por si mesmo. Portanto, não é apenas algo desejado, é algo construído em um longo período. É baseada na realidade; elogios não merecidos, dados por outras pessoas ou vindos de você mesmo, não o farão ter autoestima."

A seguir, as seis práticas, ou "pilares", sobre as quais, segundo Branden, a autoestima pode ser construída. Elas provam que não se trata apenas de escolher se sentir confiante, mas de muitas outras escolhas, feitas continuamente e com o máximo de esforço possível.

Viver conscientemente.
Significa não ser controlado por seus preconceitos e desejos subconscientes. Seus "eus sombrios", como são chamados, estão às claras. Você entende o que está acontecendo ao seu redor e pode fazer escolhas baseando-se nessa compreensão.

Autoaceitação.
Você não está engrandecendo a sua aparência ou a sua inteligência, ou ignorando deliberadamente o equilíbrio natural de traços e características que cada pessoa possui. Essa é a verdadeira autoaceitação. É ver todo o seu ser sem julgar ou condenar partes dele.

---

14 Branden, Nathaniel. *The Psychology of Self-Esteem*. Jossey-Bass, 2001.

Autorresponsabilidade.
Você se considera responsável por sua própria felicidade. Você entende a frase "pode não ser culpa sua, mas ainda assim é problema seu". Você está no controle da sua vida porque não está permitindo que nada mais faça isso por você.

Autoafirmação.
Você pode se defender sem ficar na defensiva. A defesa nasce do medo; a assertividade, da confiança.

Viver com propósito.
Você vive consciente e intencionalmente. Reconhece que o seu "propósito" é apenas estar onde está, fazendo o que faz. Com isso, você preenche os seus dias com uma noção de propósito que você escolhe, e não espera encontrar ou ser criada para você.

Integridade pessoal.
Você mantém certo padrão de moral, ética e responsabilidade. Elabora um código de conduta para si mesmo, em vez de apenas seguir aquele ao qual foi condicionado. Você é capaz de olhar as opções de maneira objetiva, mesmo quando está em uma situação difícil. Compreende a importância do ditado "de boas intenções o inferno está cheio".

36

POR QUE VOCÊ DEVE AGRADECER ÀS PESSOAS
que mais o
MAGOARAM NA VIDA

01 | **Quem mais conseguiu magoá-lo também foi quem você mais conseguiu amar.** Não somos intensamente afetados por pessoas que ainda não tocaram fundo em nosso coração. Ter alguém muito importante na vida é algo sagrado, mesmo quando as coisas entre vocês desandam. É um presente conhecer alguém que foi capaz de afetá-lo de verdade, mesmo que no início não parecesse ter sido para o bem.

02 | **Relacionamentos difíceis muitas vezes o levam a mudar o comportamento para melhor.** Ao se sentir desamparado, você aprende a cuidar de si mesmo. Ao se sentir usado, você reconhece o seu valor. Ao ser maltratado, você desenvolve compaixão. Ao sentir que está preso, você percebe que, no final das contas, sempre há uma saída. Ao aceitar o que foi feito a você, percebe que ninguém tem controle sobre nada, mas que, ao renunciar à necessidade de algo que nunca teremos, podemos encontrar a paz — que é o que estávamos realmente buscando.

03 | **O que você aprende e quem você se torna é mais importante do que como se sente em um momento da vida.** Aquele relacionamento pode ter parecido quase insuportável na época, mas o sentimento é transitório. A sabedoria, a graça e

o conhecimento que você levou dessa experiência, não. Eles estabeleceram uma base para o resto da sua vida. Os fins em muito superam os meios, e ser grato pelo que você passou é reconhecer isso.

04 | **Você não se depara com essas pessoas por acaso: elas foram seus professores e catalisadores.** Nas palavras da escritora C. JoyBell C., somos todos estrelas que pensam estar morrendo até percebermos que estamos entrando em colapso e nos transformando em supernovas — para nos tornarmos bonitas como jamais fomos. Muitas vezes é necessário o contraste da dor para valorizarmos de verdade o que temos, e muitas vezes é preciso ódio para despertar o autorreconhecimento. Às vezes, a luz entra em nós através da ferida.

05 | **Mesmo que não tenha sido culpa sua, você vivenciou o problema, e pode decidir qual será o próximo passo.** Você tem todo o direito de se enfurecer, reclamar e odiar cada milímetro de alguém, mas também tem o direito de escolher ficar em paz. Agradecê-los é perdoá-los, e perdoá-los é escolher perceber que a outra face do ressentimento é a sabedoria. Encontrar sabedoria na dor é ver que as pessoas que se tornam "supernovas" são aquelas que reconhecem a dor que sentem e a canalizam para algo melhor, não aquelas que apenas a reconhecem e a deixam permanecer, estagnada.

06 | **As pessoas que passaram por muitas coisas geralmente são as mais sábias, gentis e felizes.** Isso ocorre porque elas passaram "através", não "por" ou "sobre" essas coisas. Elas reconheceram os seus sentimentos, aprenderam e cresceram. Desenvolveram compaixão e autoconsciência, tornando-se mais conscientes de quem deixam entrar em sua vida. Agora assumem um papel mais ativo na criação da própria vida, são mais gratas pelo que têm e encontram razões para o que não têm.

07 | Mostraram o que você merece. Na verdade, aqueles relacionamentos não o magoaram, mas lhe mostraram uma parte de si mesmo que não estava curada e o impedia de ser verdadeiramente amado. Isso é o que acontece quando finalmente superamos experiências dolorosas e relacionamentos terríveis: reconhecemos o nosso valor e, por isso, nos tornamos mais criteriosos. Vemos como fomos cegos ou ingênuos ao dizermos "sim" para alguém ou ao darmos espaço para essa pessoa em nossa mente e em nosso coração quando não era preciso. Percebemos o nosso papel em escolher o que queremos em nossa vida e, ao vivenciarmos o que parece ser o pior, finalmente nos damos conta de que o motivo pelo qual aquilo parece tão errado é porque merecemos muito mais.

08 | Estar verdadeiramente em paz com qualquer coisa é ser capaz de dizer: "Obrigado por essa experiência." Para superar totalmente qualquer coisa, você deve ser capaz de reconhecer a que propósito aquilo serviu e como tornou você melhor. Enquanto não chegar a esse momento, estará apenas remoendo o modo como determinada experiência piorou as coisas, o que significa que você ainda não alcançou o outro lado. Aceitar plenamente a sua vida — os altos, os baixos, o bom e o ruim — é ser grato por tudo isso e saber que o "bom" ensina bem, mas que o "ruim" ensina melhor.

TENTAR DAR SENTIDO
à vida
É O QUE ESTÁ IMPEDINDO VOCÊ DE AVANÇAR

Você deve tentar dar sentido aos seus sentimentos. Deve seguir as pegadas dos seus pensamentos, encontrar a origem de suas crenças mais íntimas e verificar se elas são realmente suas. Deve fazer listas das coisas que faz e não valoriza, deve se perguntar o que mais sente que está faltando e, em seguida, observar quão pouco você está dando em troca.

Mas você deve parar de tentar dar sentido à sua vida. Fazer isso é tentar dar sentido à trajetória, como se fosse ela que o controlasse, e não o contrário. Fazer isso é creditar a vida que você tem à pessoa que você foi.

Usar a lógica e a atenção plena não é a mesma coisa que "tentar fazer sentido". A lógica é metódica e, quando a usamos, recorremos a uma consciência fundamentada para pôr em ação nossos verdadeiros desejos, enquanto a atenção plena olha para o resultado dessas ações e se pergunta como chegaram a esse ponto.

Existem perguntas para as quais talvez não haja respostas. Há respostas que apenas criam mais perguntas, soluções que só podem ser criadas depois de se ter vivido algo, visto além, experimentado.

As melhores coisas não farão sentido — ao menos a princípio.

O amor não é lógico. Graça, alegria e beleza raramente o são. Isso não significa que você não possa usar a lógica para trabalhar com elas, apenas que, para vê-las por completo, precisará recorrer a outra forma de compreensão.

Todas as coisas em seu estado mais puro são confusas e singulares. São mágicas porque são misteriosas. Têm origens desconhecidas e finais perceptíveis, e não há nada a fazer a não ser vê-las e vivê-las.

Pessoas que desperdiçam a própria vida procuram razões para amar em vez de maneiras de amar. Tentam criar caminhos para justificar a própria felicidade, em vez de apenas se permitirem senti-la, não importa o motivo. Elas tentam usar uma lógica equivocada para evitar a felicidade em vez de facilitá-la.

Haverá coisas que você entenderá no mesmo instante, efeitos cujas causas estão em suas mãos, inteira e conscientemente. Haverá coisas que acontecerão em sua vida que, você saberá, foram escolhas suas. Por outro lado, haverá aquelas que parecerão o oposto daquilo que você gostaria — e essas são tão importantes, ou até mais, que as primeiras.

Há coisas cujos motivos se revelarão logo, e há outras que você passará muitos anos sem entender. Há coisas que você lembrará e dirá: "Nunca entendi por que isso aconteceu."

E, no entanto, isso não as torna menores.

Às vezes, o objetivo é experimentar a ignorância e a confusão. O que nasce de sua incerteza pode ser mais importante do que não ter certeza.

Você pode nunca saber se está ou não "destinado" a viver na cidade em que mora, mas ainda assim vai morar ali, porque essa foi a sua escolha. Você não saberá se deve ou não estar com alguém até tentar. Continuará buscando conforto nas coisas que o magoam, porque ainda não experimentou o desconforto de algo novo. Algo melhor. Algo desconhecido, estranho e não alinhado com o que você um dia pensou que queria.

Isso não significa que seja errado ou ruim; significa apenas que você não antecipou e não sabia o suficiente ao escolher aquilo.

Tentar dar sentido à sua vida é tentar ver se a velha história se confirma, se a pessoa que você foi seria feliz com a vida que leva agora. Você está procurando respostas em pessoas que não existem.

A clareza vem de fazer, não de pensar em fazer.

Uma vida boa acontece quando escolhemos trabalhar com o que temos, aceitando que nem sempre é possível escolher com o que trabalhar, mas que sempre teremos o que precisamos usar, sobretudo quando não percebermos que precisamos usar aquilo.

38

COMO DESINTOXICAR A SUA MENTE
(sem precisar sair completamente de cena)

Embora tenhamos muito o que aprender sobre o que significa cuidar do nosso corpo, estamos ainda mais atrasados em como cuidar da nossa mente. Nosso cérebro constrói as nossas experiências, e há muitos fatores que alteram e mudam nossos pontos de vista que estão completamente sob o nosso controle, mas totalmente fora de nossa consciência. A seguir, algumas coisas que você pode fazer para desintoxicar a sua mente, para desprogramar e recomeçar do zero.

01 | **Viaje para conhecer outras culturas.** Altere o seu conceito do que é "normal". Isso lhe mostrará quantos comportamentos, valores e crenças você adotou inconscientemente do seu meio, e de quais maneiras pode mudá-los.

02 | **Crie soluções físicas para problemas emocionais.** As pessoas acreditam que uma emoção vai cancelar ou ajustar a outra. Quando você está aborrecido, procura uma emoção mais forte para sair daquele estado. Mas as emoções negativas são apenas convocações à ação que estão sendo ignoradas com alguma ginástica mental e muitas justificativas. Desintoxicar a sua mente é deixar de lado os picos emocionais, criando soluções reais.

03 | **Saiba que a toxicidade emocional nasce da resistência mental.** Em vez de tentar criar uma certa experiência emo-

cional para si mesmo (se eu fizer isso ou aquilo, me sentirei assim), tente praticar a aceitação completa de tudo o que você sente no momento. A resistência mental mantém você em seu desconforto emocional, mesmo que o alivie por um instante.

04 | **Identifique as suas amarras.** Os problemas à sua frente, na verdade, estão atrás de você; são as rachaduras em suas bases que o estão detendo. Pare de tentar tratar os sintomas; volte e identifique as causas.

05 | **Faça uma longa viagem e deixe-se perder.** Dirija por bairros que você não sabia que existiam. Veja como outras pessoas vivem. Veja-as voltando do trabalho e como é a sala de estar da casa delas, vistas do lado de fora. Isso vai confortá-lo, pois perceberá como você é pequeno em relação à vida, de uma forma mais prática do que apenas olhando para o mar. Você não sabe o que não sabe.

06 | **Reorganize os seus móveis.** Seu cérebro constrói a sua experiência por meio de acessórios e dos sinais que eles acionam. Você está sempre desencadeando inconscientemente associações negativas ou estagnadas devido ao modo como o seu cérebro processa o seu meio — mude-o, mude como você pensa, mude o que você sente.

07 | **Faça uma faxina mental.** Escreva qualquer pensamento estranho e incoerente que você costuma ter e que está obstruindo a sua mente. O simples fato de colocá-lo para fora lhe trará alívio.

08 | **Reestruture a sua vida digital.** Não é realista (ou desejável para muitas pessoas) estar para sempre desconectado, mas também não é realista manter coisas que não lhe servem positivamente em seu feed e esperar que isso não o afete. Em vez de apenas parar de seguir o que você não quer ver, siga contas, grupos, organizações e publicações que o impactem positivamente e lhe interessem.

09 | **Observe os seus movimentos inconscientes.** Observe os seus pés caminhando e perceba como você avança não porque decidiu colocar um pé na frente do outro, mas porque a sua mente lhe disse: "Certo, agora vamos até ali." Analise da mesma forma as intenções que você tem pela manhã.

10 | **Faça uma limpeza emocional do seu espaço: considere o apego que você tem pelas coisas que mantém ao seu redor.** Você comprou essas roupas para ser alguém que não é? Há objetos em sua casa que você adquiriu durante um período particularmente difícil em sua vida? Livre-se dessas coisas, mas decida do que se livrar pensando no que elas fazem você sentir.

11 | **Situe-se.** Faça uma tabela de três colunas. Na primeira, escreva tudo o que você acha que realizou na vida. Na segunda, tudo o que envolve seu cotidiano e, na última, enumere como esses hábitos que cultiva hoje o levarão ao que você espera fazer no futuro. Isso ajudará você a se concentrar no quadro geral; perder-se em minúcias geralmente provoca ansiedade.

12 | **Mude a sua postura física toda vez que começar a entrar em ciclos de pensamentos tóxicos.** Isso basicamente cria uma nova experiência para o seu corpo e o reorienta (além de ser algo bem simples de fazer em sua mesa de trabalho).

13 | **Exercite seu cérebro.** Pegue um livro que trate de um tema que lhe interessa e aprenda mais sobre ele. Se você tem uma teoria sobre determinado assunto, procure ler artigos sobre isso. Aprenda a amar a aprendizagem, envolvendo-se ativamente com coisas que o instigam. No mínimo, isso o deixará um pouco mais inteirado do mundo.

14 | **Reavalie a extensão de sua desconexão conectada.** Se você costuma interagir com as pessoas com que se relaciona (e que não estão muito longe) usando principalmente a internet, e há tempos não consegue conversar pessoalmente com alguém sem ser interrompido por um telefone, avalie o quanto você está priorizando as pessoas em sua vida. Perceba que "telas > pessoas" é a fórmula ideal para criar um estilo de vida extremamente ansioso.

15 | Identifique aquilo de que os seus vícios o estão distraindo. A maior parte das batalhas que travamos é contra algum tipo de vício: algo que você continua fazendo, embora não queira. Entenda que o vício é uma desconexão de si mesmo, e essa desconexão nasce de algo presente que você (pensa que) não pode enfrentar.

16 | Aprenda a admitir que "bom o bastante" não é o oposto de perfeito. Permitir que o que é bom seja bom o bastante lhe dará mais alívio mental e emocional.

17 | Desmonte as partes de sua vida que são exclusivamente performáticas. O fato é que muito do que obstrui a nossa mente é todo o esforço desnecessário que imprimimos para construir uma vida que pareça um pouco mais palatável, um pouco mais nobre, um pouco melhor do que a de outra pessoa (portanto, boa o bastante). Mas realizamos o oposto do que pretendemos: nos colocamos mais longe de uma experiência verdadeiramente feliz (que é aceitar que a vida é pequena, simples e mais do que suficiente) através de ideias grandiosas e acessórios que acabam nos tornando personagens, não pessoas.

18 | Escreva aquilo que você odeia nas outras pessoas. Essas são as coisas que você precisa mudar em si mesmo ou em sua vida (mas está resistindo demais para tomar uma atitude). Saiba que muitas vezes não é um problema superficial. Você não odeia a sua vizinha chata porque ela sempre o incomoda na hora do almoço e você secretamente incomoda outras pessoas na hora do almoço. Você a odeia porque ela age como se estivesse desesperada por afeto e você também se sente assim, mas evita esse sentimento porque o acha constrangedor. Uma lista de anotações rápidas vai ajudá-lo a identificar o que está mesmo indo mal em sua vida. Compreender completamente o problema é o mesmo que descobrir a solução, e é por isso que esse exercício é tão importante. Se você sente que não sabe o que fazer, na verdade não sabe o que está errado. E se você não sabe o que está errado, é porque de algum modo está resistindo em identificar isso.

39

12 SINAIS
DE QUE O ÚNICO
PROBLEMA DA SUA VIDA
é PENSAR
mais do que
VIVER

Normalmente, a ansiedade é gerada pela inação. Nascemos para realizar nosso potencial, não apenas para analisá-lo. Quando a introspecção se torna um meio de evitar um problema, o pensamento compulsivo ocorre. Avaliar a sua vida criticamente deve servir para torná-la mais fácil de viver, não o contrário. A seguir, todas as coisas que acontecem quando você deixa a sua vida existir mais em sua mente do que na realidade.

01 | **Seus objetivos são resultados perfeitos, não ações perfeitas.** Você adora as ideias mais do que o trabalho e os processos necessários para torná-las realidade. Quando você sonha com a vida perfeita, pensa em como será visto, não em quais serão suas tarefas diárias.

02 | **Você sonha acordado de maneira inadequada.** Como já dito, sonhar acordado de maneira inadequada é quando você imagina extensas fantasias para substituir a interação humana ou a função geral. A maioria das pessoas faz isso enquanto ouve música ou enquanto faz algum movimento repetitivo (caminhar, correr, se mexer etc.). Em vez de lidar com os problemas da vida, você simplesmente sonha acordado para dar a si mesmo um "barato" que elimina a sensação de desconforto.

03 | Seu propósito na vida é abstrato. Você sabe que quer ajudar as pessoas, ensinar ou dar voz aos que não têm, mas não sabe como fazê-lo, e certamente não está focando em como incluir esses projetos na sua vida atual, nas situações em que já se encontra, com pessoas com as quais interage no dia a dia.

04 | A solução para a maioria dos seus problemas seria fazer algumas pequenas mudanças, mas você se recusa a realizá--las. Este é o sinal clássico de que você está pensando demais e usando isso para se desviar. É algo fácil de fazer, uma vez que destacar um problema é uma distração aparentemente nobre, mas só é útil até você obter a resposta — é nesse momento que você precisa agir a respeito.

05 | Você está sempre ocupado, mas nunca é produtivo o bastante. Seu trabalho parece nunca acabar, você gasta horas e não sabe onde elas foram parar, está sempre estressado e esquentando a cabeça, como se estivesse eternamente no meio de uma tarefa de alta intensidade que nunca termina.

06 | Você tende a resistir ao que mais deseja. Em vez de realmente se esforçar, abrindo-se aos poucos, você se convence de que não vale a pena, de que é impossível ou que conquistar o que deseja também vem com a possibilidade de perdê--lo algum dia (então é melhor nem chegar a ter, do que só ter por um tempinho).

07 | Você é do tipo que só constrói uma afinidade com as pessoas com base naquilo que odeia. Isso quer dizer que você: a) não está se esforçando o bastante para ter algo interessante sobre o que conversar; ou b) é tão inseguro que precisa reconhecer que outra pessoa está no seu nível (o julgamento equivale à necessidade de ser superior, que, por sua vez, é sinal de um intenso sentimento de inferioridade).

08 | A maioria dos seus problemas se resume ao medo de ser julgado ou excluído. Se esse medo está muito presente em sua vida, geralmente é porque você já construiu muito do que pensa que gosta ou faz isso baseado no que outras pessoas pensam. É por isso que você não age naturalmente, mas para e pensa, muda o que quer fazer e então (talvez) age (ainda com medo de que as pessoas também não gostem da fachada).

09 | Se você parasse para pensar, seria capaz de citar dez coisas pelas quais é grato. Seus "problemas" não têm tanto a ver com "não ter", mas sim com não reconhecer o que tem. A gratidão incita mais ação, mais reciprocidade. Sentimentos positivos nunca o deixam estagnado e pensando excessivamente em seus problemas.

10 | Você quer mudar algo em sua vida, mas seu foco está em desconstruir o que é antigo em vez de construir algo novo que torne o que é antigo obsoleto. Em outras palavras, você é uma daquelas pessoas que tenta encontrar conforto analisando demais coisas antigas para dar mais sentido a elas quando, na verdade, é sua insegurança que torna tudo complexo, e sua incapacidade de aceitar a simples realidade da situação é que gera sua insegurança.

11 | Você foca mais em procurar soluções rápidas do que em reestruturar as questões. Quando você tenta e não consegue o que quer, passa muito tempo pensando no motivo do fracasso em vez de aprender o que precisava, seguir em frente e tentar algo novo. Você sabe o que não está certo, mas não está disposto a descobrir o que pode estar, e fica preso no meio disso.

12 | Você está sempre pensando no que quer fazer, mas nunca faz. Você se convenceu de que a vida só começa quando todas as peças estiverem no lugar, mas, na realidade, a vida é exatamente o ato de encaixar essas peças.

POR QUE AS PESSOAS LÓGICAS TÊM UMA VIDA MELHOR
(em uma época em que a "paixão" é um prêmio)

Nossa geração acredita que a paixão é a resposta: a solução para uma vida de alegria, sucesso e felicidade. Éramos crianças que ouviam: "Você pode ser qualquer coisa" e "Você pode ter sucesso em tudo". Pessoas muito mais inteligentes do que eu já discutiram esse assunto com brilhantismo.

Não se trata de seguir a paixão; trata-se de seguir um propósito com paixão. A paixão é um meio de transporte, não uma maneira de determinar um destino. É a faísca que acende a fogueira, enquanto o propósito é a lenha que a mantém acesa a noite inteira. (Eu já disse isso antes.) Ou seja: o oposto da paixão não é se contentar com uma vida morna, e sim casá-la com a lógica que vai levá-lo aonde você quer chegar.

A capacidade de olhar objetivamente para a vida e interpretar emoções, eventos e decisões com uma mente centrada não é apenas positiva como também essencial para o funcionamento das coisas. A mente e o coração devem ser entidades separadas que você descobrirá como fundir. Eis por quê:

01 | **A paixão diz que você deve ir atrás do que mais deseja na vida. Não "do que você deseja", e sim do que mais deseja. Trata-se de decidir quais dos seus desejos (muitas vezes conflitantes) você deixará vencer.**

A única razão pela qual as pessoas não fazem o que afirmam querer é porque há outra coisa que querem um pouco mais. No fim das contas, não conseguem o que querem porque estão tentando seguir o seu desejo mais intenso, em vez de priorizá-lo.

Eu gostaria de ter outro dia de folga, mas também gostaria de trabalhar em meu fundo de aposentadoria e aperfeiçoar um pouco mais o meu negócio. No momento, escolherei a última opção para, depois, facilitar a primeira. Viu? Estou escolhendo qual desejo deixarei vencer.

Quando as pessoas tentam construir a vida baseadas somente em emoções, são incapazes de decidir qual desejo seguir e, então, acabam escolhendo aquele que provoca a emoção mais intensa. Isso é arriscado, pois não representa algo permanente e pode causar inúmeras consequências que, no fim das contas, vão de encontro ao resultado esperado.

02 | A paixão baseia os relacionamentos no sentimento; a lógica, no propósito.

O amor é o "propósito" (não o apego, o fato de não querer ficar sozinho, o dinheiro ou o ego, como algumas pessoas infelizmente pensam). Somos ensinados que amar é apenas um "sentimento bom" ou um "verbo". Mas você pode ter muitos "sentimentos bons" que não estão enraizados no amor e fazer muitas coisas com base no que percebe ser o amor quando está com alguém importante para você.

No fundo, o que permitirá que seu relacionamento dê certo é o compromisso em fundamentá-lo em algo além do que apenas um sentimento transitório. Se você acredita que paixão é amor — nem mais, nem menos —, desejará terminar o relacionamento assim que não estiver mais experimentando aquela "onda" hormonal com seu parceiro; ou pior, você o culpará por isso e tentará descobrir o que está faltando e por quê.

Geralmente, isso se manifesta pela indecisão e pela incerteza das pessoas sobre "se amam ou não alguém"; se devem ou não desistir, se esforçar mais, esperar ou aceitar que o amor nem sempre é um sonho delirante.

Eu, particularmente, passei anos tentando descobrir se amava ou não pessoas diferentes, e cerca de metade desse tempo estive entrando e saindo de relacionamentos, até que finalmente descobri que havia confundido paixão com amor (que são duas coisas diferentes).

03 | A lógica permite que você veja objetivamente; a paixão é subjetiva e incontrolável.

As coisas pelas quais as pessoas são mais apaixonadas são um grito que ecoa no vazio e esgota todo o poder delas. Não agem segundo a razão ou um método, é apenas uma onda de emoção que, quando colide (ou contradiz) com a de outra pessoa, pode parecer uma afronta pessoal.

Não importa a força do seu sentimento ou da sua crença, eles vão coexistir com uma variedade de outros sentimentos e crenças e nem sempre vão se alinhar ou se sobrepor a eles. Isso não significa que você ou qualquer outra pessoa esteja errada, apenas que a paixão não permite que você reconheça verdades coexistentes, já que é singular e destrutiva quando não pode ser situada na realidade.

04 | A lógica o ajuda a tomar decisões para a pessoa que você espera ser; a paixão o ajuda a tomar decisões para a pessoa que você é ou foi.

O que torna a paixão tão intensa é que, essencialmente, ela responde a uma pergunta que você não sabia que estava fazendo. É uma solução para aquela dificuldade que você vinha enfrentando. É algo que prova um ponto que você não sabia que precisava demonstrar. É evidente para você. É um tipo de liberação ou transcendência. Algo nela lhe provoca uma "onda", é algo conhecido e que está servindo como antídoto.

O único sinal verdadeiro de que a sua vida está seguindo em frente é você não saber para onde está indo. Se soubesse, estaria percorrendo o mesmo caminho novamente. O único sinal verdadeiro de que você está vivendo no passado é sentir aquela "onda" irresponsável. (Você está provando algo para alguém ou para si mesmo.)

05 | A narrativa da paixão diz que você deve se esforçar por uma vida que priorize os seus sonhos; a narrativa da lógica, que você deve se esforçar por uma vida que priorize o seu potencial.

Portanto, a narrativa da paixão o leva a assumir que a sua vida é "menor" porque você não está fazendo o que pensa ser o ideal. A narrativa da lógica, no entanto, diz que você deve avaliar por que quer essas coisas e, finalmente, o leva a concluir que, na maioria das vezes, você não as quer. Em vez de maximizar os seus sonhos, a lógica lhe diz para maximizar o seu potencial, o que, em última análise, leva você ao lugar sobre o qual a paixão só seria capaz de fazê-lo (continuar a) sonhar a respeito.

06 | A paixão nasce do apego; a lógica o neutraliza.

A paixão é um apego a uma ideia ou, mais frequentemente, a um sentimento particular. É o desejo de continuar experimentando aquele único sentimento e fazer o necessário para viabilizá-lo, independentemente do que aconteça. Quando as pessoas pensam em uma vida apaixonada, imaginam fazer coisas e estar com pessoas que as façam se sentir de uma maneira específica. Isso não é apenas irreal como também impossível. A lógica diz que, mesmo em um trabalho que você adore, haverá dias difíceis. Estar em um relacionamento com o amor da sua vida não necessariamente torna as coisas mais fáceis (embora seja isso que todos pensem e presumam). Quando você entra com a atitude do "farei o que for necessário, mesmo quando for difícil", você acaba construindo bases, práticas e habilidades para lidar com aquilo de tal forma que, após algum tempo, a dificuldade inicial ironicamente desaparece.

07 | A gratidão nasce da lógica; uma vida feliz, da gratidão.

A razão pela qual as pessoas "praticam a gratidão" ou se comprometem a refletir sobre aquilo pelo que são gratas é que, infelizmente, poucas pessoas sentem isso de forma natural na vida e, não importa qual seja a sua situação atual, qualquer um pode encontrar um motivo para ser grato.

Cultivar um senso de gratidão — que não seja esperar por um sentimento de ser feliz com a própria vida, mas escolhê-la ao se concentrar ativamente naquilo que o faz se sentir afortunado, grato e orgulhoso — é essencial para que você sempre se sinta satisfeito com a sua vida, porque isso estimula a atitude de buscar mais pelo que ser grato. Como todos sabem, quem procura, acha.

08 | A lógica desmonta a emoção. A paixão tenta usar a emoção para desmontar outras emoções.

A lógica pode desmontar emoções irracionais, ilógicas ou dolorosas e levá-lo a um estado de consciência superior, avaliando as suas raízes e determinando as suas causas, decifrando se são úteis ou não, ou realmente ouvindo-as e agindo de acordo, se isso for o melhor a ser feito.

A paixão tenta usar as emoções para desmontar as outras emoções. Um ponto alto para anular um baixo, um novo sentimento para substituir um antigo. É como tentar agarrar água com as mãos esperando conseguir segurar o suficiente para beber.

Uma mente forte, clara e orientada desfaz o estresse irracional daquilo que os budistas chamam de "mente de macaco" (a série de pensamentos irracionais e espontâneos que passam por nossa mente a cada dia e que, em última análise, afetam, quando não determinam, o nosso estado emocional). A lógica pode dizer como a mente e o coração se relacionam; a paixão pensa que são a mesma coisa.

09 | Muitas pessoas que querem "buscar a paixão" e encontrar "relacionamentos apaixonados" estão procurando por um espaço de carência.

Coisas que são de fato emocionantes, autênticas e amorosas raramente, ou nunca, são histéricas ou muito emocionais. São pacíficas, desejáveis, belas e, às vezes, poderosas, mas o desejo maníaco de fazer qualquer coisa costuma ser uma tentativa de preencher um vazio, fugir de um problema, evitar uma verdade.

O desejo obsessivo de um relacionamento apaixonado é, geralmente, um reflexo da falta de amor-próprio. A necessidade maníaca de seguir uma carreira apaixonada está enraizada em uma profunda infelicidade com a realidade presente. É uma série de pensamentos tranquilizadores, métodos de deflexão e rotas de fuga: o monstro do qual todos estão fugindo, é claro, são eles mesmos.

10 | Ninguém nunca conseguiu nada apenas por querer muito.

Eu não me importo se você diz que é muito apaixonado por alguma coisa; isso não significa que você é a pessoa certa para ela. Podemos estar falando de um trabalho, ou relacionamento, ou promoção, apartamento, ou qualquer que seja o caso.

Mas as pessoas tendem a alegar serem apaixonadas por algo como um fator de qualificação quando, no fim das contas, quem consegue o trabalho é aquele que é mais tecnicamente capaz. Ambas as partes precisam estar convencidas de que a relação é "a certa" para que aconteça. A promoção irá para aquele que trabalhou mais e o apartamento irá para a pessoa com a melhor pontuação de crédito. As pessoas expressam com frequência o quanto querem algo para compensarem os verdadeiros motivos pelos quais não são certas/qualificadas/boas o bastante para consegui-lo.

11 | Uma vida bem vivida se constrói com o fazer, não com o pensar em fazer.

Se você quer que a sua vida seja diferente, faça diferente. Muito do nosso conceito sobre o que contribui para uma existência feliz está enraizado no abstrato: pense com clareza, tenha um quadro de referência positivo, esteja cercado por pessoas de quem você gosta, tenha um propósito em seu trabalho. Mas essas coisas não funcionam a menos que sejam genuínas, e muitas pessoas tentam falsificá-las como se pudessem se convencer de que aquilo é real.

A alternativa é trabalhar. O trabalho árduo que as pessoas evitam porque não querem ser responsáveis pelo próprio fracasso. (Você não pode fracassar se não tentar, certo?)

A confiança se constrói a partir daquilo que você faz, uma mentalidade positiva está enraizada no que você faz, relacionamentos amorosos são mantidos pelo que você faz, o trabalho com propósito é cultivado ao ser realizado, e não quando se pensa em por que você deveria fazê-lo (e acreditando que isso é a mesma coisa).

12 | A paixão é a saída mais fácil.

Pegue um empréstimo de um milhão de reais para estudar algo que você "ama" por mais de cinco anos, mas não seja capaz de se mudar, viajar, se casar, ter filhos, trabalhar em um emprego do qual goste de verdade, porque está afogado em dívidas pelos próximos trinta anos. É isso que a paixão faz.

Case-se com a pessoa por quem você é loucamente apaixonado e cuja negligência e abusos recriam os seus problemas de infância. Fique tão dilacerado quando essa pessoa o deixar, a ponto de se convencer de que ela é a única para você. (Como você pode estar tão destruído se aquilo foi amor verdadeiro?) Baseie o seu relacionamento no quanto você se distancia da realidade quando estão juntos. Perca amigos, trabalho e senso de identidade. É isso que a paixão faz.

Ou melhor, é isso que a paixão faz quando não está casada com a lógica. É isso que os sentimentos desenfreados farão quando não forem interrompidos pelo raciocínio e pela compreensão. Isso é o que acontece quando você acredita em suas emoções, em vez de questionar as suas origens. É o que acontece quando você tenta evitar o sofrimento inevitável da condição humana com uma onda de emoção que você acredita ser o antídoto.

A paixão é o caminho mais fácil, a aresta aparada, a rota meia-boca para a vida que você quer viver. Assim como todas as coisas que lhe dão origem, a paixão só é capaz de sustentar uma ideia, não uma realidade.

COISAS QUE VOCÊ PRECISA
saber sobre
SI MESMO ANTES
de ter a
VIDA QUE DESEJA

Como disse C. G. Jung: "Até que você torne o inconsciente consciente, ele direcionará a sua vida e você o chamará de destino." Quando se trata de construir a vida que queremos viver, somos ensinados a começar a erguê-la a partir de como queremos que as coisas pareçam. Títulos em vez de funções, imagens em vez de realidades, conceitos em vez de tarefas, deveres e práticas do dia a dia. É hora de desfazer a obsessão frenética do ego ocidental para viver uma vida grandiosa e desfazer o que é necessário para realmente existirmos da maneira que desejamos. A seguir, vamos tratar de tudo que você precisa saber sobre si mesmo para poder escolher a vida que deseja de verdade, não aquela que pensa que deseja.

Quais tarefas diárias você quer assumir?

Somos instruídos a escolher a vida que queremos com base no pensamento do que desejamos ser, mas só podemos determinar isso na medida em que somos capazes de pensar no que significaria ter o papel principal. Raramente consideramos a prática cotidiana necessária para uma existência pacífica e significativa. Em vez de dizer "quero ajudar as pessoas todos os dias", comece a se perguntar se a maneira como você realmente deseja fazer isso é cuidando das pessoas fisicamente, realizando as tarefas que isso exige. Tudo soa nobre quando você pensa no que quer que a sua vida seja, mas é preciso levar a realidade em consideração. Quando você consegue escolher como quer que seja cada dia de sua vida — a quantidade de burocracia que vai encarar, quanto tempo passará no computador, quantas horas terá de lazer — você é capaz de construir a existência que deseja a partir do zero.

Que tipo de pessoa você quer ser? (Em oposição a: quais títulos você deseja ter?)

Não se trata de escolher que adjetivo você gostaria que antecedesse o título de seu cargo, mas que tipo de pessoa você quer ser. Em última análise, não importa se você é professor, aluno, editor ou operário da construção civil. O importante é que tipo de pessoa você deseja ser enquanto executa esses trabalhos. Você é gentil e compreensivo? Passa a maior parte do dia conversando com entes queridos? É ocupado desde o amanhecer até o fim do dia? É distraído? Atento? Trabalha muito? No fim das contas, você não é definido pelo que faz, mas como faz.

Pelo que você quer ser lembrado?

O que você quer que digam no seu enterro? Que você tinha a cintura fina e um trabalho de sucesso que a impedia de realmente desenvolver relacionamentos? Ou que você era amorosa e gentil e se importava com o seu trabalho, mas ainda mais com as pessoas? Você deveria meditar todos os dias a respeito de sua impermanência: não há nada mais sóbrio, mais assustador, mais rápido e eficiente para se livrar das porcarias negativas do que lembrar que "para sempre" não existe. Quando tudo estiver dito e feito, o que definirá a sua vida será o quanto você influenciou a vida de outras pessoas, muitas vezes apenas por meio das suas interações diárias e da coragem com que viveu a sua. É disso que as pessoas se lembrarão. É por isso que você será conhecido quando não estiver mais presente para definir a si mesmo.

O que é mais fácil para você?

Temos a tendência de atribuir — e induzir — um tipo de dificuldade a tarefas que consideramos significativas, profundas ou importantes. Se as coisas que amamos, e, especialmente, pelas quais somos pagos, também não exigem esforço, parece que são imerecidas. Acreditamos que precisamos sofrer pelas coisas que temos e amamos, quando, na verdade, não devemos. Vale a pena descobrir o que você faz sem esforço, naturalmente, e aprender a tirar proveito disso sem fingir estar realizando essa tarefa sem esforço, apenas permitindo que aconteça.

Do que você pensa que se trata a sua existência (mesmo inconscientemente)? É algo aleatório? Ato de uma força maior?

Não importa quem esteja certo, errado ou totalmente maluco — talvez nunca saibamos —, o importante é desenvolver um dogma pessoal que lhe sirva. Esta é a crença singular mais reveladora sobre uma pessoa, porque isso, essencialmente, define como ela lida com todo o resto. Se você acreditar que pode determinar o seu destino, você o determinará. Do contrário, continuará se vitimizando, se sentindo um coitado, esperando e implorando de joelhos até que alguma circunstância externa mude as coisas e isso seja considerado trabalho aleatório de uma força maior. Se é assim que você deseja existir, é um direito seu, mas acho que a maioria das pessoas não quer isso para si mesmas. A maioria das pessoas deseja recuperar o seu poder e escolher por conta própria. Mas essa libertação começa com uma pergunta: por que você acha que está aqui? Qual é o objetivo de tudo isso? Explore sua crença mais íntima e, em seguida, determine como você pode vivê-la da melhor maneira possível.

Por que você faz o que faz todos os dias?

É para sentir uma "onda"? Por dinheiro? Para a sua subsistência? Não existe resposta certa ou errada; a questão é simplesmente saber o que mais o motiva. Mesmo que seja apenas para ganhar a vida, você pode levar adiante um projeto apaixonado com o objetivo de pagar as contas com maior tranquilidade no fim do mês. Metas de longo prazo e necessidades simples de sobrevivência costumam ser os desejos mais firmes e constantes nos quais se basear. Devem ser equilibrados com um trabalho significativo e um sentimento de propósito, mas só se, no fundo, isso for o motivo pelo qual você faz o que faz; não lute por alguma alternativa moralmente superior. Use isso para alimentar algo emocional, mental e espiritualmente positivo.

Em seus devaneios, quem você é, e como as outras pessoas o veem?

As questões mais recorrentes de seus devaneios diários representam o que você de fato deseja de outras pessoas em diversas áreas de sua vida. Esse é o seu motivador subconsciente, porque é o que você ainda precisa dar para si mesmo. Seja o que for, é uma projeção daquilo que você mais sente falta — e, por isso, busca inconscientemente em outras pessoas. Será que as pessoas o admiram por sua beleza? Sua criatividade? Seu talento? Seu sucesso? Seu dinheiro? Descubra o que você deseja e como você mesmo pode satisfazer essa necessidade.

O que você mais detesta nas outras pessoas?

O que você mais detesta nas outras pessoas é, em parte, relacionado a você: você só não é capaz de reconhecer isso ainda. Quanto mais furiosa e ferozmente você responder "não" a essa ideia, mais intensamente estará tentando evitá-la. Raiva = reconhecimento. Você não ataca coisas que não considere verdadeiras de algum modo.

Portanto, descubra o que mais precisa curar dentro de si mesmo, percebendo o que mais deseja mudar nos outros. Fazer isso vai libertá-lo de uma forma inimaginável. Fazer isso é uma peça necessária do quebra-cabeça da vida que você deseja, porque toda a energia que você está usando para evitar reconhecer aquilo que precisa mudar, na melhor das hipóteses, está sendo desperdiçada, e, na pior, o está impedindo de ter a vida que deseja.

Pelo que vale a pena sofrer?

Tudo é difícil de algum modo. É difícil estar no relacionamento errado. É difícil estar no relacionamento certo. É difícil estar sem dinheiro e passando necessidade, é difícil realizar os seus sonhos. É difícil ficar preso no meio-termo, sem sentir nada verdadeiro. Tudo é difícil, mas você escolhe o seu difícil. Você escolhe o que vale a pena. Você não escolhe se vai sofrer ou não, mas escolhe pelo que quer sofrer.

O que o possui nesta vida?

O seu desejo de felicidade? O passado? O relacionamento que quase-deu-certo-mas-no-fim-das-contas-não-durou? Seu corpo retraído? Seu medo? Sua solidão? Sua falta de autoestima? Todos têm algo que, em última análise, os possui, os impulsiona, os controla em algum nível visceral. É o padrão no qual todo o resto está enraizado; é o problema que sempre volta a surgir. É o que você busca insaciavelmente e então foge, descobrindo que deu de cara com aquilo de novo. O que você possui nesta vida constitui a maior parte do que você faz, então você precisa saber o que é. Normalmente não se trata de se libertar desses laços que o prendem, mas aprender a manejá-los para um propósito maior. Encontrar o fragmento de empatia, esperança e compreensão, escondido profundamente em seu sofrimento existencial. Tudo tem um propósito. Seu trabalho não é entender o porquê, apenas descobrir qual é esse propósito.

COISAS QUE PESSOAS EMOCIONALMENTE *saudáveis* SABEM FAZER

De todas as questões de saúde com as quais a nossa cultura afirma se preocupar, talvez a nossa saúde emocional (que não é a mesma coisa que saúde mental) seja a mais severamente negligenciada.

Nós nos sentimos confortáveis em falar sobre as nossas dores de cabeça recorrentes, pois não achamos que o fato de senti-las revele algo a nosso respeito. Estão dissociadas de quem acreditamos ser. Mas sabemos que as nossas emoções são resultado de quem e de como somos e, desesperados para preservar a santidade da ideia que temos de nós mesmos, nos escondemos. Ironicamente, é aí que entra o problema: são as partes de nós que suprimimos e ignoramos que se tornam monstros silenciosos, insidiosos e controladores. (Na psicologia, são conhecidos como "eus sombrios".)

Falar sobre como alguém desenvolve sua saúde emocional é outra história completamente diferente (e exigiria que livros fossem escritos para desenvolver o tema em sua totalidade), então, compilei as dez características de uma pessoa emocionalmente saudável. Este híbrido hipotético de positividade provavelmente não existe, mas vale a pena levar em conta seus aspectos (e, talvez, se empenhar em trabalhá-los).

01 | Pessoas emocionalmente saudáveis sabem ouvir a própria dor.

O estresse emocional e o desconforto são um sinal de que existe uma maneira melhor de fazer as coisas, de que algo está fora do lugar. Eles estão sempre nos direcionando para algo melhor, mais alinhado com quem somos e queremos ser. O único desafio é superar o que quer que tenha nos levado a ignorá-lo.

02 | Sabem observar os pensamentos objetivamente e não se identificar com eles.

Você não é os seus pensamentos. Você não é os seus sentimentos. Você é o ser que observa, usa, gera, experimenta e reage a essas coisas. Isso quer dizer que não pode controlá-los, mas eles também não o controlam. Você escolhe o que pensar e escolhe o que deixa passar. (E, quando não consegue se permitir deixar as coisas passarem, está tentando dizer ou mostrar algo para si mesmo. Preste atenção.)

03 | Conseguem ver em si as coisas que não gostam nos outros.

Mais uma vez para o pessoal aí no fundo da sala: você ama nos outros o que ama em si mesmo. Você odeia nos outros o que não consegue ver em si mesmo. Quando você pratica a autoidentificação toda vez que se vê frustrado ou inexplicavelmente aborrecido com alguém ou com o comportamento de alguma pessoa, você utiliza uma ferramenta definitiva para o crescimento e traça o caminho mais rápido para criar uma existência mais tranquila para si mesmo. Você não está mais à mercê do comportamento de outras pessoas, porque, na verdade, nunca ficou com raiva delas... isso sempre existiu em você.

04 | São capazes de diferenciar entre amar algo e amar a ideia daquilo; têm consciência de por que desejam alguma coisa, não apenas que desejam aquilo.

Ideias resolvem problemas que inventamos. Se acreditamos não sermos dignos de amor, precisamos da ideia de um parceiro amoroso que afirme como nós somos perfeitos, assim corrigiríamos isso. Sem entender que queremos que o amor conserte algo em nós, pensamos que queremos amor desesperadamente porque somos românticos ou porque vidas felizes não existem sem esse sentimento. Mas as pessoas que têm consciência do motivo de seus desejos são capazes de escolhê-los não com base na solução de um problema, mas em algo mais genuíno e saudável.

05 | Sabem quando é hora de romper o relacionamento com um amigo.

Muitas vezes é difícil determinar a linha entre "estar comprometido com um relacionamento, mesmo quando não é perfeito" e "saber quando é hora de se afastar de algo que não é mais uma força positiva em sua vida". Muitas vezes, nos sentimos culpados quando não permanecemos próximos de pessoas com as quais não temos uma obrigação, e essa é uma receita para o desastre emocional. Pessoas emocionalmente saudáveis conseguem identificar aquelas que são rancorosas, ciumentas ou tão carregadas com os próprios problemas que acabam projetando-os nos outros. Essas pessoas também precisam de amor e companhia? Certamente. Mas, às vezes, ir embora é a maneira mais saudável de agir.

06 | Vivem com o mínimo, mas de forma realista.

Pessoas emocionalmente saudáveis sabem que nenhuma aquisição material pode levá-las a sentirem o que desejam — ao menos não de maneira duradoura. Assim, abandonam a corrida desenfreada e aprendem a se basear na simplicidade da vida. Elas não cobiçam e não desperdiçam, guardam em seu espaço apenas coisas que são úteis ou significativas. Elas são conscientes e intencionais, gratas e sábias com o que consomem e preservam.

07 | Elas conseguem ficar sozinhas.

Na solidão, você encontra perspectiva. Quando não está na presença de pessoas com as quais precise monitorar as suas reações e escolher as suas frases, você pode se permitir ser. É por isso que achamos a solidão profundamente relaxante e porque pessoas emocionalmente saudáveis a praticam com frequência. Quando não há mais ninguém ao redor para quem você deva adaptar as suas emoções, você pode vivenciá-las plenamente.

08 | Elas se permitem sentir.

O cerne de cada problema emocional é a crença de que não está tudo bem. Não é a presença do problema que é prejudicial; na verdade, é a resistência a ele que nos atrapalha. Pessoas emocionalmente saudáveis sabem fazer algo melhor do que qualquer outra de modo considerável: permitem-se sentir tudo e qualquer coisa pela qual estejam passando. Elas sabem que isso não as matará. Elas sabem tirar um tempo para processar. Sabem que, ao contrário do que se costuma acreditar, fazer isso não é perda de controle, e sim o caminho para ter os pés no chão e estar resolvido o suficiente para de fato estar totalmente presente e centrado... O que significa estar o mais "no controle" possível.

09 | Elas não atribuem "bom" ou "certo" a nenhum resultado.

No momento em que você decide que um resultado é o certo, também está decidindo que outro é o errado. Além disso, algumas coisas funcionam da maneira que pretendemos, outras, não. Isso também é um dom.

10 | Elas reconhecem o valor e o propósito de cada experiência.

O objetivo de qualquer coisa não é o que você ganha por tê-la feito, é quem você se tornou depois de passar por aquilo. No fim das contas, é tudo uma questão de crescimento. As coisas ruins fazem você crescer, e as boas também. (E, na realidade, "ruim" é só o que você aprende ou passa a acreditar que não é "certo".) O ponto é: não se trata de quanto você acerta, mas de quanto você melhora, e cada experiência — a boa, a ruim, a terrível, a maravilhosa, a confusa, a bagunçada, a ótima — faz exatamente isso. Segundo Johanna de Silentio: "A única maneira de fracassar é se abster."

43

COMO
avaliar
UMA BOA VIDA

Avaliamos uma "boa vida" com base em quão bem aderimos às trajetórias. No quanto o que acontece está alinhado com pensamentos temporários e subjetivos que tivemos no passado. A medida de uma vida bem vivida é um conceito cultural e social que muda ao longo do tempo. Atualmente, a crença dominante é a de que a realização individual é o que torna uma existência valiosa (em outras épocas da história foi a obediência religiosa, a procriação, e assim por diante).

Não fomos feitos para sermos existencialmente independentes. Na verdade, classificamos isso como um tipo de transtorno mental. Tudo, até mesmo as nossas tarefas mais rotineiras, só parecem confortáveis se, no final, resultarem em alguma coisa.

Mas decidimos maximizar o nosso prazer a qualquer custo. Decidimos privilegiar a individualidade em vez da comunidade e da integridade, e, no processo, descobrimos que, em vez de nossas paixões se transformarem em uma vida espetacular, estamos vazios, estressados, exaustos e perdidos em círculos viciosos mentais, tentando entender por que as coisas não são como parecem.

Nada é como pensamos que será. Ninguém reflete sobre a própria vida e diz: "Sim, foi exatamente assim que pensei que seria." A questão é não deixar que a realidade se alinhe com as ideias que você tem sobre ela ou manipular essas ideias sobre o incontrolável para sentirmos que as temos sob controle.

No entanto, a medida para uma boa vida faz exatamente isso, pois ainda está enraizada em nosso sistema operacional mais básico: nossos instintos de sobrevivência, que desejam sexo, prazer, fama, reconhecimento e atenção para engrandecer o ego. É o entrar e sair, o sair e perseguir, o querer, se esforçar e roubar impiedosamente. Somos capazes de vestir essas coisas para parecermos civilizados, quando estamos em escritórios, supermercados e no Tinder.

Os animais não se dão conta do que significa terem ou não capturado uma presa. Não consideram as implicações psicológicas de um parceiro em potencial ir embora. Não reconstituem a própria vida ou buscam por "mais". Sua existência instintiva funciona porque intrinsecamente não desejam transcendê-la.

Os animais não precisam avaliar se tiveram ou não uma "vida boa", de modo que não se esforçam para serem mais do que são. Mas nós, sim.

No entanto, ao medirmos quantas coisas boas fizemos através de imagens, ideias e narrativas, perdemos o ponto. Sempre deixamos a desejar.

Não fomos feitos para sermos mais do que somos. Nosso desejo de ser mais não é uma questão de ir além de nossa humanidade, e sim de querer se sentir confortável dentro dela. Os sábios ensinam que fomos projetados para a confusão e a simplicidade da vida cotidiana — que desejar um "mais" externo é um mecanismo do ego. Isso não é transcendência, é fuga.

Podemos medir uma boa vida pelo quanto você ainda deseja mudá-la, ou seja, é proporcional ao quanto você sabe que pode ser melhor. Você mede uma boa vida pela sua capacidade de sentir desconforto. Até que ponto você se questionou. Quantas vezes mudou de ideia. A série de dogmas que você adotou e abandonou. A família que você escolheu para si.

O número de xícaras de café durante as quais você teve conversas engraçadas, belas, sérias e dolorosas. A profundidade que sua empatia alcança. O número de longas caminhadas que fez sozinho e as páginas de diário que preencheu com ideias incoerentes. Como sua maneira de filosofar a sua existência evoluiu. Como sua maneira de perceber as outras pessoas evoluiu.

Os dias nos quais você trabalhou sobriamente, apesar dos fragmentos de paixão terem se dissolvido. Uma boa vida não é apaixonante, é cheia de propósito. A paixão é a faísca que acende o fogo; o propósito é a lenha que mantém a chama acesa a noite inteira.

O número de relacionamentos que você teve a coragem de romper. A saída mais fácil é ficar. A ideia reconfortante é se estabelecer. A libertação é quantas vezes você busca algo mais, mesmo que não consiga conceber o que isso possa vir a ser. Esse sentimento inominável é a marca de uma boa vida.

Você avalia uma boa vida quando sente do fundo do coração que a luz do sol sobre os lençóis da cama pela manhã é inspiradoramente divina. Ao enumerar as muitas razões pelas quais você é uma pessoa melhor do que era antes. Ao enumerar as muitas maneiras como você gostaria de ser melhor no futuro.

A quantidade de coisas que você perdeu e aprendeu a não se apegar mais. O número de vezes que você estava quase no fim de sua capacidade, mas descobriu que havia outro oceano que valia a pena ao ser empurrado para além da superfície.

Uma boa vida não se avalia pelo que você faz, mas pelo que você é. Não diz respeito a quantas pessoas você amou, mas a quanto você as amou. Não tem nada a ver com quão bem as coisas acontecem ou como o plano foi seguido sem dificuldades. Tem a ver com os vestígios de magia que você encontra quando sai da sua rota. Não tem nada a ver com as coisas que não deram certo, e sim com o que você aprende quando elas não dão. Esses fragmentos, despertares e conhecimentos são o que constroem e o tornam capaz de perceber coisas maiores do que pode imaginar atualmente. Uma boa vida não é o resultado final, mas o que você vai contando ao longo do caminho.

EXISTE UMA VOZ QUE *não usa* PALAVRAS; *é assim que você* A OUVE

A voz que você precisa ouvir raramente fará sentido. Não usará palavras. Não usará a lógica. Não se encaixará no curso impecável da história que você imaginou. Será sutil e falará com você sem que você saiba que ela existe.

Os sentimentos que a sua voz interior lhe proporciona são injustificáveis. Você não terá motivos para senti-los. Você saberá que ama alguém não porque essa pessoa é atraente, inteligente e interessante, mas porque simplesmente a ama. Desejará morar em um lugar ou fazer alguma coisa não porque é "legal" ou porque todo mundo lhe disse que deveria fazer aquilo. Fará simplesmente porque quer fazer.

As coisas injustificáveis, ilógicas, genuinamente inexplicáveis — é aí que está a magia. A coisa "certa" simplesmente é. O que precisa ser justificado e fazer sentido em nossa mente são as ilusões, os medos e as coisas a que nos forçamos.

Se você está fazendo uma escolha com a qual só consegue se sentir bem quando a justifica com uma lista de "porquês", você não está de fato ouvindo o que deseja.

Este é provavelmente o maior segredo (e o mais importante) de todos: se a sua voz interior quiser lhe dizer que você não está interessado em alguma coisa ou que está no "caminho errado", ela não dirá absolutamente nada... você simplesmente deixaria aquilo de lado.

Considere as pessoas pelas quais você não está romanticamente interessado. As carreiras profissionais que sabe que não lhe agradam. Você se senta para avaliar se são certas ou erradas? Não, você não faz isso. Você simplesmente as ignora. (O oposto do amor é a indiferença, certo?)

Não há diferença entre o que lhe causa dor e o que lhe agrada — ambas têm o objetivo de lhe ensinar algo. Você as trouxe para a sua experiência porque deseja aprender com elas.

As ilusões precisam ser justificadas. Meias-verdades precisam ser entendidas. As coisas genuínas, as melhores coisas, as "mais certas", simplesmente são. Se estão em sua vida, há algo a ser aprendido com elas. Você se familiariza com a voz que não usa palavras quando desaprende as razões e passa a justificar as ilusões.

Foi justamente por isso que você escolheu se perder.

45

EXPERIÊNCIAS
para as quais
AINDA NÃO TEMOS PALAVRAS

01 | A interação entre a luz e as folhas quando os raios do sol brilham por entre as árvores.

02 | Quando você está com os seus amigos e decide "quem é quem" em um programa ou filme a que estão assistindo e ri histericamente porque os personagens estão se comportando como "eles". A piada que é feita quando você caracteriza os membros de seu círculo social a partir de algum molde cultural. (Pense em *Sex and the City*.)

03 | A sensação da sua pele contra a de outra pessoa.

04 | A bela e temporária euforia de decidir que você mudará a sua vida de uma maneira estética e fácil. A convicção de que isso mudará alguma coisa ou tudo.

05 | A incapacidade de compreender o fato de não podermos compreender aquilo que ainda não sabemos.

06 | Ouvir algo várias vezes e só entender o que aquilo significa quando se torna a resposta para um problema que você tem.

07 | O fato de a idade humana física não ter influência na inteligência, habilidade e capacidade de se relacionar.

08 | O estilo de educação parental que consiste em tentar punir, envergonhar, repreender e oprimir as crianças para que sejam membros funcionais, gentis e bem-sucedidos da sociedade.

09 | Querer ter uma experiência espiritual-sexual com alguém, algo que seja mais do que apenas uma corrida para o orgasmo.

10 | A preparação mental que ocorre antes de você entrar em uma situação social na qual precisa desempenhar um "papel" para manter um relacionamento: ou seja, ensaiar as suas falas.

11 | A sensação de paz absoluta antes de adormecer.

12 | Não apenas supor que sabemos o que outras pessoas estão pensando e sentindo, mas agir de acordo com esse "conhecimento", julgando-as por esse conhecimento e, de várias maneiras, limitando o seu potencial com o que pensamos que sabemos a respeito delas.

13 | A sensação de leveza em todo o seu corpo.

14 | O amor que você sabe ter um prazo de validade.

15 | O amor ao qual você sabe estar "destinado".

16 | Pessoas que são engraçadas sem serem maldosas.

17 | Pessoas que são profundas sem serem negativas.

18 | A frustração que você sente quando alguém está furioso ou perturbado com coisas completamente falsas que essa pessoa criou em sua mente, uma completa falta de compreensão sobre uma situação.

19 | Os pensamentos aleatórios, estranhos, assustadores e constrangedores que cruzam a sua mente e às vezes o assustam, e que você acha que é o único a tê-los porque os outros

nunca os expressam, pois também estão com medo e envergonhados deles.

20 | A arte de tentar descobrir as intenções de alguém reunindo um monte de pedaços aleatórios de "evidências".

21 | A sensação de estagnação ao saber que algo não está certo, embora você ainda não saiba qual seria a alternativa.

22 | O conforto que você sente de vez em quando ao chegar a conclusões pequenas e seguras.

23 | A verdadeira paz de dissolver essas ilusões.

24 | A sensação de perceber que o seu "propósito" muitas vezes não parecerá um "propósito", já que você precisará fazer o trabalho de qualquer modo e, portanto, todo o ato de "encontrá-lo" foi apenas um mecanismo do ego.

25 | Como definimos períodos de nossa vida e de nosso desenvolvimento pessoal não só em anos, séries ou fases escolares.

26 | O espaço entre as gotas de chuva.

27 | Um curso que ensine a arte das coisas não tradicionalmente acadêmicas que ocupam a maior parte de nossa vida: amor, relacionamentos, dúvida, fé, paternidade, trabalho, amizade, autoimagem etc.

28 | Estar apaixonado por alguém que antes era apenas um conhecido e, em certa medida, sentir que essa pessoa ainda é apenas um conhecido.

29 | A sensação de saciedade que você tem após uma farta refeição.

30 | A sensação de se lembrar de algo com muito mais carinho do que quando aquilo realmente aconteceu; a ideia de que

talvez esse tipo de prazer não deva ser combatido ou transcendido, apenas apreciado pelo que é.

31 | A sensação de ter um sentimento.

32 | Uma pessoa ou coisa que lhe dá uma impressão de "lar" (um lar que não seja uma casa).

33 | A ideia de que "tudo é como deveria ser".

COMO SE
tornar o seu
PIOR INIMIGO
(sem perceber)

Deixe-se governar pela ilusão da separação. Acredite que você está sempre competindo com as pessoas ao seu redor, que você só é bom quando é melhor do que outra pessoa. Acredite que seu condicionamento é o único, o certo. Afogue o seu desejo de conexão verificando feed após feed compulsivamente, dia após dia. Viva a vida esperando eternamente que alguém faça você se sentir amado. Coloque tudo nas mãos dessa pessoa. Condene-a quando ela não agir como o esperado. Acredite que você não é suficiente sozinho, que há algo neste mundo que pode, vai e deve salvá-lo.

Acredite que certidões de casamento significam amor, que títulos de cargos representam sucesso, que religião significa bondade e que satisfação significa ter dinheiro. Confie totalmente nos poderes constituídos; permita que o ensinem a deixar que o seu medo controle você.

Não se permita sentir outra coisa além daquilo que as outras pessoas dizem que é normal sentir. Se a sua vida parece boa por fora, não tome a liberdade de dizer que não se sente bem por dentro. Só aja de acordo com o que fará sentido para as outras pessoas. Faça com que a parte mais importante de sua existência seja agradável para toda e qualquer pessoa. Engane-se pensando que esse tipo de segurança entorpecida é felicidade.

Odeie a si mesmo por ainda se importar com a pessoa que você não deveria mais se importar. Envergonhe-se até suprimir completamente tudo o que sente. Passe dias, meses e anos verificando as atualizações de status e novas fotos dessa pessoa em busca de algo, qualquer coisa, que justifique os sentimentos que você só quer eliminar. Enrede-se em nós mentais tentando fazer a sua mente e o seu coração coexistirem. Faça com que o ato de se importar seja uma coisa ruim. Faça com que o ato de amar seja ainda pior.

Suponha que a linha entre "bom" e "ruim" passa por religiões, raças, credos ou nações, e não por cada coração humano. Despreze a nossa capacidade universal de nos afogarmos em nossa densidade.

Deixe de reconhecer igualdade e beleza nas pessoas que você condenou porque nasceram com genética, práticas ou percepções diferentes das suas... porque foram condicionadas de maneira diferente da que você foi.

Nunca se dê conta de que você foi condicionado.

Acredite que você é seus pensamentos, que você é suas emoções, em vez do ser que observa tais coisas. Nunca perceba o fluxo constante de diálogo que você mantém consigo mesmo. Nunca perceba que dois terços das afirmações que você faz e das ideias que você tem não são organicamente seus. Desconsidere o fato de que elas não o levam à satisfação, à bondade ou à esperança, e aceite-as de qualquer maneira.

Escolha as pessoas a quem você oferece humanidade. Decida quem é digno e quem não é. Peneire as características e hábitos dos outros, categorize-os de acordo com o que é aceitável e o que não é. Não permita que alguém seja digno de amor e respeito apenas porque está vivo; fazer isso garantirá que você nunca dedique a mesma gentileza para si mesmo.

Seja seu pior inimigo para que ninguém mais possa sê-lo. Espere o pior para que ninguém possa surpreendê-lo. Chame isso de ser realista. Aceite a vida que outras pessoas pensam que você merece. Não acredite na mudança. Não acredite em nada além daquilo que você possa ver e sentir imediatamente. Sufoque a chance da possibilidade. Sustente-se com "ondas" temporárias, daquelas que vêm de outras pessoas e de sua atenção. Deixe as suas experiências passadas quantificarem o seu ódio por si mesmo. Crie o seu passado em seu presente.

Deixe que outras pessoas eliminem as suas partes boas e chame isso de ser forte. Acomode-se porque tem medo de escolher e chame isso de ser inteligente. Lute contra os outros para não precisar enfrentar a si mesmo. Resista e rejeite até que pareça que tudo e todos estão se infiltrando em sua pele e o torturando. Nunca perceba que a sua mente o controla. Nunca perceba que, aos poucos, você criou a vida que nunca quis com as peças que nunca escolheu.

SE VÍSSEMOS ALMAS
em vez de CORPOS

Se pudéssemos ver almas em vez de corpos, o que seria belo?

Qual seria a primeira coisa que as pessoas veriam em você? O que você mais temeria que elas vissem? A quem você impressionaria? A quem você amaria?

O que você arrumaria ao passar em frente a um espelho? Que tipo de trabalho você faria? Quais seriam os seus objetivos, como você se esforçaria para ser melhor se o dinheiro que você juntou no banco, o que colocou no corpo ou anexou ao lado do seu nome em um cartão de visitas não mais afetassem o que as pessoas veriam?

Você gastaria o seu tempo em academias e lojas ou em bibliotecas e templos? Por quem você se apaixonaria? Qual seria o seu "tipo"? Alto, moreno e bonito ou criativo, gentil e autoconsciente?

A quem idolatraríamos e ao quê? Quantos de nossos governantes estariam aptos para liderar? Quem tornaríamos famoso? Quem celebraríamos?

Será que reestruturaríamos os nossos sistemas de valores para priorizarmos as coisas que nos trazem paz e desejo verdadeiros, não apenas melhores do que a norma? O que faríamos com todo esse dinheiro caso não o estivéssemos gastando em decorar, mudar e convencer todo mundo de que somos de uma maneira que não somos na realidade?

Como definiríamos uma pessoa bem-sucedida? Seria aquela que reúne mais porcaria ao redor de sua alma ou aquela que se transforma e brilha mais? Como seria se a nossa prioridade fosse apenas nos tornarmos mais leves? Que tipo de bondade, alegria, cura e crueza resultariam dessa jornada?

O que aconteceria se pudéssemos ver as pessoas não como "más", mas como... bloqueadas? E se pudéssemos ver as maneiras como elas guardam a própria dor, ou como mantêm uma crença que as impede de serem gentis umas com as outras? E se víssemos como elas nem mesmo sabem que esses problemas existem?

E se não tivéssemos medo de as pessoas serem diferentes de nós?

O que aconteceria se percebêssemos que o nosso corpo nunca quis nada além de se sentir conectado e que agiu com base em nada além de sua falsa ideia de ser separado, diferente, exilado, deslocado, o quase-mas-não-bom-o-bastante?

O que aconteceria se abraçássemos o nosso desejo de jogar e negociar com o nosso individualismo, mas acabássemos voltando ao pensamento de que somos apenas campos de energia? E onde estaríamos se percebêssemos que todos viemos do mesmo lugar? O que aconteceria se percebêssemos que não somos tão diferentes assim?

16 RAZÕES PELAS QUAIS
você ainda não
TEM O AMOR
QUE DESEJA

01 | Você quer que outra pessoa faça o trabalho de desenterrar, criar, ativar e então convencê-lo do amor que existe em sua vida.

Você quer que outra pessoa faça aquilo que lhe disseram que você não seria capaz de fazer por conta própria. Toda vez que você pensar, desejar, imaginar ou esperar que outra pessoa lhe dê algo, toda vez que sonhar com o dia em que isso acontecerá e ficar obcecado com o motivo pelo qual não acontece, perceba que essa coisa é aquilo que você não está dando para si mesmo.

02 | Historicamente, o amor não se parece com o que você pensava que pareceria, e isso porque nunca se parece com o que pensamos ou com o que deveria parecer.

Quando temos uma ideia de como o amor deveria ser, nos apegamos a algo que muitas vezes apenas suprime uma insegurança, nos salva de uma realidade ou nos ajuda a nos validar para outra pessoa. O amor nunca tem a aparência que pensamos que teria... porque não deveria ter uma aparência específica. Porque a sua aparência não nos trará a verdadeira experiência daquilo, e a busca por essa aparência nos distrairá de realmente encontrarmos algo genuíno.

03 | Você pensa que o amor é apenas um sentimento bom quando, na verdade é um estado consistente de comunhão com o corpo, com a mente e com a alma.

Aprender o que significa amar alguém de maneira simples, prática e consciente é um compromisso diário. Você pode se sentir mais ou menos atraído por alguém, mais ou menos compatível, mas escolher amar e valorizar alguém independentemente dessas variáveis é uma constante que você pode escolher (e a crença de que não pode porque o amor deve lhe dar o que você não pode dar a si mesmo é o que leva a tantas separações, divórcios etc.).

04 | Você não está ciente do fato de que o amor não passa de um aprimoramento.

O amor amplia e traz clareza a tudo o que está mais presente em sua vida. Portanto, se as coisas mais presentes são a dúvida, a confusão, a insegurança etc., você terá cada vez mais disso. O amor não é a sua vida; é a avenida pela qual você compartilha a sua vida (e, de forma mais concreta, a forma como vê a si próprio).

05 | Você acredita que o amor "florescerá" nas circunstâncias certas, como se você colocasse duas substâncias químicas reativas juntas e presumisse que uma resposta física/emocional instantânea deveria equivaler a um amor sincero e duradouro.

Os hormônios são reativos, assim como as expectativas. O amor é cultivado por essas coisas e por causa delas, mas de forma mais eficaz, devido à apreciação e ao respeito mútuos.

06 | Você está tentando se tornar objetivamente atraente para o sexo oposto (ou para o mesmo sexo), em vez de realmente descobrir quem você é e, em seguida, atrair alguém que também goste dessa pessoa.

Fico muito triste ao ver quantas meninas (e meninos) são instruídos a se apresentarem de determinada maneira porque "é atraente".

É uma bobagem pensar que generalizar o que "cada" pessoa gosta é útil, porque, de forma mais insidiosa, isso o mantém preso na armadilha de evitar o seu verdadeiro eu, pois você deduz que essa pessoa não é "boa o bastante" para ter a aprovação dos outros.

...Então choramos e amaldiçoamos as estrelas por não podermos encontrar alguém que nos ame pelo que realmente somos...

07 | Você não sabe exatamente quais são as suas intenções em relação ao que deseja, isso porque ainda está tentando editá-las e aprimorá-las para apaziguar, impressionar ou obter a aprovação de outra pessoa.

Em outras palavras, você não pode ser honesto quanto ao que deseja porque não se sente confortável com quem você é de verdade. Enquanto estiver agindo de acordo com essa mentalidade, estará filtrando a sua vida — e o fato de ver ou não o amor dentro dela — por meio de quão bem ela se encaixa na "imagem".

08 | Você culpa os outros porque não percebe que todo relacionamento que você tem é consigo mesmo.

O amor não é uma droga. As pessoas não são uma droga. Você é uma droga. Os relacionamentos são as ferramentas de ensino essenciais, as mais intensas oportunidades de cura, as chances mais explosivamente belas de vermos realmente o que não está resolvido dentro de nós. Você se depara com os mesmos problemas, encontra os mesmos defeitos, os mesmos relacionamentos, a mesma dor, porque tudo isso está dentro de você.

09 | Da mesma forma, você não percebe que as emoções negativas são chamados para a cura, e não existem para você mudá-las, afogá-las ou ignorá-las porque não quer mais "se sentir mal".

Nossos sentimentos são o modo como nos comunicamos conosco. Curar é, essencialmente, se abrir para o bem, ter esperança, sustentar e então criar mais amor. Nossas "emoções negativas" não são sinais daquilo que outras pessoas estão fazendo de errado, mas sim de como estamos administrando mal, entendendo mal ou sendo controlados por experiências e crenças baseadas no medo.

10 | Você não sabe como fazer o seu coração e a sua mente trabalharem juntos: o coração como o mapa e a mente como a bússola.

Recebemos dois conjuntos de mandamentos opostos: siga o seu coração, independentemente da lógica, e não faça nada estúpido e ilógico ao escolher com quem vai compartilhar a sua vida. A realidade é que, enquanto estiver polarizando a utilização das ferramentas de orientação mais importantes que tem em mãos (ou pior, não perceber que as possui), estará totalmente perdido. A propósito, esse é um termo técnico.

Dica rápida: o coração lhe dirá o quê; a mente lhe dirá como. Deixe-os se aterem aos seus campos de especialização.

11 | Você não honra a criança dentro de você.

Se você quer saber quem realmente é, imagine-se conversando consigo mesmo quando criança. O que você diria e o que faria para que ela se sentisse feliz? Essa expressão reflete o que você realmente precisa dar a si mesmo e é muito, muito útil para pessoas que buscam o amor. Porque aprender a amar a si mesmo é, por mais estranho que pareça, aprender a honrar, respeitar, amar e reconhecer a criança dentro de você, ou, em outras palavras, o seu eu mais essencial.

12 | Você quer que o amor mude a sua vida.

Você quer que o amor forneça o que você acha que não pode dar para si mesmo: estabilidade, segurança, esperança, felicidade. Enquanto agir de acordo com essa crença, considerará o "amor" algo que está fora de você quando, na verdade, você não pode ver, criar ou experimentar no exterior o que não está no interior. Por falar nisso:

13 | Você não percebe que o que mais ama nos outros... é o que mais ama em si mesmo.

Quanto mais você está aberto à própria alegria, mais gosta dos outros. Quanto mais você estiver curado de sua ansiedade, menos precisará culpar os outros e exigir que eles o consertem. Amar outra pessoa se resume a ser capaz de ver o que você aprecia nela, pois é semelhante ao que você aprecia em si mesmo.

14 | Você não só pensa que outra pessoa é responsável por consertá-lo, mas também que há algo de errado com ela caso não o conserte.

Então você deseja mudar, consertar ou condenar essa pessoa pelo quanto ela o prejudicou. Você quer culpá-la por não ser boa o bastante. (Você deseja impor a ela muito do que realmente está sentindo a respeito de si mesmo.)

15 | Você se esqueceu da bondade, sendo que ela é o tecido do amor.

Não creio que haja pessoas mais cruéis umas com as outras do que aquelas que realmente se amam. Elas se veem tanto umas nas outras que simplesmente não conseguem suportar, e retaliam da mesma maneira como rejeitam a si mesmas! A base de um relacionamento feliz (na verdade, de uma vida feliz) é a bondade incondicional. Isso é sinônimo de amor e talvez seja ainda mais eficaz que ele, porque mostra a ação em oposição ao sentimento ou à expectativa.

16 | Você está procurando uma resposta fora da pergunta.

Pela décima vez, repita comigo: o amor que você realmente deseja é o amor-próprio. O que você está procurando em outra pessoa é o que não está dando para si. O que o irrita é o que você não está aceitando e curando; o que lhe dá alegria e esperança é o que já existe dentro de você. Encontrar um relacionamento para ser o grande potencializador, para ter alguém com quem compartilhar tudo, começa em você. É como se nos tivessem ensinado a "primeiro amar a nós mesmos", sem nunca nos dizerem que "amar a si mesmo" é dar a si mesmo aquilo que você deseja que outra pessoa lhe dê.

49

COMO
MUDAR
A SUA VIDA
ESTE ANO
(de verdade)

As pessoas querem mudar de vida. Querem mudar os seus relacionamentos, seu corpo, sua renda, seus investimentos, seu status, sua moradia. É muito fácil atribuir o que sentimos por dentro ao que identificamos de errado no lado de fora. Isso fica dolorosamente evidente quando os calendários são substituídos e achamos que ali existe um novo começo, uma página em branco. É fácil pensar que um novo ano é sinônimo de uma nova vida.

Mas nós nos carregamos — e carregamos nossa bagagem, nossas energias, nossas dificuldades, inseguranças, esperanças e nossa mentalidade — para aquela esperançosa e reluzente vida nova da página em branco, do recomeço. Nossas "resoluções" não funcionam porque não podemos mudar o exterior e esperar que isso mude nosso interior.

As pessoas querem mudar de vida. Também querem mudar a vida de outras pessoas. Querem mudar as injustiças que veem. Querem mudar a droga do mundo inteiro.

Mas elas não querem mudar a si mesmas. (Não a sua imagem. Não a sua aparência. Não o seu sucesso mundano. A si mesmas.)

O que, ao que parece, é a única coisa que podem mudar. Aquilo que devem mudar, para começo de conversa.

Andamos por aí com a ideia falsa e paralisante de que devemos ajustar o modo como as coisas são, em vez de ajustar como somos e como as vemos. Este mundo pode muito bem ser uma maldita sala de espelhos. Em vez de tentar quebrá-los para distorcer e reorganizar a imagem da maneira como você a vê, precisa abandonar a ideia de que a sua imagem é tudo o que existe.

As coisas que nos torturam, os padrões negativos que nos seguem e a razão de repetirmos as mesmas resoluções ano após ano é o fato de que não estamos fazendo a mudança em nós, mas tentando mudar as outras coisas.

E a parte mais hilária, maravilhosa e tristemente desconhecida de tudo isso é que, quando você age assim, acaba ficando com aquilo que se propôs alcançar. O amor, a satisfação e o "sucesso". Só que, desta vez, seu valor não depende disso. Você não será um fracasso caso o perder um dia. Tudo isso deriva de você mesmo. ("Não é a montanha que conquistamos, mas a nós mesmos.")

Então, eis o que você precisa saber.

Sempre que houver uma dificuldade em sua vida, haverá um problema no modo como você está pensando, reagindo ou respondendo. Tudo o que você sente que não está recebendo é um reflexo direto daquilo que você não está oferecendo. O que o aborrece é aquilo que você não está disposto a ver em si mesmo.

Então, o que você sentir que está faltando, você deve dar. Onde houver tensão, você deve descarregar. Se você quiser mais reconhecimento, reconheça os outros. Se você quer amor, seja mais amoroso. Dê exatamente o que você deseja obter.

Se você quiser abrir mão de algo, construa algo novo. Se você não entender, pergunte. Se não gostar de alguma coisa, diga. Se quiser mudar, comece aos poucos. Se quiser algo, peça. Se amar alguém, diga isso para a pessoa. Se quiser atrair alguma coisa, torne-se essa coisa. Se gostar de algo, permita-se senti-lo.

Se você faz algo compulsivamente, pergunte-se por quê. Pare de tentar conter os seus gastos, mudar a sua dieta, evitar aquela pessoa ou atacar quem você ama. Procure a causa do sentimento (não apenas o sentimento em si) e você resolverá o problema para sempre.

Se você sentir falta de alguém, ligue para essa pessoa. É bobeira sofrer em silêncio. É nobre e humilde dizer a uma pessoa que ela é importante para você, não importa se ela também o considera importante ou não.

Se está faltando algo em sua vida que você não pode repor, reestruture. Você não chegará a lugar algum desmontando as peças sem ter nada para ocupar o lugar. Você acabará remontando as peças da mesma velha vida da qual está tentando se livrar. Afaste-se e construa outra vez. Algo novo. Não há como continuar sozinho a mesma vida que teve ao lado de alguém sem evitar que aquele buraco aberto o torture. Dê a si mesmo permissão para construir algo belo. Algo verdadeiro.

Se quiser ser compreendido, explique. Não há nada de que necessitemos mais do que pessoas dispostas a explicar as coisas para as outras de maneira generosa, gentil, completa e paciente.

Se você quiser ser feliz, faça essa escolha. Escolha ser consciente e grato de forma consistente por alguma coisa. Escolha mergulhar em algo belo, tranquilo e alegre. Se você não pode escolher isso, escolha começar a trabalhar para descobrir o que o bloqueia — seja sua saúde, sua mentalidade ou os fatores externos. Busque ajuda. Peça ajuda. Dizer que você não pode escolher é desistir de vez. (Não faça isso.)

Escolha a mudança. Sua rotina, seu trabalho, sua cidade, seus hábitos, sua mentalidade. Nunca se deixe levar pela frustração e amargura. Não importa se você está enfrentando o pior cenário possível. Reclamar, se preocupar ou ser negativo não vai ajudar. Nem um pouco. De modo algum. Nunca.

Tudo o que você faz, vê e sente é um reflexo não de quem, mas de como você é.

Você cria aquilo em que acredita.

Você vê o que quer.

Você recebe o que dá.

50

COMO PERDEMOS A CABEÇA PELOS DEUSES
de outras
PESSOAS

As pessoas permitem que contadores mapeiem os seus projetos de vida. Não seus desejos essenciais, seus filósofos favoritos, as ideias que lhes induzem reações viscerais e se tornam crenças. Essas coisas são vistas como secundárias, já que não dão uma medida do que é necessário para sobreviver, uma medida das coisas que nos foram impostas para parecerem agradáveis.

Um contador é capaz de lhe dizer como e onde você pode morar. Quais oportunidades estarão abertas ou não. Quanto você tem para comprar presentes de Natal e financiar a educação de seus filhos. Avaliamos a nossa qualidade de vida não pelo que — ou como — fazemos, mas a partir de nossa aparência e do que ganhamos com ela.

Não somos totalmente culpados por isso. A "monocultura" dos dias atuais, o padrão de governo, a narrativa dominante, as crenças que seguimos sem nunca tê-las aceitado conscientemente nos dizem que se a riqueza, a atratividade e as posses mundanas não nos fazem sentir elevados e vivos, isso se dá apenas pelo fato de não as termos em quantidade suficiente.

Faz sentido em um nível inicial, mas, como qualquer um pode lhe dizer, ter mais um dígito no saldo da conta bancária ou uma variedade de coisas novas (que só representam o seu valor percebido ou a falta dele) apenas muda o muito que você tem ao seu redor, não a profundidade ou sinceridade com a qual você pode apreciar, sentir, desfrutar, desejar e ser feliz por causa disso.

Se for necessário mais do que um mínimo de experiência pessoal para atestar esse fato, consulte a infinita e proverbial pilha de pesquisas.

Aquisição externa não produz contentamento interno.

E, ainda assim, seguimos em frente. Ainda somos escravos das coisas que aprendemos serem "bens" essenciais. Justificamos a nossa fé no sistema por uma lógica falha e influenciada. Continuamos a acreditar que algo externo é capaz de mudar a nossa capacidade interna de estarmos conscientes, de apreciarmos, de vivermos, de sentirmos.

Uma vez que estamos convencidos de que não apenas o dinheiro, mas uma ideia de moralidade, educação e, sim, riqueza, se traduz em contentamento, nos tornamos ratos correndo em uma roda e passamos o resto da vida assim se não formos cuidadosos.

Não sei se você já ouviu falar disso, mas todos parecemos sofrer de uma espécie de Efeito Diderot. Denis Diderot foi um filósofo iluminista, autor do ensaio fictício "Lamentações sobre meu velho robe". Segundo a história, ele vivia uma vida muito simples e foi feliz até que um amigo lhe deu um lindo robe escarlate. Quanto mais usava aquilo em seu pequeno apartamento, mais a simplicidade de sua vida lhe parecia... deslocada.

Então, ele desejou novos móveis, já que alguém com um robe tão bonito quanto aquele não deveria morar em uma casa humilde. Depois quis substituir as suas outras roupas, tapeçarias e assim por diante. Ele acabou endividado e trabalhando duro a vida inteira, tentando manter o glamour do ambiente — uma tarefa indefinível e interminável.

Como a vida cotidiana moderna nos mantém constantemente pisando em ovos e mergulhando os nossos sentidos em anúncios e "histórias de sucesso" que nascem do luxo e são casadas com o materialismo, é quase impossível se afastar e ver o sistema objetivamente. Então, a maioria não o vê.

Não sei quanto a você, mas nunca vi um deus tão adorado quanto uma nota de dólar. Nunca vi tanta fé depositada em sistemas projetados para manter o poder e servir ao ego. Os governantes mais insidiosamente eficazes são aqueles que não dizem que estão controlando você, embora tenham sido eles que programaram a sua necessidade de continuar correndo na roda, olhando para a tela ilusória, pensando que está a caminho daquele objetivo final. Dentro da gaiola, o que você não consegue ver é que a roda na qual você está girando alimenta eternamente o monopólio deles.

Por causa dessa mentalidade predisposta e coletiva (que evidentemente não está nos servindo), acreditamos em uma variedade de coisas "boas". Seja educado. Seja uma "boa pessoa". Tenha dinheiro. Seja atraente. Exercite-se. Tenha um ótimo trabalho. Compre uma casa. E assim por diante.

Isso desperta o interesse dos nossos sentidos, de nossos instintos básicos, de nosso ego. Mas quantas vezes questionamos o "bom" que nos foi imposto, quantas vezes realmente paramos e questionamos quanta fé temos em um sistema que nos convenceu de que nosso estado natural, nossa vida simples, nossas alegrias interiores... não são boas o bastante?

Na próxima vez que você fizer uma escolha porque está tentando ser uma "boa pessoa", imploro que considere que aqueles que cometem terrorismo suicida também acreditam que estão sendo "boas pessoas", mártires de seu deus.

Na próxima vez que você igualar um diploma a ter educação, considere a situação de qualquer aspecto de nossa sociedade — estamos absolutamente famintos por conhecimento, e, ainda assim, o bônus da educação parece ser ilimitado nos dias de hoje. Não há dívida, desinteresse ou total desconsideração pelo verdadeiro aprendizado que impeça que as pessoas obtenham diplomas e acreditem que a sua educação está completa para o resto da vida.

Frequentemente olho para os mais velhos e me pergunto como confundimos "respeitar os mais velhos" com permitir que acreditem que é normal parar de estudar aos 23 anos e deixar que fiquem estagnados e amargurados com os preconceitos da geração na qual foram criados.

Então, estamos distribuindo diplomas vazios como um saco furado — diplomas que prometem sucesso a um custo alto e sufocante — e aplacando tendências e preconceitos com uma risada e um suspiro, porque isso é o que nos ensinaram ser o "certo".

Não estou dizendo que não há valor na educação, pelo contrário: é a única coisa que vale de verdade, e estamos fracassando miseravelmente em oferecê-la às massas. Eu sonho com o dia em que os formandos deixarão a faculdade acreditando que seu nível de instrução não se resume à capacidade de passar a melhor parte da vida atrelados a uma esteira ergométrica corporativa, mas o considerando algo que lhes forneceu o contexto, a história, a perspectiva e a oportunidade de aprender o que os move e os faz fluir, como questionar e discutir tudo objetivamente, escolher a vida que desejam e não aderir à vida que lhes foi designada.

Nem Hobbes, nem Platão, nem Espinosa, nem Hume, nem Locke, nem Nietzsche, nem Jobs, nem Wintour, nem Descartes, nem Beethoven, nem Zuckerberg, nem Lincoln, nem Rockefeller, nem Edison, nem Disney, nem incontáveis outros indivíduos brilhantes que viraram o jogo e mudaram a cultura foram acadêmicos. Há um padrão claro o suficiente para nos levar a nos perguntar se um motivo do (excepcional) sucesso dessas pessoas foi o fato de elas nunca terem sido condicionadas a acreditar que uma coisa era "boa". Suas ideias nunca foram editadas ou adaptadas ao gosto de outras pessoas. Eles nunca precisaram reprimir suas verdadeiras opiniões para receberem uma nota boa e nunca compilaram as ideias de outras pessoas por anos e chamaram de "pesquisa".

Em *A República*, Platão narra a alegoria (bastante citada) sobre homens acorrentados em uma caverna, de costas para uma fogueira e de frente para uma parede, que é a única coisa que conseguem enxergar. Esses homens acreditam que as sombras projetadas nessa parede, produzidas por pessoas que passam por trás deles, são a realidade. Ver essa luz, metaforicamente ou não, é a educação mais verdadeira, principalmente porque não precisamos vê-la de fato com os próprios olhos para entendê-la. Precisamos apenas juntar as ilusões que percebemos para dar sentido ao que está atrás de nós.

No fim das contas, as nossas ilusões não são perigosas, mas sim as das outras pessoas — especialmente quando as aceitamos não apenas como partes integrantes e imóveis de nossa vida (no fundo, insatisfatórias), mas quando acreditamos que sejam boas. Inquestionavelmente. Infalivelmente.

Ninguém jamais deu permissão a alguém para ser iluminado. Nenhuma nova linha de pensamento ou gênio criativo nasceu do que já era aceitável. Associamos "aceitável" a "bom", quando na verdade "aceitável" é, principalmente, "manter-se dentro das linhas que outras pessoas usam para controlá-lo" (para melhor e para pior).

Nossa vida não é medida pelos deuses de outras pessoas, nem por seus dólares, ilusões ou planos de negócio. Nem seus padrões de beleza, o que acham ser certo ou errado, bom ou mau, ou quem devemos ser em um determinado dia.

Parece que a tarefa dessa geração (talvez do século) será aceitar-se radicalmente em uma sociedade que se alimenta do contrário. Vendo ilusões pelo que são, até mesmo — talvez principalmente — quando são ilusões de outras pessoas. Vendo a gentileza e a humildade como coisas legais. Perdoando o modo como as coisas são, sabendo que a única maneira de reinventar algo não é destruindo o que existe, mas criando um novo e mais eficiente modelo que torne o outro modelo obsoleto.

COMO SE DESAPEGAR
da ideia
DE ALGUÉM

Acontece de duas maneiras:

Você perde uma coisa, substitui por outra melhor do que a perdida e fica feliz.

Você perde uma coisa, ela não desaparece quando é substituída e não tê-la se torna uma presença tão marcante quanto era anteriormente.

Você é levado a crer que as coisas que você não consegue esquecer devem permanecer em sua mente — uma simples consequência de ter amado alguém tão profundamente: você se apega a alguém e um dia esse alguém deveria ser seu.

Somos levados a crer que o fato de não sermos capazes de abrir mão das coisas que perdemos é apenas prova do quanto as amávamos. Mas eu não creio que isso seja verdade.

Viver com um fantasma ou elaborar uma ideia à qual você precisa se agarrar — para preencher um espaço ou atender a uma insegurança — é usar a ideia de alguém para resolver algo em você.

Adoramos corações partidos e adoramos nos colocar em tais situações. Somos mais nostálgicos por coisas que nunca aconteceram do que somos presentes e gratos pelas coisas que acontecem. Começamos a perder o que nunca tivemos, coisas que criamos em nossa mente nesta falsa realidade alternativa.

As coisas que facilmente substituímos são geralmente aquelas às quais não atribuímos um significado existencial. Ou seja: não são coisas nas quais você busca uma noção de identidade.

As coisas que não saem de sua cabeça não mostram aquilo que "deveria ser". Mostram que você ainda não está bem por conta própria.

Você sabe o que é amor incondicional? É amar alguém mesmo que essa pessoa não o ame incondicionalmente — ou seja, é o afeto sem pretensão. É isso o que dizemos buscar e que, no entanto, mal conseguimos entender.

Gostamos da maioria das pessoas porque elas nos dão uma "onda por contato".* A ideia de tipos e padrões é a prova de que estamos apenas procurando alguém para desempenhar um papel. Ao conhecer alguém que não corresponde à noção muito específica que você tinha dela, você se desilude. De repente, essa pessoa não está agindo de acordo com aquilo que você imaginava e, portanto, está errada. A incapacidade de se desligar se deve ao fato da embalagem parecer perfeita, das peças parecerem se encaixar. E, no entanto...

Estar apaixonado por alguém que antes era apenas um conhecido é como se apaixonar por um livro (parece um exemplo idiota, mas as pessoas realmente se apaixonam por livros). A questão é: você pode amar o quanto quiser, mas é uma história que corre paralela à sua. No fim das contas, é estática. É memória. É uma frase, e você não pode mudá-la. Termina como termina. Diz o que diz.

Certa vez, uma amiga me disse que o segredo para encontrar o amor não era procurá-lo, mas curar as coisas que o impediam de vê-lo e recebê-lo. Acho que a maior de todas é: "O que a chegada desse amor vai resolver?"

O fato de ter essa pessoa ao meu lado me fará sentir melhor em relação a quê? O que preciso que ela me diga? O que preciso que ela prove? Para quem preciso que ela pareça bem? A qual propósito ela serve para o meu ego?

Isso acontece em muitos aspectos, não apenas no amor: confundimos afeto genuíno e amor verdadeiro com o sentimento leve,

---

* "Onda por contato", ou "*contact high*", em inglês, é um fenômeno psicológico que ocorre quando alguém, ao interagir com uma pessoa que está sob efeito de drogas recreativas, sente o efeito delas mesmo sem tê-las consumido. [N. do T.]

feliz e livre que experimentamos por alguns segundos, dias ou meses enquanto alimentamos nosso ego.

É por isso que não dura. É por isso que nos apegamos a ideias de coisas que passaram e coisas que precisamos ser: a ideia de alguém preserva algo sobre nós mesmos. E quanto mais nos agarramos a esses fragmentos de uma pessoa, aqueles sonhos que nos distraem do momento, acabamos com algumas memórias destiladas que transformamos em esperanças sustentadoras de vida, e juntamos tudo e colocamos sobre os ombros dessa pessoa que pensávamos que nos amava o suficiente para nos fazer amar a nós mesmos.

E se você não tomar cuidado, essa pessoa se tornará parte de você. Ela se tornará a parte boa, a parte inteira, o amor de sua vida.

POR QUE
NOSSO SUBCONSCIENTE
adora criar
PROBLEMAS
PARA NÓS MESMOS

Acho que a maioria das pessoas deveria olhar objetivamente para a própria vida e perceber com que frequência os problemas que tiveram foram criados por elas mesmas, por seu sofrimento autoinfligido. Sem dúvida, adoramos criar problemas para nós mesmos, e fazemos isso o tempo todo.

Nós nos preocupamos sem necessidade, escolhemos a inércia, resistimos à aceitação, externalizamos o nosso poder, abrimos mão de nossa capacidade de escolha, quando na verdade cabe a nós decidir como reagir, quando mudar, com o que entreter nossa mente. Dizer que não temos escolha é mais um sintoma do nosso próprio masoquismo.

E fazemos isso porque amamos. Há algo... divertido... em criar problemas para nós mesmos. Algo para o qual sempre voltamos. Talvez criemos os nossos próprios problemas porque sentimos que os merecemos, porque dão sentido à nossa vida, nos dão credibilidade humana por termos passado por algo — qualquer coisa.

Porque quando somos nós que os criamos, podemos superá-los.

É quase como se encenássemos realizações em nossa mente. Subconscientemente, sabemos que passaremos por isso, mas escolhemos o sofrimento só para ter aquela sensação de "ah, eu fiz algo, eu provei a minha força". Dificultamos as coisas para termos uma sensação de bem-estar quando as solucionamos. Quanto mais sofremos, mais algo vale a pena.

Construímos as nossas vitórias subconscientemente. Sabemos que não há motivo para reclamação ou preocupação: se algo pode ser resolvido, resolva. Se não puder, a preocupação e o aborrecimento não mudarão isso de uma hora para a outra. Em qualquer um desses cenários, são ruídos inúteis e desnecessários.

Mas a questão é que gostamos de nos preocupar e de reclamar. Se não gostássemos tanto, provavelmente não o faríamos incessantemente. Isso alimenta alguma parte humana dentro de nós que a modernização nos roubou. Ao que estamos sobrevivendo? Qual é o objetivo? Por que, por que, por quê?

Bem, isso ocorre porque, quando tudo tem uma resposta, o que resta a fazer? Se tudo tiver uma solução, o que teremos para considerar, trabalhar ou nos animar a fazer? Ou melhor, por que precisaremos trabalhar por alguma coisa? Por que precisamos ficar entusiasmados com novas realizações em vez de com aquilo que já conquistamos? O que há dentro de nós que é tão instável que não nos permite ficar em paz?

Acho que criamos os nossos próprios problemas para resolvermos coisas que, de outra forma, se tornariam questões fora de nosso controle. Fazemos isso para curar, tratar, consertar, enfrentar e reconhecer tudo o que queremos, antes que alguma outra dolorosa circunstância externa faça isso por nós.

Criamos os nossos próprios problemas para sabermos que finalmente teremos as soluções, para que possamos lidar com eles com segurança (embora dolorosamente). Então, de fato, não é uma questão de não criarmos problemas para nós mesmos, mas de estarmos cientes o suficiente para entendermos o que eles são... e que estamos pedindo a nós mesmos para solucioná-los.

POR QUE
uma alma deseja
UM CORPO?

Ontem peguei um atalho enquanto voltava para casa e acabei atravessando um pequeno cemitério nos fundos de uma igreja da cidade. Parei e olhei para os nomes e as datas de nascimento e morte de veteranos, crianças de três anos, esposas amorosas, pais, irmãs e maridos, pedaços imortalizados daquilo a que suas vidas se resumiram. Então pensei comigo mesma:

Por que uma alma deseja um corpo?

O que um corpo pode fazer que uma alma não pode? Por que uma alma haveria de querer algo tão impermanente, grosseiro, pesado e doloroso?

Parei diante do jazigo de um casal falecido no final do século XIX. Olhei para as sepulturas, a alguns centímetros de distância uma da outra, e percebi:

Uma alma não pode tocar.

Supondo que uma alma é um campo de energia, que nosso espírito realmente excede a partícula de vida que nosso corpo fornece na extensão do infinito, uma alma não pode tocar. Não pode ver a luz; ela é a luz.

A alma não conhece a necessidade de pele humana. Não pode correr os dedos sobre a mão, o pescoço e as costas de outra pessoa e não pode sentir o desejo paralisante ou a paixão inebriante. Esses são sintomas de uma loucura chamada amor, mas é o amor humano. Muitas vezes é superficial, selvagem, maníaco, o equivalente a fumar crack. É um amor que não sobrevive a uma apreciação mais profunda, ou queima intensamente e depois se apaga.

As almas não podem experimentar um começo nem um fim, nem toda uma série e um espectro de emoções. Elas não podem se surpreender porque nunca se sentem confusas ou ignorantes. Não conhecem o calor físico-emocional, não sabem o que é segurar e beijar a testa de um bebê recém-nascido ou o aperto que você sente no peito quando sente o cheiro da pessoa que ama.

Sua alma não consegue sentir a cadência de ler o seu livro favorito ou a sensação de quando a sua mente coloca a história de outra pessoa em sua vida, como os seus dedos folheiam a encadernação desmantelada pela trilionésima vez e como é maravilhoso o cheiro daquele livro, especialmente quando é o seu favorito.

Ela não conhece aquele frescor revigorante e reconfortante do outono nem o calor do sol nas costas durante o verão. Ela não conhece aquela sensação profunda que você tem quando abre os dedos e passa a mão na água. Ela não pode usar a sua camiseta favorita, lamber massa de biscoito, suar, respirar, chorar ou dançar. Ela não conhece o conforto vitalício de sua mãe ou de sua pessoa amada abraçando-a casualmente.

Um corpo é responsável pela parte mais incrível de todas: se encontrar ou criar algo fisicamente. Uma vez que temos alguma coisa, não queremos mais aquilo. O que realmente queremos é fazer, batalhar e nos transformar.

Uma alma não precisa pagar contas, comprar comida, preparar o jantar, agendar um exame de rotina, lavar a louça ou fazer planos para sexta-feira para manter um relacionamento. Não precisa tomar banhos quentes para relaxar, arrumar a casa, fazer compras ou caminhar para pensar na vida. Um corpo pode aprender. Um corpo pode sentir a magia da conquista. Pode juntar as peças e entender. Um corpo pode se perder para ser "encontrado". Pode sofrer e ser curado.

Achamos que nossa vida pode ser mais e melhor do que a série de tarefas cotidianas que precisamos cumprir, mas e se não for? E se estivermos programados para fazê-las? E se não houver significado maior do que simplesmente fazê-las? E se o que sentimos nesses pequenos momentos em que queremos escapar e dar contexto a um significado maior for o próprio significado?

Se a cura é apenas o reconhecimento da dor, então talvez viver seja apenas o reconhecimento da vida.

Muitas ansiedades, frustrações e coisas terríveis cessam instantaneamente quando simplesmente as dizemos em voz alta. Aprender a sofrer, lamentar e estar presente serve apenas para nos mantermos conscientes. O reconhecimento é o remédio. É a única coisa que realmente devemos fazer.

E o sofrimento real, do tipo inevitável, vem de evitar o que está à nossa frente. Ele nos segue e nos assombra até que o reconheçamos e estejamos bem com aquilo, mesmo que não nos faça felizes. Mesmo que sejamos tudo, menos felizes.

A alma deseja um corpo para poder experimentar as coisas, e esse corpo lutará contra si mesmo até se tornar consciente. Até que faça o que foi programado para fazer. Até que pegue o que precisa e sinta o que quer sentir, não importando quão obscuro isso pareça.

Não devemos ser melhores do que a nossa humanidade. Fazer isso é ignorar o propósito do corpo, afinal de contas. Podemos escolher a felicidade, mas, em vez disso, escolhemos todo o espectro da experiência.

Talvez, em vez de acreditar que as coisas são lineares e que o caminho só leva para cima e em direção à felicidade, possamos nos permitir aquilo que escolhemos. Pagamos contas, lavamos pratos, preparamos o jantar e nos perguntamos por quê. Talvez não exista sentido em sentir, a não ser sentir. Talvez isso só persista porque fingimos que existe.

A IMPORTÂNCIA DA TRANQUILIDADE:
por que é
IMPERATIVO
reservar tempo para
NÃO FAZER NADA

Estamos condicionados a associar imobilidade com inatividade e inatividade com fracasso. Somos treinados para viver sobrecarregados e acreditar que, se em algum momento não estivermos fazendo algo que contribua para os nossos objetivos, não estaremos fazendo nada.

Isso nos torna incapazes de estarmos a sós conosco: nosso propósito só é legítimo se for a serviço de alguém ou de alguma outra coisa.

Na verdade, resistimos tanto à nossa própria presença que, em um estudo feito pela Universidade da Virgínia,[15] mais de setecentas pessoas foram convidadas a ficar sentadas sozinhas em uma sala com seus próprios pensamentos durante seis a quinze minutos, ao lado de um botão de choque, que poderiam pressionar caso quisessem sair do local. Sessenta e sete por cento dos homens e 25% das mulheres optaram por levar um choque em vez de terem de ficar sentados em silêncio e pensar.

No entanto, a tranquilidade é primordial psicologicamente. Não fomos feitos para funcionar o tempo todo, e a ausência de um tempo ocioso provoca efeitos totalmente prejudiciais, e os abordarei

---

15 Samarrai, Fariss. "Doing Something Is Better Than Doing Nothing For Most People, Study Shows." Universidade da Virgínia, 2014.

aqui. Quando o excesso de trabalho é a nossa identidade, perdemos a noção de quem realmente somos e, no processo, deixamos de viver verdadeiramente.

01 | Isso que chamamos de "não fazer nada" é de fato crucial para o nosso eu fisiológico e é essencial para mantermos um estilo de vida feliz, tranquilo e equilibrado.

A ideia de que devemos sempre estar fazendo alguma coisa é completamente cultural (e completamente doentia). Observe como só sentimos que estamos fazendo "algo" quando esse "algo" pode ser medido externamente... por outras pessoas.

02 | No estado de "não fazer nada", o cérebro está superenergizando a si mesmo, completando tarefas inconscientes ou integrando e processando experiências conscientes.

No estado de repouso, as redes neurais podem processar experiências, consolidar memórias, reforçar o aprendizado, a atenção regular e as emoções e, por sua vez, nos manter mais produtivos e eficientes em nosso trabalho diário.

03 | Os seres humanos não foram feitos para gastar energia de forma contínua enquanto estão conscientes, e isso tem um grave efeito justamente naquilo a que dedicam a sua energia: seu trabalho.

Em uma matéria sobre produtividade e repouso publicada no *The New York Times*,[16] Tony Schwartz citou um estudo probatório de que não dormir o suficiente, ou não ter tempo para "não fazer nada", era o maior indicador de esgotamento no trabalho. (Outro estudo de Harvard citado por ele estimou que a privação de sono custa às empresas americanas 63,2 bilhões de dólares por ano em perda de produtividade.)

---

16 Schwartz, Tony. "Relax! You'll Be More Productive." *The New York Times*, 2013.

04 | Quando você para e se permite reconhecer, refletir e se reconciliar com aquilo que sente, você dá mais poder a esses sentimentos.

Stephanie Brown argumenta: "Existe uma crença generalizada de que pensar e sentir só vai atrasá-lo e atrapalhá-lo, mas é o contrário... A maioria dos psicoterapeutas argumenta que suprimir sentimentos negativos apenas lhes confere mais poder, levando a pensamentos intrusivos que podem estimular as pessoas a ficarem ainda mais ocupadas tentando evitá-los."

05 | A criatividade floresce na tranquilidade e no "nada"; a criatividade é estimulada quando você se afasta do projeto, tarefa ou problema em questão e se distrai com outras demandas do dia a dia.

Inúmeros estudos mostram que as pessoas extremamente criativas, que desenvolvem as ideias mais inovadoras e originais, são aquelas que se libertam da estrutura e permitem que a mente divague em vez de se concentrar nas diversas tarefas em andamento. Einstein chamava isso de iniciar a "sagrada mente intuitiva" (em oposição à mente racional, que ele via como sua "serviçal").

06 | É mais provável que você de fato alcance o que se propôs a fazer se trabalhar nisso de forma intermitente, o que lhe garantirá um estilo de vida mais saudável e feliz no processo.

Manter a sua mente em um estado constante de concentração leva ao estresse, que diminui a qualidade e seu tempo de vida, e, enquanto você estiver no processo de negligenciar as coisas que também importam (sua saúde, sua família, seu estado de espírito), é mais provável que alcance o seu ponto de saturação e simplesmente desista daquilo a que estava dedicando todo o seu tempo e energia.

07 | "Não fazer nada" ajuda você a se tornar mais atento, mais consciente do momento presente.

Cultivar a atenção plena ajuda a desestressar, melhorando a memória, diminuindo a reatividade emocional, proporcionando mais satisfação no relacionamento, flexibilidade cognitiva, empatia, compaixão, reduzindo a ansiedade e a depressão e aumentando a qualidade de vida.

08 | Não se trata de fazer uma "pausa" ou passar um tempo "longe" daquilo que você "deveria estar fazendo". Trata-se daquilo para o qual os seres humanos foram projetados.

O cartunista Tim Kreider argumenta:[17] "O ócio não é apenas tirar umas férias, entregar-se à indulgência ou ao vício; é tão indispensável para o cérebro quanto a vitamina D é para o corpo. Quando somos privados dele, sofremos uma aflição mental tão desfigurante quanto o raquitismo... O espaço e a tranquilidade que o ócio proporciona é uma condição necessária para nos afastarmos da vida e vê-la inteira, para fazermos conexões inesperadas e sermos atingidos por um raio de inspiração — paradoxalmente, o ócio é condição necessária para a realização de qualquer trabalho."

---

17 Kreider, Tim. "The 'Busy' Trap." *The New York Times*, 2012.

POR QUE VOCÊ ESTÁ TENDO DIFICULDADES
em seus
RELACIONAMENTOS,
de acordo com seu
ESTILO DE APEGO

Todos sabemos que muitas de nossas crenças sobre o mundo são moldadas na infância, e a maioria dos problemas que as pessoas vivenciam quando adultas têm a ver com as experiências das primeiras fases da vida. Isso também ocorre com relacionamentos românticos. Afinal, tais relacionamentos são extensões dos laços que construímos e das coisas que passamos a entender vendo nossos pais interagindo entre si. Muitas pessoas passam a vida toda recriando os seus primeiros relacionamentos familiares, muitas vezes em detrimento de si mesmas. A seguir, veja os quatro tipos de apego que desenvolvemos na infância. Compreender qual é o seu pode ajudá-lo a parar de ter tanta dificuldade em seus relacionamentos atuais.

Seguro
Se você é alguém que se apega com segurança, sua mãe, seu pai ou os dois estavam completamente sintonizados com as suas necessidades durante a sua primeira infância. Você aprendeu a confiar nas pessoas e não tem muitos problemas objetivos de relacionamento, já que a ideia de ser rejeitado ou dispensado não lhe provoca reações exageradas. Você simplesmente não tem medo disso.

No entanto, se está tendo dificuldades em seus relacionamentos, provavelmente é por conta de sua complacência. Você está disposto a permanecer nos relacionamentos errados por muito tempo, porque são "bons o bastante", mas, ao mesmo tempo, hesita em se comprometer com os relacionamentos "certos" quando aparecem, porque há mais risco envolvido. Você se sente confortável e prefere ficar assim, possivelmente em detrimento dos verdadeiros desejos de seu coração. O que você precisa fazer é se abrir para a realidade de que o amor é assustador, especialmente o amor que vale a pena. Não tenha pressa, mas não escolha o caminho mais fácil.

Esquivo

Se você é alguém com apego esquivo, provavelmente é filho de pais emocionalmente indisponíveis e insensíveis às suas verdadeiras necessidades. Você se tornou um "pequeno adulto" ainda jovem, evitou (e ainda evita) expressar dor ou pedir ajuda (principalmente para seus pais/responsáveis) e valoriza muito, quase demais, a própria independência. Você é independente e se sente mais confortável sozinho. Seus pais provavelmente o puniram por sentir qualquer coisa diferente de "felicidade", ou ao menos o censuraram por chorar ou expressar os seus sentimentos de outra maneira que não fosse conveniente para eles. Isso deve ter gerado problemas de intimidade, já que você tem dificuldade para ser você mesmo perto de outra pessoa.

Se você está enfrentando problemas em seus relacionamentos, é porque passou a associar "imperfeições" à rejeição. Você acha que, caso se abra por completo e de forma autêntica, inevitavelmente será rejeitado ou dispensado, porque aprendeu desde muito jovem que expressar sentimentos sinceros pode ser perigoso. É provável que você esteja aceitando abertamente os defeitos de outras pessoas, mas não consegue tolerar nenhum dos seus. O que você precisa fazer é tentar se abrir com outras pessoas de uma maneira autêntica (talvez começar com amigos) e ver que não será rejeitado por ser quem é. Depois de desenvolver uma confiança maior em relação aos outros, será cada vez mais fácil criar intimidade.

Ansioso

Se você desenvolveu um apego ansioso, é porque seus pais nem sempre foram atentos às suas necessidades. Em alguns momentos você era cuidado e amado, mas em outros eles eram excessivamente invasivos e insensíveis. Talvez você seja muito indeciso e sofra com o medo do desconhecido, pois nunca sabe que tipo de tratamento esperar das pessoas. Você tem dificuldade em confiar nos outros, mas, ao mesmo tempo, se apega facilmente e é grudento demais, até mesmo à ideia de uma pessoa. Isso ocorre porque você tem medo de qualquer coisa que não lhe seja "segura" e deseja se apegar às pessoas em vez de enfrentar o medo do desconhecido.

Se você está tendo dificuldades em seus relacionamentos é porque está perdendo muito tempo tentando ler mentes, supondo, projetando, prevendo e antecipando resultados em um esforço para se "proteger" da dor, ou porque você se recusa a abrir mão com medo de nunca mais encontrar alguém. De qualquer modo, você vive mais na sua cabeça do que no seu coração e está deixando a sua vida ser guiada por aquilo que tenta evitar, e não ao que tenta alcançar. Provavelmente, quando você entender que sua ansiedade e seu sentimento de urgência estão em sua mente, vai ser mais bem-sucedido em seus relacionamentos. Você precisa trabalhar para reorientar os seus pensamentos, diferenciar a realidade de seus medos e cercar-se de pessoas confiáveis e atenciosas.

Desorganizado

Se você adquiriu um apego desorganizado na infância, é porque seus pais ou responsáveis eram abusivos, assustadores ou até mesmo ameaçavam a sua vida. Você queria fugir, mas sua sobrevivência dependia das pessoas que mais o magoavam. Talvez você só tenha conseguido escapar disso quando adulto. Sua figura de apego era a sua principal fonte de angústia e, para sobreviver, foi forçado a começar a se dissociar de si mesmo.

Se você está tendo dificuldades em seus relacionamentos é porque ainda não aprendeu a ouvir o seu sistema de navegação emocional. Não está escolhendo parceiros que realmente sejam importantes para você, ou está ignorando a sua intuição porque cresceu sendo forçado a não confiar em si mesmo. Claro que você sofria, mas, para sobreviver, precisava ignorar essa dor e se convencer de que tudo estava bem. O que você precisa fazer é um trabalho mental/emocional muito sério, que envolverá a lembrança de seu trauma passado, e reescrever a sua narrativa do que aconteceu em sua vida. Você precisará se reassociar ao seu sistema de navegação interior e aprender a confiar nele mais do que em seus pensamentos ou ideias.

56

16 MANEIRAS PELAS QUAIS AS EMOÇÕES REPRIMIDAS
estão aparecendo
EM SUA VIDA

Muitas pessoas vão concordar que a supressão é a estratégia de controle emocional menos eficaz que temos à mão e, ainda assim, é a técnica de enfrentamento mais comum. De certa forma, a supressão emocional consiste simplesmente em ignorar os seus sentimentos ou invalidá-los por acreditar que estão "errados". Isso é perigoso porque as suas emoções são reações feitas para manter você vivo e bem. Esse problema é criado, é claro, porque a inteligência emocional básica não é de conhecimento comum. Em vez de enfrentar o desconhecido assustador, simplesmente o evitamos.

Em 1988, o psicólogo Daniel Wegner conduziu um estudo inovador que mostrou como a supressão emocional pode ser insidiosa.[18] Sua pesquisa permitiu a identificação do "efeito rebote da supressão de pensamentos". Essencialmente, o grupo que foi instruído a afastar os pensamentos de um urso-branco tinha mais pensamentos sobre o animal do que o outro grupo do estudo, que tinha permissão para pensar em qualquer coisa (inclusive em um urso-branco). Já ouviu a frase "aquilo a que se resiste, persiste"?

Resumindo: você não pode evitar as suas emoções. Não pode negá-las, invalidá-las ou suprimi-las. Só pode tentar ignorá-las, mas por razões mais poderosas do que a sua mente consciente é capaz de compreender, elas se farão presentes de muitas outras

---

18 Wegner, Daniel. "Suppressing the White Bears." *Journal of Personality and Social Psychology*, vol. 53, n. 1, 1987.

maneiras. A seguir, veja algumas formas pelas quais as emoções reprimidas ressurgem na vida das pessoas e alguns sinais de que você também pode estar passando por isso.

01 | **Sua autoimagem vai de um extremo ao outro: ou você pensa que é a melhor pessoa do mundo, ou um lixo, com pouca diferença entre os dois extremos.**

02 | **Você fica ansioso ao antecipar situações sociais, pois sente que não pode simplesmente aparecer como é, então terá que "atuar" ou se sujeitar ao julgamento de quem estiver lá.**

03 | **Você transforma tudo em catástrofe.** Um comentário ruim de um colega é motivo para um colapso existencial sobre a sua autoestima; uma discussão com um parceiro é motivo para repensar todo o relacionamento, e assim por diante.

04 | **Você existe em comparação com os outros.** Você só se sente atraente quando é mais atraente do que outra pessoa, ou a pessoa mais atraente do lugar, e assim por diante.

05 | **Você não tolera estar errado, pois associa cometer um erro a ser invalidado como pessoa.**

06 | **Você tem explosões de raiva aleatórias, quase totalmente sem precedentes, por causa de coisas muito pequenas e sem importância.**

07 | **Você está sempre reclamando — sobre coisas que nem mesmo justificam uma reclamação.** (É um desejo subconsciente de que outras pessoas vejam e reconheçam a sua dor.)

08 | **Você é indeciso.** Não confia logo de primeira que os seus pensamentos, opiniões ou escolhas são "bons" ou "certos", então pensa demais.

09 | **Você procrastina, o que é só outra maneira de dizer que está regularmente em um estado de "não tranquilidade" consigo mesmo.** (Você simplesmente não consegue permitir o fluxo, e isso é uma consequência da supressão.)

10 | Você prefere se sentir superior às outras pessoas do que conectado a elas.

11 | Quando alguém que você conhece é bem-sucedido, sua resposta imediata é apontar os defeitos dessa pessoa, em vez de expressar admiração ou reconhecimento.

12 | Seus relacionamentos terminam por motivos semelhantes, você sente ansiedade por coisas semelhantes e, embora presuma que o tempo diminuirá esses sentimentos ou reações, os padrões continuam.

13 | Você sente rancor por quem julga ser responsável pela sua dor, seu fracasso ou sua incapacidade de escolher.

14 | Você sente que não pode abrir o seu coração para alguém.

15 | Você sofre da "síndrome do holofote", por isso sente que todos estão olhando para você, interessados em como é a sua vida. (Não estão. Não estão.)

16 | Você tem medo de seguir em frente, mesmo querendo. Mentalmente, você pode estar pronto para seguir em frente, mas até processar completamente os sentimentos que o acompanham, você permanecerá exatamente onde está.

50 PESSOAS
e o pensamento
MAIS LIBERTADOR
que já
TIVERAM

Sua vida se desenrola em uma sucessão de revelações.

Acontece quando você abaixa o livro, olha para frente e repete a frase em sua mente diversas vezes, distorcendo-a para torná-la aplicável a cada pequena coisa. Você responde a perguntas que não sabia que estava fazendo, faz associações que negligenciou anos antes.

A chave para um pensamento completamente libertador é a sua autoevidência. Ele comprova a si mesmo em sua experiência. Não precisa resolver o problema, e sim ajudá-lo a entender por que você teve essa dificuldade, para começo de conversa.

Cada pensamento consciente que lhe ocorre o devolve ao ciclo mental no qual você está ou o liberta dele.

Alguns ciclos são saudáveis; outros, não. Alguns você deseja manter; outros, não. Alguns você deseja alterar e tem consciência disso. Outros você deseja alterar, mas não percebe. Alguns você precisa alterar e não sabe como.

Acho que a sua vida melhora na mesma proporção da frequência com que você é colocado em situações nas quais não tem escolha a não ser buscar uma verdade maior. É isso que eu penso. Pessoas que se sentem confortáveis não precisam continuar lendo, pesquisando ou procurando. Elas não crescem porque não precisam. (Uma coisa triste, embora importante de se saber a respeito dos seres humanos, é que eles só mudam quando mudar é a opção mais confortável.)

Sei que meu sucesso foi diretamente proporcional ao meu sofrimento. Eu sei disso. Essa é a experiência que alcancei com a mencionada teoria.

Nesse ponto, o pensamento mais libertador que já tive foi o de que eu não mudaria nada. Tudo na minha vida serviu a um propósito, o mais sombrio, o mais horrível, o mais terrível e o mais autodestrutivo entre eles. Todos me trouxeram até aqui.

Nunca fui louca. Eu era um produto de minhas circunstâncias. (Essa eu levei muito tempo para entender completamente.) Mas é verdade: eu respondi, reagi e me comportei da maneira que qualquer pessoa normal, saudável e estruturada deveria fazer.

Eu não iria ser feliz. Caso tivesse respondido bem ou com complacência, teria chegado aonde estava indo. Eu teria vivido a vida que outras pessoas me impuseram. Eu teria de fato me candidatado a me tornar mentalmente doente.

Foi crucial que eu não me sentisse bem.

Saí de meu sofrimento sendo capaz de perceber o que estava errado e me sentindo desconfortável, sem na verdade conhecer nada de diferente. Isso não é incrível? Sermos capazes de saber quando algo está errado, mesmo se não tivermos certeza do que seria o certo?

Não há nada de bom no mundo que não tenha sido construído a partir de mil pequenas revoluções, e com as pessoas não é diferente. Eu quis compilar uma série de pensamentos libertadores — revelações capazes de mudar, moldar e criar alguém — não apenas meus, como também de outras pessoas. A seguir, 49 desconhecidos compartilham as suas reflexões (uma é minha). Quem sabe algumas possam ser suas também?

01 | "Posso escolher o que penso."

02 | "Não devo desculpas por discordar da opinião de alguém."

03 | "Você pode ter tudo o que quiser, mas não ao mesmo tempo, e, se acha isso triste, considere que, se tivesse tudo ao mesmo tempo, não experimentaria ou desfrutaria de tudo por completo."

04 | "Você pode escolher a sua família. Você pode escolher a sua religião. Pode escolher quem você é todos os dias e não precisa ser a mesma pessoa que era ontem. Você não precisa se tornar apenas aquilo que é conveniente para as outras pessoas ou somente o que elas podem entender."

05 | "Minha vida não me define, eu que defino a minha vida. Este momento não é a minha vida, e sim um momento dela."

06 | "Tudo o que percebo é uma projeção de quem sou. Se quero mudar a minha vida, devo mudar a mim mesmo."

07 | "Não tenho que aceitar nada. Não tenho que mudar tudo."

08 | "A liberdade é um estado de espírito."

09 | "Não há nada que você possa ter para sempre, mas há muitas coisas que você não experimentará se estiver muito ocupado tentando mantê-las em vez de amá-las enquanto as tem."

10 | "Além do amor romântico, há muitos outros tipos de amor que vale a pena buscar. Há muitas experiências a serem vividas além da mera felicidade. Qualquer coisa diferente do ideal não é um fracasso. É a vida. É para isso que fomos feitos."

11 | "Sou uma pessoa de valor. Eu mereço a felicidade. Eu mereço ser gentil comigo mesmo. Eu mereço o amor."

12 | "Vou superar a dificuldade que estou enfrentando da mesma forma que superei as outras coisas que pensei que jamais superaria. Na minha opinião, esse é o pensamento mais reconfortante: comparar o que você está passando com o que já passou e saber que é capaz de superar esse momento."

13 | "Você não se lembra dos anos, mas se lembra dos momentos."

14 | "Não devo ser nada além do que já sou."

15 | "Nada é permanente, nem mesmo os piores sentimentos."

16 | "Posso mudar a minha experiência simplesmente decidindo ver as coisas de uma maneira diferente. Posso não estar no controle do que acontece ao meu redor e em relação a mim, mas estou sempre no controle de como vejo, respondo e reajo. No fim das contas, isso é tudo pelo que sou responsável."

17 | "Ninguém chora em um funeral porque o mundo perdeu outro rosto bonito. As pessoas choram porque o mundo perdeu outro coração, outra alma, outro indivíduo. Não espere até que seja tarde demais para se concentrar no que realmente importa: criar algo que dure muito além de seu corpo."

18 | "As pessoas não gostam de você com base em um fluxograma no qual o comparam aos outros. As pessoas mais bonitas, magras e com melhores condições financeiras não necessariamente são as mais amadas! Elas não têm uma vida melhor! Preciso lembrar isso para mim mesma toda vez que começo a me preocupar mais com a minha aparência do que com aquilo que eu sou."

19 | "O presente é tudo o que existe. Aconselhá-lo a viver o momento é um clichê já meio batido, mas, na verdade, não resta outra opção. O problema é se você está ou não prestando atenção."

20 | "Para passar por qualquer coisa é preciso aceitar o fato de que tudo o que vem, vem por uma razão, tudo o que fica, fica por uma razão, e tudo o que fere, fere por uma razão. Ignorar ou resistir aos efeitos não resolverá a causa."

21 | "Aquilo em que você se concentra, se expande."

22 | "Isso também passará."

23 | "Sempre fui compelido a agir quando deveria. Nunca precisei pensar muito nas coisas que deveriam acontecer. Eu só precisava estar aberto a elas."

24 | "Aquilo pelo que passei me tornou quem eu sou; o que estou passando me tornará quem serei. Aquilo no que eu escolher dedicar a minha energia criará essa pessoa. Eu decido. Não a situação em que estou."

25 | "Nunca se esqueça de que você não está no mundo; o mundo está em você. Quando alguma coisa lhe acontecer, interiorize a experiência. A criação foi configurada para proporcionar constantes dicas e pistas sobre o seu papel como cocriador. Sua alma está metabolizando a experiência com a mesma certeza que seu corpo está metabolizando alimentos." (Esta é uma citação de Deepak Chopra.)

26 | "Sempre há uma maneira... mesmo quando menos parece haver. Há sempre uma maneira. Há outros empregos, novas ideias, apartamentos em todo o país, voos saindo daqui a uma hora para lugares para os quais eu sempre quis ir. Há uma maneira de ganhar dinheiro, conseguir um trabalho, encontrar o amor... Sempre há uma maneira! Nunca estou estagnado, só penso que estou."

27 | "Não há grandes momentos na vida. Você não acorda e diz: 'Ahá! Consegui!' A felicidade está nos detalhes, a alegria está na jornada. Sempre foi assim, sempre será."

28 | "O propósito de estar aqui é crescer. Crescimento significa ser capaz de experimentar e ver mais porque você está ciente disso. O propósito de estar aqui, então, é expandir a consciência."

29 | "As piores coisas que me aconteceram me ensinaram algo que nada mais foi capaz de ensinar. Elas me prepararam para coisas tão maravilhosas, que eu não conseguia imaginá-las, muito menos saber que precisava me preparar para elas."

30 | "Você só fracassa quando para de tentar."

31 | "Não preciso adotar os problemas de outra pessoa como se fossem meus para ajudá-la."

32 | "Não preciso ser amado por todos para ser digno de amor."

33 | "Só temos o presente. Se você não começar a viver nele, não viverá de verdade."

34 | "Você ensina as pessoas a como tratá-lo. Você consegue na vida o que tem coragem de pedir."

35 | "O único arrependimento de minha vida é não ter desfrutado mais."

36 | "As coisas que devo ter simplesmente virão para mim. Minha única responsabilidade é tratar de estar pronto para elas."

37 | "Não leve nada muito a sério. Afinal, ninguém sai vivo daqui mesmo."

38 | "Não posso mudar aqueles ao meu redor. A verdadeira mudança acontece individualmente, quando cada pessoa faz a única coisa ao seu alcance: ver onde pode melhorar em vez de apontar o dedo para as injustiças que vê nos outros."

39 | "Sabedoria é entender que você não sabe e nunca saberá coisa alguma. Costumávamos acreditar que a Terra era plana, até uma descoberta mudar isso. Você não sabe se descobriremos que somos todos robôs em alguma simulação como a do filme *Matrix*, ou sabe-se lá mais o quê... O ponto é que a sabedoria se resume a ser, não a dar sentido."

40 | "Certa vez, comprei uma passagem de trem e fiz uma viagem inteiramente paga com o meu dinheiro. Então percebi que posso me sustentar e que não preciso dar satisfação ou agradar a ninguém. Trabalho muito para poder viver como desejo."

41 | "Sou infinito. As pessoas sempre perguntam: o que você faria se pudesse viver para sempre? Bem, estou aqui para lhe dizer: você pode viver para sempre se acreditar que a sua alma é eterna... O que você está fazendo com ela agora?"

42 | "Mesmo que você abandone a fé, a esperança e o amor, elas não o abandonam."

43 | "Sou feito de amor e luz. Isso é quem eu sou na essência. O resto é apenas uma desconexão. Não sou uma coisa que deva ser transformada em outra... Sou amor e luz, e escolho se me lembro ou não disso, ou se decido me deixar bloquear pelo medo."

44 | "Quando você entra em uma biblioteca, todo o conhecimento do mundo está diante de você. Quando você acorda todos os dias, todas as possibilidades do mundo também estão. Você escolhe se quer ou não ver livros. Você escolhe se quer ou não ver outro dia."

45 | "Estou sempre a uma escolha de mudar tudo."

46 | "Se eu decidir não me aborrecer, não perder tempo me sentindo de uma certa maneira, então não me aborrecerei. Se eu não me sentir aborrecido, não serei prejudicado." Marco Aurélio disse algo semelhante, mas prefiro dizer com as minhas próprias palavras.

47 | "Há uma alegria incomensurável nas pequenas coisas. Um ótimo livro, vegetais frescos, uma cama quentinha, os braços de alguém que você ama. Essas coisas raramente são valorizadas em nosso mundo distorcido, mas, no fim das contas, talvez sejam a maior alegria que teremos."

48 | "Levamos a vida muito a sério... Em algumas centenas de anos, a maioria das pessoas estará completamente esquecida. Isso não é deprimente, é libertador. Faça o que puder, e muito bem. Dê amor e faça o que você mais deseja. No futu-

ro, isso não vai significar nada mesmo, então faça com que signifique algo agora."

49 | **"Eu não tenho que ser do modo como as outras pessoas me veem.** Não devo presumir que elas saibam o que é melhor para mim."

50 | **"Você ficará bem.** Não porque eu disse, mas porque 'bem' é como todos ficaremos, mesmo se fizermos tudo errado ao longo do caminho." (Esta é uma citação da escritora Cheryl Strayed.)

VOCÊ SÓ TEM VINTE ANOS — NÃO É
tarde demais para RECOMEÇAR

Eu sei que parece que os seus vinte anos se destinam à construção de algo — uma progressão contínua de aquisições cada vez melhores e maiores. Eu sei que parece que a coisa mais importante do mundo é construir uma imagem confortável aos olhos da mente — a maneira como você se "estrutura", as coisas que o mundo veria e aprovaria. Aquilo no que você pode pensar para amenizar um ataque de pânico. Mas seus vinte anos também significam desaprender. Livrar-se de amores mornos, trabalhos nos quais você não prospera, amigos que você superou e ideias que o têm guiado até então. Você está abrindo espaço para que a sua vida real comece.

A maioria das pessoas tropeça na casa dos vinte porque passou a vida antecipando essa fase. Viveram para chegar a esse ponto: quando a felicidade poderia enfim existir. Mas as pessoas mais infelizes costumam ser aquelas com belos apartamentos, muitos amigos e um bom emprego em áreas pelas quais têm pelo menos algum interesse, porque passaram a vida construindo ideias em vez de aprenderem a como sentir.

Seus vinte anos têm mais a ver com desconstrução do que com qualquer outra coisa. Escolher novamente. Decidir o contrário. Eliminar camadas que turvaram a ideia de quem você pensa que é. Este é o tipo de magia assustadora que você deseja. O tipo que o leva ao belo desconhecido. Você está se tornando a pessoa que será pelo resto da vida. O quanto sua vida será autêntica? Quanto medo sentirá? Por quantos anos mais deixará os seus demônios dominá-lo?

Você só tem vinte anos. Ainda não é tarde para recomeçar.

Na verdade, espero que você comece de novo o tempo todo. Não derrubando pontes, deixando a cidade ou se fechando para o que você tem, mas não temendo mais aquilo que você não tem. Espero que passe as suas tardes livres trabalhando nas habilidades das quais precisará para ter o emprego que deseja algum dia. Espero que aceite que não precisa ter a mesma aparência que tinha no ensino médio, ou querer as mesmas coisas. Espero que você se pergunte "O que eu quero agora?" toda vez que lhe ocorrer fazer isso. Espero que você aprenda que só existe uma maneira de guiar a sua vida: sempre focar no próximo passo.

Pessoas realmente infelizes não se incomodam com a sua situação; elas estão contrariadas porque externalizaram o poder delas. Elas depositam a sua fé em encontrar a pessoa certa em vez de serem capazes de atrair e escolher a pessoa certa. Elas depositam a sua fé em encontrar o emprego certo, na situação econômica certa, em vez de aprimorarem suas habilidades a tal ponto que uma empresa seria negligente ao ignorá-las.

Se quiser mesmo começar de novo, passe uma borracha em tudo o que você já pensou sobre como estruturar sua vida. Não preveja, não projete, não suponha saber o que o outro está pensando, não assuma. Não fique tentando vender a si mesmo. Não pense apenas no que faz sentido realizar. Pense no que parece certo realizar. Não o que os seus impulsos lhe dizem, não o que sua preguiça e seu medo lhe dizem. Isso tudo provavelmente levou você até onde está agora. Contudo, em uma camada mais profunda, há uma voz mais resoluta que lhe dirá qual caminho seguir. Você só precisa se calar, ouvir e agir.

Aprenda a viver a sua vida mais do que ficar sentado pensando a respeito dela. Você não pode refletir o seu caminho em uma nova existência, mas pode pensar até ficar paralisado. Se você sabe, no fundo, que deve começar de novo, não será uma questão de se, mas de quando.

17 IDEIAS
que você tem
SOBRE A SUA VIDA
que só o estão
ATRASANDO

01 | **Se você trabalhar o suficiente, o sucesso é garantido.** A maioria das pessoas raramente é "bem-sucedida" como pretendia ser. Em vez de trabalhar em direção a uma meta final, trabalhe para gostar do processo de chegar lá. Quer o sucesso seja produto do acaso ou do destino, tudo o que você pode controlar é quanto trabalho dedicará àquilo (não exatamente o que sairá dali).

02 | **Desejar algo com todas as forças o qualifica para ter o que deseja.** Ninguém nunca conseguiu alguma coisa apenas por querer muito. Você precisa querer o bastante para se sacrificar, trabalhar duro, se qualificar, manter a sua cabeça erguida em meio a toneladas de rejeição e dúvidas e depois repetir o processo quantas vezes forem necessárias.

03 | **Você é a exceção em tudo, de modo que não precisa usar protetor solar, economizar, se preocupar com a sua aposentadoria ou tratar as pessoas com respeito, afinal, a sua situação simplesmente é diferente da de outras pessoas.**

04 | **Na sua mente você é uma celebridade — todo mundo o está observando e julgando as suas escolhas.** A "síndrome do holofote" sem dúvida está relacionada às redes sociais, mas, independentemente disso, ninguém está pensando em você

da maneira que você pensa a respeito de si mesmo. Nem perto disso. Ninguém se importa se você vai à farmácia usando uma camisa velha. Ninguém está nem aí com o que você faz com a sua vida, então pare de fazer escolhas como se os outros se importassem com isso.

05 | **Se você estiver fazendo algo certo, os resultados serão instantâneos.** Se você estiver fazendo algo certo, os resultados levarão muito tempo para serem construídos e produzirem um resultado com o qual você se sinta satisfeito.

06 | **Estar "muito ocupado" é uma coisa boa.** Estar muito ocupado é o que acontece quando as pessoas não têm as ferramentas necessárias para administrar o estresse. Pessoas que realmente têm muito o que fazer se concentram em fazê-lo simplesmente porque não lhes resta outra escolha.

07 | **Há um "momento certo" para criar.** Ou se casar, ou ter filhos, ou começar a seguir a vida que você sente que deve trilhar. Se você está procurando uma desculpa para explicar por que não é o momento certo, sempre encontrará uma.

08 | **Ser adulto é "difícil".** Existem muitas coisas que são desafiadoras, dolorosas e exaustivas na vida, mas aprender a desempenhar funções básicas não é uma delas.

09 | **Seu propósito é algo existencialmente profundo.** Seu propósito é apenas estar aqui e fazer o trabalho que estiver fazendo. Você não precisa mudar o mundo para isso.

10 | **Todos podem ter o trabalho dos sonhos caso se esforcem o bastante.** Todos podem encontrar uma maneira de curtir o trabalho, não importam os desafios inevitáveis que acompanham qualquer atividade, mas ninguém tem o direito inalienável de conseguir um trabalho que se encaixe perfeitamente em sua esfera de interesse e conforto.

11 | **Você não é responsável por aquilo que fez sem ter a intenção.** Ferir os sentimentos de alguém acidentalmente não magoa de verdade; o tempo que você não percebeu que desperdiçou não foi desperdiçado de verdade; dinheiro gasto em "necessidades" não é dinheiro gasto. Essencialmente, se você não está ciente das consequências de algo, elas não contam.

12 | **Seu parceiro de vida é responsável por fazer você se sentir de uma maneira muito específica.** E você usa esse sentimento singular para determinar se o seu relacionamento vale a pena ou se é ou não "bom".

13 | **Para aceitar algo, você deve estar feliz com isso ou ao menos de acordo.** Você pode aceitar a sua situação, reconhecer que ela é real, embora ainda não goste muito dela. Você não precisa gostar de tudo, mas se quiser preservar a sua sanidade, precisa aceitar tudo o que acontecer em sua vida antes de poder mudar isso.

14 | **As pessoas estão remoendo as coisas embaraçosas que você fez há cinco anos.** Assim como você, elas estão ocupadas remoendo as próprias coisas embaraçosas que fizeram. (Você pensa muito nas coisas que outras pessoas fizeram anos atrás? É pouco provável.)

15 | **Você precisa estar "certo" para ser um ser humano inteligente e digno de valor.** Na verdade, as pessoas mais inteligentes são as mais abertas a errar (é assim que elas aprendem). Porém, independentemente disso, você não precisa estar sempre certo nem ser superinteligente, incrivelmente bonito ou qualquer outra coisa para ser digno de ser amado.

16 | **Você é as suas dificuldades.** Você diz "sou uma pessoa ansiosa" em vez de "às vezes sinto ansiedade". Você se identifica com os seus problemas, o que provavelmente é um grande motivo que o impede de superá-los.

17 | Sua felicidade depende do que sua situação permitir. Você só ficará feliz se escolher se concentrar no que é positivo, reconciliar e resolver o que é negativo, construir relacionamentos significativos, dar valor a si mesmo e desenvolver a sua mentalidade. Você não pode escolher um sentimento, mas sempre pode escolher o que pensa. Rejeitar a ideia de que você pode fazer isso é se submeter e se condenar a uma vida na qual nunca será feliz de verdade.

COMO SE TORNAR
o tipo de pessoa que
MERECE
A VIDA
DOS SONHOS

Estamos condicionados a acreditar que existe um limite de felicidade para cada um.

Desde muito novos, somos quase jogados uns contra os outros na corrida pela superioridade. Essa mentalidade ainda se infiltra em nossas interações diárias e certamente é um pilar da cultura de mídia que criamos, centrada no eu. Somos ensinados que há vencedores e perdedores. Há pessoas que conseguem e pessoas que não conseguem, e você precisa fazer parte do primeiro grupo. Há muitos cargos, muitas histórias de sucesso, muitas oportunidades de construir a vida que você deseja. Você precisa escolher no catálogo humano de sucesso físico e lutar por um estilo de vida de edição limitada.

Estabelecemos a ideia de que felicidade e sucesso são coisas que outra pessoa nos concede — chefes dão empregos, parceiros românticos se comprometem com o "para sempre". Não é de admirar que nos sintamos sempre fora de controle. Não é de admirar que soframos quando conseguimos o que achávamos que queríamos.

Querer é a coisa mais grave que você pode fazer. Isso mantém a sua experiência em um estado de "não tenho", mantém as coisas boas a distância. Você consegue o que mais quer quando não quer mais. Quando você muda a sua mentalidade e a sua experiência para "já tenho", naturalmente cria e atrai coisas que se alinham com a sua ideia de si mesmo. A aceitação é a raiz da abundância.

As coisas que você deseja de verdade quase nunca precisam ser pensadas. Atribuir rótulos, palavras e ideias a elas é criar uma imagem de algo que é pura e essencialmente você. Ficamos mais confusos quando as nossas ideias não evoluem como os nossos seres, e criamos o que queremos enquanto ainda estamos apegados a uma ideia antiga.

É assim que você abre mão dessas ideias. Essas são as coisas que ninguém o ensinará a fazer.

É assim que você sai da vida que outras pessoas construíram para você, como você para de lutar e destruir ideias antigas e começa a criar ideias novas. Essas são as coisas que você precisa saber para se tornar a pessoa que merece a vida que realmente deseja — não a vida que outra pessoa deseja para você.

Pagar o aluguel é possível. Fazer alguém amá-lo, se essa pessoa não o amar, não. Cria a rotina que você deseja, momento a momento, com as pessoas que você deseja. Tenta um emprego, um mês de aluguel, um monte de roupas para lavar, uma pia de louças e uma conta de luz de cada vez.

Os adultos não fazem essas coisas apenas por fazê-las, elas significam liberdade. Garantem um teto sobre a cabeça. Elas o reduzem à noção de que nada importa mais do que a sua paz de espírito.

Vá embora se tiver que ir. Raramente há uma desculpa para permanecer com pessoas que não o amam ou não o aceitam. Existem maneiras de sobreviver. Existem segundos empregos, horas extras e quartos que pessoas gentis estão dispostas a alugar ou compartilhar. Mas essas coisas são reservadas para as pessoas que colocam o seu bem-estar mental acima da conveniência imediata. São reservadas para pessoas que as merecem e que sabem que merecem um espaço ou um quarto, uma casa ou um apartamento, no qual decidam o que é ou não aceitável para a própria vida.

Você não precisa estar sempre feliz, seguro e estável. Se estivesse, não haveria tanta luta. Transcender a dor da humanidade se resume a apenas uma coisa: permitir-se ser isso. A luta é tentar escapar do inevitável.

Render-se não é aceitar a derrota; é ser honesto. É ser real, confuso, lindo, torturado, sombriamente matizado e visivelmente esperançoso. É isso que devemos ser. A única coisa que queremos mesmo transcender é a incapacidade de ser o que somos, como somos.

Há muito valor no espaço negativo. Nem todo segundo de sua vida precisa ser preenchido. Uma agenda lotada não é sinal de sucesso. Viver para trabalhar em vez de trabalhar para viver não é qualidade de vida. As coisas não são divididas em "tempos em que você está fazendo algo que outras pessoas podem quantificar" e "tempos em que você não está fazendo nada". Tudo é importante.

Suas revelações mais profundas acontecem em momentos de silêncio e solidão. Estar cercado de pessoas, sobrecarregado com compromissos, ideias e manifestações criativas não seria tão profundo e impressionante caso também não houvesse momentos de solidão, vazio e hiato mental. O contexto das coisas é tão importante quanto as próprias coisas. O ponto focal de uma obra de arte não existiria sem o espaço negativo para enquadrá-lo.

Infelizmente, nada nem ninguém pode cuidar da sua felicidade. Felizmente, nada nem ninguém pode tirá-la. Você gostaria de escrever esse como o exercício mental mais antigo da história, mas, no entanto... ainda estamos procurando, embora mais esclarecidos. Estamos lutando contra a nossa natureza para crescer, expandir, iluminar, buscar e criar em troca da suposição que essas coisas devem vir a nós. É como se aplicássemos as ideias de "querer" e "tentar" em direções completamente erradas.

O tempo não é linear da maneira como o percebemos; tudo está acontecendo simultaneamente. Você atrai para a sua experiência aquilo que precisa e aquilo que é. Você nunca está com e nunca está sem. Nunca ganhará e nunca perderá. Você sempre foi, e sempre será. Esse conhecimento é a base sobre a qual a verdadeira magia acontece.

A felicidade é chata. O belo é chato. As pessoas não se interessam ou são atraídas apenas pela "felicidade" e pela "beleza". O que lhes chamam a atenção são as pessoas interessadas nas coisas. Que têm uma aparência diferente. Que têm histórias, ideias e mentalidades que refletem e complementam as suas. Ninguém quer uma pessoa que se aborreça caso ache que alguém insinuou que ela está "gorda". Querem alguém que diga: "Gordura não é uma coisa que você é, é uma coisa que você tem, e mesmo que não fosse esse o caso... mesmo que eu fosse gorda, quem se importa?" Amar é mais do que fingir que você se parece, se comporta e vive de determinada maneira.

O universo sussurra até gritar. Seu corpo sussurra até gritar. Sentimentos "ruins" não devem ser repelidos. Eles não existem para serem inconvenientes. Eles são você, ou algo maior do que você, dizendo para si mesmo: algo não está certo.

Sua voz instintiva não será ignorada. Ele se projetará e, finalmente, se transformará em vozes externas proeminentes e altissonantes, que exigirão sua atenção.

Aprenda a ouvir enquanto ela está sussurrando.

A coisa mais irônica da vida é que você tem mais sucesso fazendo o que parece certo. Nossa única responsabilidade real é seguir a verdadeira felicidade, nossa paz interior. As pessoas que amam o que fazem são sempre mais bem-sucedidas do que as pessoas que "trabalham duro" ou afirmam trabalhar. Há um fator X que você não pode simular quando faz algo pelo qual é apaixonado de coração. Você se conecta a uma energia que de outra forma lhe seria inacessível.

Sua identidade não precisa ser coesa. Sua história não precisa fluir. Você não precisa ser cuidadosamente embalado de uma maneira que as outras pessoas entendam.

Você precisa parar de viver pela sua sinopse, pelo resumo que tentamos montar em nossa mente quando imaginamos pessoas nos explicando ou avaliando quem somos. Não precisa fazer sentido. Você tem permissão para ser ótimo em muitas coisas que não necessariamente se relacionem entre si. Você não está limitado a apenas um propósito, um talento, um amor. Você pode ter um monte de empregos, e cada um deles terá significado algo no momento em que o teve. Você pode ser bom em muitas coisas sem deixar de lado as demais. Você não precisa ser um livro de romance; pode ser um livro de contos. Não precisa fundir as suas verdades coexistentes e ofuscar o seu brilho só para fazer sentido para uma pessoa com a mente pequena que deseja que você se encaixe em um padrão estreito confortável para ela.

Você não precisa ser apenas aquilo com que as outras pessoas se sentem confortáveis.

Muitas vezes você não sabe o que é melhor para a sua vida. Prever o seu futuro não é garantia de que de fato ele vá acontecer. Isso só o limita a um pensamento. Faz com que você se apegue a uma ideia que só quer que seja realidade porque está apegado a ela. O conteúdo de nossos apegos importa pouco em comparação a querer estar certo custe o que custar, estar no controle, sentir que sabe o que é melhor e que está tendo sucesso por estar vivendo aquilo que simplesmente sabia que aconteceria.

Ninguém olha para trás e diz: "Sim, foi exatamente isso que pensei que aconteceria". Mas muitas pessoas olham ao redor e dizem: "Sim, eu sabia que era para isso que eu estava me direcionando, mas os detalhes sempre me surpreenderam."

As coisas funcionarão melhor do que você poderia ter decidido ou projetado. No entanto, em sua ignorância, lhe parecerá que deu tudo errado. Momentos antes de perceber que algo melhor do que você poderia imaginar está se concretizando, lhe parecerá que cada plano que tenha feito ou esperança que tenha tido foi inteiramente desconsiderada por algum poder superior no qual você acredita ou não. Tenha fé que você conseguirá mais do que pensa que merece.

Você precisa se tornar o tipo de pessoa que merece a vida que deseja. Ninguém nunca conseguiu o que queria por querer muito. Sua vida se desenvolverá na proporção direta de quanto você acredita que a merece. Não de quanto você acha que deveria ter. Mas do quanto você acredita que merece.

COISAS QUE ESPERAMOS DOS OUTROS
(mas que quase nunca consideramos mudar em nós mesmos)

01 | Esperamos que os outros sejam honestos e abertos em suas intenções (sobretudo romanticamente), mas quantas pessoas estamos deixando em banho-maria? Quantas pessoas deixamos de molho, imaginando coisas e nos esperando apenas porque isso é conveniente para nós?

02 | Ficamos com raiva de quem não é gentil incondicionalmente. Tentamos ensinar as crianças a serem gentis, punindo-as quando não são. Exigimos que as outras pessoas tenham a mente aberta e sejam gentis, porém muitas vezes de uma forma nada aberta e nada gentil.

03 | Se alguém estiver interessado em nós, acreditamos que esta pessoa deva dar o primeiro passo. Ninguém quer ficar sentado esperando que alguém o convide para sair ou o surpreenda, mas também ninguém quer fazer o convite ou tomar a iniciativa. Quando foi a última vez que você saiu de sua zona de conforto para dizer para alguém que você gosta dessa pessoa? Quando foi a última vez que você convidou alguém para um encontro — não apenas para sair? Quando foi a última vez que você fez o que gostaria que os outros fizessem por você?

04 | Não entendemos quando as pessoas não se animam a abraçar a(s) causa(s) que mais nos toca(m), mas reclamamos no segundo em que as paixões de outra pessoa se mostram inconvenientes para nós, como várias postagens de vídeos sobre o desafio do balde de gelo no feed do Facebook ou opiniões políticas "irritantes" que não queremos ver ou ouvir todos os dias.

05 | Esperamos que as pessoas confiem em nós imediatamente, mas as razões pelas quais não confiamos nos outros são sempre justificáveis.

06 | Quando uma pessoa não está do nosso lado haja o que houver ou não sabe que precisamos dela sem termos comunicado isso, achamos que ela é egoísta e grossa. Mas quantas vezes paramos tudo para tentar analisar e prever as ações, desejos e intenções das pessoas em nossa vida?

07 | Achamos que quem critica certos aspectos de nossa vida (que não conhecem por completo) tem a mente fechada, mas quantas vezes fazemos isso com amigos, estranhos e colegas de trabalho? Sabemos que se as pessoas nos conhecessem de verdade — realmente conhecessem toda a nossa história —, elas nos entenderiam... e ainda assim saímos por aí criticando os outros por coisas que não entendemos e histórias que não conhecemos por completo.

08 | Sempre ficamos frustrados quando as pessoas não lidam com seus problemas de relacionamento de uma forma que nos parece óbvia — caia fora se a pessoa não for perfeita, "supere" as coisas que você não pode mudar... Mas quantas vezes aplicamos isso em nossa vida? Não permitimos que os outros tenham problemas em seus relacionamentos, mas esperamos que nos confortem quando estivermos arrasados.

09 | Em teoria, esperamos que todos aceitem todas as religiões, mas se alguém não entende o nosso dogma, nosso sistema de crenças ou nossa formação religiosa, consideramos que essa pessoa "não está à altura" para entender você. Podemos alegar que todo caminho é válido, mas muita gente acredita, sem perceber, que o caminho dela é um pouco mais eficaz.

10 | Achamos que as pessoas que julgam as outras por coisinhas pequenas são terríveis, mas nós as estamos julgando... por julgar...

11 | Esperamos que as pessoas não façam piadas às nossas custas, apesar de, muitas vezes, a maneira mais fácil de fazermos humor seja derrubando outras pessoas. No fim das contas, não hesitamos em apelar para a piada preguiçosa (e mesquinha) que provoca o riso quando precisamos nos sentir um pouco animados.

12 | Esperamos que as pessoas valorizem a si mesmas e parem de se depreciar, mas também esperamos que elas nos coloquem para cima quando fazemos isso (ou pensamos que nossa constante autodepreciação é uma coisa fofa).

13 | Esperamos que as pessoas mudem da noite para o dia, seja comendo melhor, assumindo o controle da própria saúde, saindo de um relacionamento tóxico ou de um emprego — seja o que for. Quando outras pessoas se autossabotam, achamos que uma conversa estimulante resolverá o problema. Isso quase nunca funciona — basta olharmos para os nossos próprios hábitos prejudiciais para percebermos isso.

14 | Reviramos os olhos e censuramos quando as pessoas não se comportam da maneira que pensamos ser respeitosa e apropriada — quando falam muito alto em público, chegam sempre atrasadas, são bagunceiras ou, de algum modo, desleixadas. Mas, quando estamos cansados, estressados e atrasados, não hesitamos em falar alto ao telefone na fila do café, ou detemos uma garçonete ou um caixa para atender a uma necessidade aleatória. Está tudo bem rir alto e conversar durante o brunch por estar animado, mas é irritante quando outra pessoa faz a mesma coisa. Só não é incômodo se formos nós quem estiver fazendo isso.

15 | Esperamos total honestidade dos outros e, ainda assim, quando essa "honestidade" é algo que não queremos ouvir, os taxamos de "maldosos". Quando é a nossa vez de dizer a verdade, evitamos fazer isso até que não haja outra escolha.

16 | Esperamos amor incondicional das pessoas que estão mais próximas de nós, como se isso bastasse para compensar o fato de que não temos amor-próprio.

VOCÊ NÃO
precisa
"SE AMAR"
para ser digno
DO AMOR DE OUTRA PESSOA

Quando as pessoas dizem que é preciso "amar a si mesmo" antes de poder amar alguém, na verdade, o que estão dizendo é que, se você estiver procurando, inconscientemente, um relacionamento para resolver a sua vida, lhe dar uma direção ou fazê-lo se sentir melhor, sempre escolherá a pessoa errada e nunca terá o tipo de relacionamento que deseja. Infelizmente, a mensagem passada é que você precisa esperar até amar a si mesmo — e a todos os aspectos de sua vida — antes de ser digno de encontrar e se comprometer com a pessoa certa.

Isso faz parecer que a culpa é sua se você não é amado. É porque você ainda não é bom o suficiente, porque não domina o assunto como deveria, porque não fez o bastante para merecê-lo. O que parece é que você não deve aceitar o amor até se sentir pronto para ele, e que devemos evoluir apenas de forma autônoma e, uma vez que estejamos em um relacionamento, podemos parar.

Mas você não estará pronto para o amor da sua vida quando ele aparecer. Ninguém está. E se você negar a si mesmo esse envolvimento porque acha que precisa se preparar mais, primeiro você estará abrindo mão da ferramenta de crescimento mais eficaz que existe.

O amor é uma grande lupa: mostra o que você gosta e o que não gosta em si mesmo e em sua vida. O relacionamento certo vai estimulá-lo a encarar isso de maneira completa e a trabalhar nisso. O relacionamento certo o ajudará a aprender a amar a si mesmo. O objetivo é mudar tudo, e sempre muda.

Portanto, aprenda a crescer nesse meio-tempo. Use os dias que tem para ser você mesmo e faça o que só pode ser feito ao seu próprio tempo, e sozinho. Mas nunca confunda isso com a ideia de que não pode ser amado antes de ser completamente amoroso, que as outras pessoas só são obrigadas a ser gentis quando você é gentil consigo mesmo, que você estará pronto para o amor quando ele vier.

Sim, a maneira como você se trata ditará e determinará como os outros o tratam, mas o trabalho de ser uma pessoa completa, evoluída, amada e amorosa não diz respeito o quão bem você pode se desenvolver no isolamento e na solidão, e sim como você pode se defender, exigir respeito, escolher o amor e aprender a continuar se movimentando e evoluindo, mesmo quando a pessoa que você sempre procurou finalmente está ao seu lado.

Amar a si mesmo é também se deixar ser amado.

30 PERGUNTAS
que você precisa fazer
A SI MESMO
se ainda
NÃO ENCONTROU
O RELACIONAMENTO
QUE DESEJA

01 | Você acha que os relacionamentos são algo que você ganha por ser "bom o bastante" ou algo que desenvolve quando está forte o suficiente para abrir o coração?

02 | O que o amor significa para você? É apenas uma sensação boa? É companheirismo? Conforto? Um caminho para o futuro?

03 | Como você poderia conseguir essas coisas em sua vida senão através da companhia e da declaração de intimidade eterna de alguém que você provavelmente ainda nem conhece?

04 | Se o amor da sua vida refletisse todos os seus problemas não curados, espelhasse as suas falhas e trouxesse à luz as suas inseguranças mais profundas, você estaria pronto para se relacionar com ele?

05 | Você tenta se relacionar com outros seres humanos ou tenta exercer superioridade sobre eles? Você quer se conectar ou impressionar? Você se envolve em uma discussão para aprender ou para convencer alguém sobre a sua maneira de pensar para se sentir apoiado e "certo"?

06 | **Você pensa em sua vida amorosa mais do que a vive?** Você elaborou um plano para encontrar o tipo de amor que acha necessitar tão desesperadamente?

07 | **Se você fosse traçar um plano para encontrar esse tipo de amor, como ele seria?** O que você precisaria fazer? O que poderia tentar? Aonde poderia ir?

08 | **Namoros on-line, encontros arranjados por amigos e se expor de maneira geral são ideias menos confortáveis do que considerar a possibilidade de passar os próximos anos (ou mais) sozinho?**

09 | **Você está aberto ao fato de que está procurando o amor?** Se você entrar para o jogo posando como se estivesse ótimo vivendo a vida de solteiro, perderá muitas oportunidades de conhecer amigos de amigos, simplesmente porque eles não vão saber que você está interessado em sair com alguém.

10 | **O que o faz feliz, além do afeto de outras pessoas?**

11 | **Se hoje você decidisse assumir o controle do destino de seu relacionamento em vez de só esperar que "aconteça" quando "tiver" que acontecer, o que você começaria a fazer de maneira diferente?**

12 | **Você acha que um ótimo relacionamento é algo que encontramos, ou algo que desenvolvemos e fortalecemos com o tempo?**

13 | **Você acredita que as pessoas mais bonitas, bem-sucedidas, inteligentes, talentosas ou, de algum outro modo, "superiores" têm mais amor do que você poderia ter?**

14 | **Você já olhou com honestidade para as pessoas ao seu redor que são amadas e as avaliou nessa mesma escala de atratividade, inteligência e superioridade?**

15 | **Se você fizesse isso, o que descobriria?**

16 | Você se surpreenderia ao saber que os relacionamentos não são apenas legais, mas também a costura que mantém unida a colcha de retalhos deste mundo? Sabia que gastar tanto tempo e energia neles quanto gastaria com qualquer outra coisa importante para você não só é essencial, mas indispensável para cumprir o seu propósito mais elevado como ser humano?

17 | Você se impressionaria ao saber que mesmo as pessoas que estão rodeadas de amigos, em relacionamentos aparentemente "felizes", que têm famílias para visitar nos feriados, algumas vezes se sentem extremamente solitárias, porque o que importa é como você se conecta e não quais são suas companhias?

18 | Você sabe quais são as suas necessidades em um relacionamento de longo prazo?

19 | Você está disposto a reivindicar essas necessidades caso não sejam atendidas ou desistiria delas para agradar seu parceiro?

20 | Se você encontrasse o relacionamento com o qual sempre sonhou e não desse certo, qual seria sua estratégia?

21 | Você se surpreenderia ao saber que a coisa mais importante — embora também seja a mais esquecida — para um relacionamento feliz e saudável é acreditar que, mesmo que ele acabe, você continuará seguindo a vida, como um ser humano funcional e bem-sucedido?

22 | Será que você está sozinho agora não por estar sem dinheiro ou por não ser uma pessoa passível de ser amada, mas porque há algo profundo e divino que você deve descobrir e que só pode ser conhecido na solidão?

23 | Se você soubesse que o amor da sua vida está a caminho e que esse momento em sua vida é apenas temporário, o que

você faria com as noites que passa sozinho? No que investiria os seus esforços? Em escrever um livro ou rolando o *feed* de alguma rede social? Desenvolveria relacionamentos com amigos ou invejaria pessoas que são amadas? Aprenderia a meditar ou tomaria vinho toda vez que sentisse uma gota sequer de mal-estar?

24 | Você acha que outras pessoas estão lhe fazendo um favor ao lhe dar amor e lhe fazer companhia?

25 | Já pensou que as outras pessoas provavelmente sentem a mesma carência de amor?

26 | Já pensou no que você pode "oferecer" em um relacionamento, em oposição ao que você quer receber?

27 | Você se compromete a ter uma vida inteira de crescimento com outro ser humano, ou você imagina o amor como algo que permite e apoia a aceitação incondicional — que na verdade é complacência?

28 | Você está pronto ou disposto a abrir mão de todas as suas noções preconcebidas sobre como o amor viria, como seria e como o seu parceiro deve ser? (Deveria estar.)

29 | Pelo que você está disposto a sofrer? Você sofre com os seus medos, seus pensamentos, seu trabalho... e quanto à única coisa pela qual realmente vale a pena sofrer? Você está disposto a dar tudo de si, falhar algumas vezes e depois chegar ao fim (que é o amor, o compromisso), descobrindo que namorar era apenas o aquecimento antes da corrida, o início do verdadeiro trabalho?

30 | Você está disposto a deixar isso devastá-lo por dentro e ajudá-lo a se tornar a pessoa que deveria ser?

O MAIOR TABU
em nossa
CULTURA É
A HONESTIDADE RADICAL,
e esse
É O PROBLEMA

Estamos sendo sufocados por uma cultura — e por pessoas — que, por desprezarem a honestidade, desenvolveram uma incapacidade de coexistir.

Chamamos de "ofensivas" as opiniões que divergem das nossas, e por esse motivo consideramos errado vê-las ou ouvi-las. (Sem contar que ficamos mais "ofendidos" com o mamilo de uma mulher e um palavrão do que com metade das atrocidades globais produzidas pela fome, pelas guerras e pela destruição do meio ambiente.) Policiamos as pessoas para que elas só digam e façam aquilo que faz sentido para nós. Crescemos em uma cultura que nos ensinou a nos colocar em último lugar, mesmo quando "colocar as outras pessoas em primeiro lugar" seja uma mentira e uma hipocrisia, enraizada no ressentimento e na desonestidade. Todos padecemos de alguma solidão interna intocada e desconhecida, agarrando-nos a fragmentos de escrita e música que falam de um jeito que não poderíamos falar. Sofremos de ansiedade, depressão, solidão, incerteza, medo e fracasso sobretudo porque precisamos continuar pintando um quadro externo que exibe justamente o oposto. A incapacidade de reconhecer essas partes naturais e cruciais da vida é o que as torna "más". Ninguém é honesto e, portanto, ninguém está encontrando pessoas que o amem pelo que ele é, porque ele não está sendo quem é de verdade. Só encontramos pessoas que amam as próprias conchas, que, como sabemos, se quebram com facilidade.

Muitos de nossos relacionamentos dependem de continuamente cumprirmos um conjunto de expectativas que em geral conhecemos, mas, às vezes, não. Nosso medo da honestidade e da mudança está enraizado no medo da possibilidade de não sermos mais desejados ou estimados pelas pessoas que afirmam nos amar.

Pensamos que "fazer o que queremos" e "nos colocarmos em primeiro lugar" são atitudes egoístas, que não levam os outros em consideração. Somos ensinados que o que devemos desejar é aquilo que faz os outros felizes. Mas você quer pessoas em sua vida que, no fundo, não gostariam de estar ali? É de se admirar que estejamos todos perdidos, nos debatendo e desconectados de nós mesmos quando somos ensinados a não seguir as nossas verdades e os nossos instintos em favor do ego de alguém? (Não.)

Não é "maldade" dizer a verdade; simplesmente não estamos acostumados a ouvir nada além daquilo que queremos ouvir. Consideramos "errada" qualquer coisa que não esteja alinhada com os nossos pensamentos mais delirantes e reconfortantes. "Veracidade" e "mesquinhez" tornaram-se sinônimos porque, se as pessoas não estiverem fazendo e dizendo aquilo que queremos ver e ouvir, elas estão erradas, estão ferindo os nossos sentimentos e, involuntariamente ou não, nos fazendo sentir rejeitados, indesejados e desvalorizados (porque só estamos encontrando essas coisas externamente).

O que você deve ter em mente é que as pessoas que gritam mais alto sobre a necessidade de se comportar de determinada maneira são, sem dúvida, as mesmas que tiveram a vida profundamente moldada para fazerem o que os outros queriam que fizessem. Ouviram as pessoas que gritavam com elas e, por isso, ficaram vazias. O próprio vazio no qual e do qual as suas palavras ecoam.

Em nossa essência, existe apenas luz. Garanto que não há uma pessoa que você não amaria caso conhecesse a sua história, toda a sua história, caso você vivesse um dia, um ano ou uma vida inteira no lugar dela. Não podemos esperar igualdade quando estamos exibindo fachadas de desigualdade através da desonestidade.

Como podemos esperar que as pessoas tratem todas as outras como iguais se elas estão constantemente se sentindo inferiores?

A raiz da igualdade e da compreensão da igualdade da condição humana é ser honesto a esse respeito.

A única maneira de mudar o curso de nossa sociedade, de iluminar as mentes fechadas, de mudar a maneira como percebemos gênero, raça e a própria humanidade é, antes de mais nada, colocando todas as cartas na mesa. Estamos conversando em círculos e falando apenas com pessoas que inerentemente concordam conosco, em vez de tentar entender de onde vêm as pessoas que não concordam. Isso não é mudança. Isso são estimulantes para o ego. Há muito valor em "ajudar os outros", "ser altruísta" e em forçar as pessoas a se voluntariarem quando não querem.

A única bondade que cultivamos e apoiamos é a que impomos a outras pessoas, do tipo que achamos que é correta.

A falsa bondade não vale a pena. Ela torna o mundo pior. É a raiz do ressentimento, da má vontade, do ódio a si mesmo, da intolerância e do preconceito.

Muitas vezes, as coisas mais gentis que experimentamos na vida são os momentos em que alguém se preocupa mais com quem somos do que como poderia nos magoar caso nos contasse a verdade capaz de nos salvar ou nos mostrasse alguma realidade invisível aos nossos olhos. Muitas vezes, a maneira de sermos mais gentis conosco é dizendo "não". Muitas vezes, as coisas pelas quais somos mais gratos são aquelas que foram (e são) as mais difíceis, a que mais nos atraem, as mais transformadoras, mesmo que, a princípio, não sejam necessariamente confortáveis.

Portanto, você deve dizer não quando assim desejar. Você deve falar com precisão, gentileza, compreensão, mas com franqueza, quando encontrar um amigo com dificuldade para fazer uma escolha simples que terá um grande impacto na qualidade de vida dele, em vez de ir embora e falar disso com todo mundo, menos com ele. Você deve sair de casa se for necessário; se você não for desejado. É possível dar um jeito de pagar o aluguel; não é possível fazer alguém que não te ama amá-lo. Você deve dizer como se sente antes de permanecer na escuridão por tempo suficiente para que isso se torne o alicerce sobre o qual o resto de sua vida é construído — para depois desmoronar. Você deve dizer às pessoas amadas que as ama. Você deve dizer às pessoas não amadas que não as ama e deixá-las encontrar quem as ame de verdade. Você deve cavar fundo no abismo intocado de si mesmo e ver o que encontrará. Primeiro, serão as feridas não curadas que você não sabia que tinha. Depois, será a luz, o amor e a paixão sob os quais repousam. Então, será o desejo de pegar essas coisas e construir algo notável. Você deve avaliar as suas escolhas não à luz de como os outros as perceberão, mas vendo até que ponto elas estão de acordo com o seu eu mais profundo e verdadeiro.

Você deve se levantar e dizer: "Este é quem eu sou, mesmo que vocês me crucifiquem por isso", da mesma forma que figuras ilustres da religião, da política e da sociedade fizeram, mesmo que seus fãs e seguidores sejam aqueles que o crucificarão.

Você deve dar aos outros o que você mais precisa. O que, na maioria das vezes, significa o seguinte: você não é amado por todos, mas isso não quer dizer que você não seja amado de algum modo. Você não é o mais bonito, mas isso não é o mais importante. Você não está limitado por nada além de seu próprio medo, de maneira que não encontrará liberdade em nenhum lugar a não ser dentro de si mesmo. Todo mundo sofre. Nem todo mundo sai do outro lado cintilando e pronto para deixar aquela luz reverberar através da escuridão densa e impenetrável. Todo mundo tem a capacidade de ser sincero, mas nem todo mundo tem coragem para isso. E a maior ironia, a coisa mais sagaz de todas, é que o amor, a paixão e a aceitação que buscamos não residem em nenhum outro lugar, a não ser em nossa própria honestidade desenfreada. Então vá em frente e a deixe, enfim, respirar.

7 RAZÕES PELAS QUAIS O SOFRIMENTO
costuma ser crucial para
O CRESCIMENTO HUMANO

Muitos poetas, pensadores e filósofos falaram sobre isto: o propósito do sofrimento. A ferida pela qual Rumi reivindica a entrada da luz. As pessoas maravilhosas que Elisabeth Kübler-Ross diz que precisaram conhecer a derrota, o sofrimento e a luta para conhecer o reconhecimento, a sensibilidade e a compreensão. A dor que Khalil Gibran acredita endurecer o coração dos personagens mais incríveis. O sofrimento através do qual Dostoiévski afirma poder nascer uma grande inteligência e um coração profundo. As pessoas que C. JoyBell C. vê como estrelas: morrendo até perceberem que estão entrando em colapso e se transformando em supernovas, para se tornarem mais belas do que nunca.

O sofrimento pode não ser responsável pelo crescimento humano fundamental, biológico, mas é responsável pela expansão de nossa mente, nosso coração e nossa alma. Se os filósofos não conseguiram ser muito claros a esse respeito, você certamente já experimentou algo semelhante em sua vida: a dor que foi crucial para o processo, as coisas que foram perdidas para que você se preparasse para aquelas que seriam encontradas, as experiências dolorosas que o transformaram na pessoa que você é agora.

É um fenômeno sobre o qual muitas pessoas falam, mas a maioria não consegue definir: o catalisador que o rompe, o fundo do poço sobre o qual você constrói sua bela vida. O sofrimento que foi de algum modo tão crucial que, no fim, você se sente grato por ele. É o equivalente humano da metamorfose, a escuridão contra a qual podemos finalmente ver a luz.

Acredito que, se pudéssemos entender por que a nossa dor é necessária, poderíamos suportá-la com mais gentileza, ou, ao menos, aprender a ouvi-la antes que ela nos obrigue a fazer isso. A seguir, sete razões pelas quais o sofrimento costuma ser necessário para o crescimento humano:

01 | O sofrimento só é necessário até percebermos que não é, mas geralmente é preciso que algo nos faça enxergar isso.

Dor e sofrimento não são a mesma coisa. Tenho certeza de que você já ouviu isso. Adoramos sentir dor. A expressão que fazemos durante o orgasmo é a mesma que fazemos quando somos torturados. Chorar é catártico, e a sensação fisiológica da dor nos mantém vivos. O que não gostamos é do sofrimento. O sofrimento é uma resistência à dor, e é na resistência que sofremos. Não escolhemos o que nos machuca, e isso é uma coisa boa. Escolhemos o motivo do nosso sofrimento, e isso é ainda melhor. Sempre dependeu apenas da nossa própria vontade.

02 | Os seres humanos pensam que buscam a felicidade, mas, na verdade, buscam conforto e familiaridade.

As pessoas são incapazes de prever o que as fará felizes. Isso ocorre porque tudo o que sabemos é aquilo que conhecemos. Nossa cultura, no entanto, é ótima em "planejar" o futuro, escolher o que nos fará felizes e perseguir essa ideia. Em um esforço para fazer isso, apenas escolhemos algo que conhecíamos no passado, mesmo quando, objetivamente, isso estivesse longe de ser felicidade. Era o que desejávamos mais: conforto. Só somos forçados a buscar algo realmente maior do que aquilo que antes pensávamos ser o melhor quando a nossa lealdade às nossas zonas de conforto se torna muito desconfortável.

03 | O sofrimento nos ensina que tentar mudar o mundo exterior para ser feliz é como tentar mudar a projeção na tela em vez do projetor que a está reproduzindo.

A escritora Byron Katie fez uma bela colocação sobre isso: "Assim que percebermos onde está o fiapo, podemos limpar a lente. Este é o fim do sofrimento e o início de um pouco de alegria no paraíso." Ela está se referindo, é claro, à nossa mente, além do fato de que não percebemos que devemos nos voltar para dentro de nós mesmos e nos aprofundarmos em um buraco escuro antes de tentarmos mudar o que está do lado fora. Sua mente é a lente através da qual você percebe o mundo. Você deve ajustar o seu foco para mudar a sua vida, não o contrário.

04 | Muitas vezes, o "sofrimento" chega até nós sob a forma de um surto, que, na verdade, é apenas um rompimento de barreiras cujo outro lado ainda não vimos.

Às vezes (... com muita frequência) não sabemos o que é melhor para nós e, ainda assim, de algum modo, nossos eus subconscientes e instintivos sabem. Não estou afirmando que isso seja necessariamente resultado de alguma intervenção divina. O que estou dizendo é que muitas vezes, até mesmo em minha vida, eu de algum modo soube quando era hora de sofrer por algo maior, mesmo sem entender o que seria esse algo maior.

05 | A capacidade de sentir alegria deve ser equilibrada pela capacidade de conhecer a dor.

Nosso mundo nasce e existe graças à dualidade. Este é um fundamento de nosso mundo natural, mas também é importante em nossa vida. A verdade é que, quanto maior for a sua capacidade de encarar as trevas, maior será o contraste através do qual você verá a luz. O yin/yang de nosso eu emocional está sempre em equilíbrio. Na verdade, depende apenas de que ângulo escolhemos ver as coisas, pois os dois estão disponíveis para nós. A escolha, no fundo, é sempre nossa.

06 | A dor é um sinal de que algo está errado, e o sofrimento é o que acontece quando não damos atenção a ela.

É claro que do ponto de vista fisiológico isso está certo, mas é ainda mais certo se olharmos do ponto de vista emocional e mental. Quase gostamos de criar problemas para nós mesmos por acreditarmos profundamente que merecemos a dor (do tipo ruim) como retaliação pelo quanto acreditamos (de forma errada) ser terríveis. É apenas lutando contra essa dor que percebemos que ela sempre foi autoinduzida e serviu principalmente para nos ajudar a desaprender a nossa necessidade de criá-la, para percebermos por que não a merecemos e, no processo, nos reconectarmos com nosso eu verdadeiro, e não apenas com aquilo que o resto do mundo pensa que somos.

07 | O universo sussurra até gritar.

Nenhuma experiência traumática é um evento completamente singular. Não há sofrimento que seja apenas a causa de algo. É o padrão. É o que compõe a perda. É o golpe final que nos rompe, o momento em que percebemos que sempre soubemos o que era a verdade, embora algo nos impedisse de seguir o chamado. É isso que descobrimos quando irrompemos. Que lindo viver em um corpo e em um mundo que permite que você explore a escuridão, mas que lhe dói quando é hora de voltar. Que loucura ninguém nos falar sobre isso até vivermos a experiência, ou já estarmos bem avançados no caminho.

POR QUE NOS AGARRAMOS MAIS
às coisas que não
SIGNIFICAM NADA
PARA NÓS

Às vezes, eu me perguntava como conseguimos abrir mão de coisas que estão nos matando quando parece que abrir mão delas nos mataria. Como decidimos entre "se tiver de ser, será" e "se você quer, precisa correr atrás".

Acho que nos agarramos com mais força às coisas que não nos são destinadas porque, em algum nível, sabemos que não são nossas de fato. Estamos sempre buscando o amor que não temos. Estamos sempre tentando provar as coisas que não são totalmente autoevidentes.

Sabemos que, quando pararmos de pensar, conversar e examinar os detalhes sem parar, isso acabará mesmo. Quando tudo o que restar for uma ideia, agarrar-se a ela é a única maneira de mantê-la.

Porque abrir mão tem pouco a ver com dar permissão a alguém para deixar a nossa vida ou declarar que não nos ama mais, ou ir embora para sempre, e tudo a ver com aceitar que essa pessoa já foi.

Não sei nada sobre o destino. Mas sei que as coisas que são nossas não exigem que nos agarremos mental e emocionalmente a elas para que permaneçam. Que as melhores coisas nunca são forçadas, nunca são criadas a partir de ultimatos, nunca nos deixam em choque e nos questionando por meses ou anos a fio.

Eu sei que você não pode provar o quanto ama pelo quanto sofre com a perda. Que você não prova o seu caráter pelo quanto é capaz de convencer as outras pessoas de que está fazendo a coisa certa.

E eu sei que nunca é o amor que o magoa, é o apego à ideia de como ele deveria ser. Sei que nunca seremos capazes de encontrar o amor verdadeiro, a menos que aprendamos a nos desapegar do que ele deveria ser. Eu sei que nunca encontraremos a verdadeira felicidade até que façamos o mesmo. Sei que nada aqui dura, e a ideia de que dura é uma ilusão — no fim, perdemos tudo, tudo o que temos, somos e possuímos.

Portanto, a questão não é o que perdemos, mas o que tínhamos. Não pretendemos cumprir metas como tópicos em uma lista; devemos passar por elas e deixá-las passar por nós.

Alguns amores nos ensinam o que têm para nos ensinar em um mês. Outros, em uma vida inteira. Nenhum é mais importante do que o outro.

As coisas que nos são destinadas são aquelas que nos forçam a parar de buscar uma luz no lado de fora, nos fazendo começar a nos tornar essa luz. As coisas que nos são destinadas são dolorosas, alegres, lindas e excruciantes. São coisas sobre as quais não pensamos.

Coisas que não precisamos agarrar com força para que aconteçam.

SEUS VINTE ANOS
são muito
CURTOS PARA
ESTAS COISAS

01 | **Deixar que alguém o convença de que, por ser jovem, você é incapaz.**

Platão começou a sua carreira política antes dos vinte anos e afirmou que, por causa disso, foi ridicularizado durante a sua transição para a vida adulta. Alguns dos maiores magnatas culturais deste século estavam na casa dos vinte anos quando fizeram as suas primeiras grandes contribuições: Jobs, Zuckerberg, etc. Imagine onde estaríamos se eles dessem ouvidos às pessoas que dizem: "E o que você sabe?"

02 | **Discutir com pessoas que não procuram entendê-lo, e sim provar que estão certas.**

Você não tem a obrigação de manter uma conversa apenas para servir ao ego de alguém, mas deve a si mesmo evitar a inevitável frustração e incerteza de interagir com pessoas que não ouvem para entender, e sim para responder; que não falam para serem ouvidas, e sim para se defenderem.

03 | **Desperdiçar a sua energia relevando os hábitos de pessoas que não tomam a iniciativa de realmente se reestruturarem.**

Muitas vezes, a coisa mais frustrante em lidar com alguém que está passando por um momento difícil é que essa pessoa não está disposta a ouvir a razão ou a lógica, ou, simplesmente, a sua opinião. Você acaba fingindo. Você concorda com o que quer que digam porque não quer que cada interação entre vocês dois se transforme em uma briga. O ressentimento aumentará e o relacionamento desmoronará de qualquer maneira.

04 | **Justificar as suas escolhas para pessoas que só se preocupam com o modo como você se encaixa no contexto da vida delas.**

As pessoas que mais falam o que você deve ou não deve fazer, que dizem que você está no caminho errado, que opinam sobre coisas que elas não sabem, geralmente estão mais preocupadas em como isso as afeta e como explicarão você para os amigos, primos, irmãs, parentes ou colegas de trabalho. Lembre-se disso enquanto estiver decidindo quem é importante. E, já que estamos falando disso...

05 | **Continuar se relacionando com pessoas de quem você não gosta porque "deveria", porque é mais conveniente, porque do contrário você se sentirá culpado, porque tem muito medo do que alguém pensará caso você finalmente seja honesto consigo mesmo e com as outras pessoas.**

Você não precisa desperdiçar a sua vida curvando-se para fazer as pessoas felizes quando elas não fazem — e não farão — o mesmo por você.

06 | **Apegar-se ao amor que já se esgotou porque teme que o melhor já tenha passado ou que não encontrará ninguém que o faça se sentir da mesma maneira.**

O objetivo da maioria dos grandes amores é fazer você se abrir, ensinar o que você precisa saber e encaminhá-lo para coisas maiores, melhores e ainda mais felizes. Não deixe seus medos irracionais dissuadi-lo de se permitir descobrir isso.

07 | **Comer o que você não gosta, manter planos que você não quer, ficar digitalmente conectado com pessoas que o incomodam, guardar roupas para "um dia" que jamais chegará**

e colocar a sua vida em espera por alguém que não quer, nem nunca vai querer, se comprometer.

O tanto de vida que desperdiçamos reunindo e nos agarrando àquilo que nunca será útil para nós só serve para uma coisa: nos manter longe daquilo que importa, que nos traz alegria, propósito e significado, por muito mais tempo.

08 | Não tirar um tempo para descobrir o que você quer, mesmo que seja apenas para saber que você não tem certeza, e não precisa ter. Não deixe que o medo de não encontrar algo definitivo o impeça de encontrar alguma coisa, qualquer que seja.

Se você não tirar um tempo para refletir, avaliar e realmente se conectar com essa consciência que grita quando você se depara com algo que sabe que foi feito para fazer, ser ou se tornar — mesmo que apenas por um dia, uma hora ou um ano —, ficará se guiando indefinidamente pelas expectativas de outras pessoas.

09 | Não dedicar tempo para curar suas feridas de infância.

As coisas que o moldaram são construções que você — e só você — terá que demolir sozinho. A hora de fazer isso é agora, enquanto você ainda é capaz de se adaptar e está em desenvolvimento, ou mais tarde, quando os seus muros não sanados forem derrubados à força por poderes maiores do que o seu autocontrole. (A escolha é sua; sempre será.)

10 | Julgar as pessoas por coisas que parecem "erradas". Cada coisa serve a um propósito. O objetivo não é criar uma imagem contínua, mas sim passar pelas experiências que precisamos para crescer, aprender e mudar.

Você não sabe se um casamento completamente errado e ilógico é aquilo que alguém realmente precisa. Você não sabe se não há um dedo do destino envolvido no nascimento de uma criança de pais muito jovens que não parecem preparados para terem um filho.

Você não sabe se as pessoas que parecem não estarem fazendo nada da vida estão reunindo o conhecimento e a experiência que um dia lhes servirão de base para a próxima grande obra da literatura ou para terem a próxima grande ideia filosófica. Por mais difíceis que sejam de entender, todas as coisas são boas, porque elas contribuem para o caminho do crescimento e do desenvolvimento.

11 | Nunca tomar a iniciativa de aprender como viver dentro de suas possibilidades — quaisquer que sejam os seus meios.

Não importa se você ganha muito ou pouco dinheiro, se tem muitos ou poucos investimentos, se sua poupança está abarrotada ou completamente vazia, nem o tamanho da sua dívida: se não seguir uma mentalidade e um estilo de vida que lhe permitam viver dentro de suas possibilidades, os mesmos problemas financeiros o seguirão, não importando aonde você vá ou o que você conquiste.

12 | Adiar as coisas que você mais deseja até que seja mais "conveniente".

Se você procurar, sempre encontrará um motivo para não fazê-las. Se estiver atrás de uma maneira de fazê-las, sempre encontrará.

13 | Destruir pontes por pequenas frustrações — pontes que poderiam levá-lo a empregos ou relacionamentos que você não sabia que viria a querer ou precisar.

Enquanto você estiver nesse período curioso de oportunidades infinitas e inevitáveis, misteriosa ironia e boa sorte, não estará em condições de supor que não precisará de cada contato que tiver. Se você tiver de sair de alguma coisa, aprenda a fazer isso com elegância, para que a porta não se feche caso você precise voltar.

14 | Permanecer em um trabalho no qual você se sente infeliz.

Não estou dizendo que isso acontecerá amanhã. Não estou dizendo que você encontrará o emprego dos sonhos em uma semana ou até mesmo daqui a um, três ou seis meses. O que estou dizendo é que todos aqueles que realizaram o que realmente desejaram quando jovens tinham uma coisa em comum: estavam no lugar certo, na hora certa, porque estavam sempre correndo atrás. Para criar a própria sorte, aumente as suas chances e tenha fé que alguma força maior fará o resto por você. (Parece um argumento vago, mas, por favor, confie em mim.)

15 | Manter um relacionamento no qual sente que está se acomodando porque não há mais ninguém à vista.

Assim como empregos temporários tornam-se terríveis depois de você permanecer dez anos estagnado nele, relacionamentos nos quais você se acomoda tornam-se péssimos casamentos nos quais você se acomoda.

16 | Não fazer experiências com a sua aparência porque você tem medo de que qualquer mudança o definirá como um todo.

Nesse caso, há duas coisas que seria bom você fazer: sentir-se confortável para caramba com o corpo que tem e sentir-se muito à vontade com a mudança dele, porque é isso o que vai acontecer daqui para a frente. Algumas dessas mudanças estarão sob o seu controle; a maioria, não. Não se deixe apegar à aparência a ponto de dificultar ainda mais seu inevitável crescimento e envelhecimento.

17 | Nunca aprender a dizer "desculpe" ou "obrigado" — não por causa de como isso o fará parecer, mas porque você é capaz de reconhecer o que poderia ter feito melhor e as coisas pelas quais você se sente humilhado.

Para seus pais. Para seus ex. Para seus professores. Para estranhos, amigos, parentes, para as pessoas que você conheceu. Mas o mais importante, para si mesmo.

18 | Não pedir pizza às quatro da manhã.

Ou comer bolo no café da manhã ao menos uma vez na vida, ou beijar um estranho, ou dar o seu número de telefone à pessoa que você está paquerando do outro lado do bar ou restaurante, ou fazer uma viagem e dormir no carro com seu melhor amigo, ou qualquer outra coisa ligeiramente irresponsável, embora inofensiva, que você se sinta tentado a fazer, mas, na maioria das vezes, não tenha coragem.

(Faça.)

19 | Esperar que algo externo conserte o seu interior.

Esperar que o próximo ano, emprego, relacionamento, contracheque, peça de roupa ou o apartamento novo conserte qualquer desconforto ou insatisfação que você sinta. (Tudo seguirá da mesma forma até que você conserte a situação em seus próprios termos.) Sempre.

20 | Desejar apenas a felicidade.

Há muito mais na vida do que apenas se sentir feliz o tempo todo. As coisas mais importantes que você experimentará terão pouco a ver com a sua felicidade. Terão a ver com sofrimento, desgosto, alegria, pânico, medo e amor, e como você se saiu após ter passado por essas coisas.

Você não se lembrará dos dias em que estava apenas "bem" e "feliz". Você se lembrará dos momentos de alegria e das pontadas de dor e de coisas decisivas, transformadoras, milagrosas e incríveis, e que o fizeram se sentir vivo.

Pare de entorpecer a sua vida porque tem medo de si mesmo. A única besta que pode ser domada é aquela que não quer viver de verdade.

68

QUANTO MAIS SATISFEITO
você estiver com
UMA DECISÃO,
menos precisará que
OUTRAS PESSOAS ESTEJAM,
e 11 outras coisas
QUE AS PESSOAS REALMENTE REALIZADAS SABEM

A realização pode parecer o desejo ilusório que move todo um mercado consumista, mas isso só acontece porque algumas pessoas espertas estão ganhando dinheiro com algo inerente a todos (ou inerente a milhões de nós, pelo menos): temos um desejo intenso de levar uma vida significativa, mas nenhum de nós parece saber como.

Em algum lugar ao longo do caminho, confundimos a felicidade com o que temos em oposição ao que fazemos. Pensamos que a solução para um vazio incompreensível é preencher tudo ao nosso redor. Nem preciso dizer que isso não funciona.

Estar verdadeiramente realizado é ser feliz com a própria autorrealização. É chegar a um verdadeiro entendimento do que você quer, e que deixar de fazer isso não é mais uma opção. É ver além das mentalidades que você adotou ou dos ideais que não são inerentemente seus. É a humilde simplicidade do que você deseja oferecer ao mundo a cada dia, e é o amor que você desperta ao fazê-lo.

01 | Sucesso é se apaixonar pelo processo, não pelo resultado.

É construir os seus sonhos na jornada, no "fazer", na rotina e nas minúcias. A vida que você deseja está na simplicidade de suas tarefas diárias. Você não pode apenas se concentrar em fazer a sinopse e depois se perguntar por que ainda não escreveu o livro.

02 | Apenas alguns tipos de felicidade são valorizados pela sociedade.

Nem todo mundo o aplaudirá por você ter deixado seu emprego para trabalhar em um café porque é isso que você adora fazer. Na verdade, existe apenas um tipo de felicidade que a sociedade valoriza e com a qual se sente confortável: o tipo que está longe o suficiente do verdadeiro contentamento para que ninguém se sinta pressionado a considerar como sua própria vida é insatisfatória. Não deixe os demônios de outras pessoas decidirem qual é a sua felicidade. Não deixe que o medo que as outras pessoas têm deles faça você ficar com medo também.

03 | Amor e sucesso não são supérfluos. Não são recursos não renováveis. O de outra pessoa não tira nada do seu.

Essa crença é absorvida pela maioria das pessoas ainda na escola: vemos que algumas pessoas são populares e outras não. Algumas pessoas podem ser felizes, outras não. Geralmente, é isso que dá início à competição que dura a vida inteira e que só existe em nossa mente. O sucesso de outra pessoa não torna você menos bem-sucedido. O fato de outra pessoa ser amada ou receber um elogio não significa que você não seja amado ou digno de ser elogiado. Você não é bom apenas quando é melhor do que outra pessoa.

04 | Quanto mais feliz você estiver com uma decisão, menos precisa que outras pessoas estejam.

Quanto mais feliz você estiver com o que faz, menos precisará de outras pessoas para apoiá-lo. Ironicamente, é também sendo mais feliz com o que faz que encontrará o apoio que estava procurando antes de saber como dá-lo para si mesmo.

05 | O objetivo final é ver como as coisas mais simples são as mais extraordinárias.

Quando o objetivo final é ter algo tangível, o "objetivo final" ainda não foi realmente identificado. Metas tangíveis — dinheiro, livros, cargos e assim por diante — são marcos quilométricos. São produtos, não objetivos de vida. Os objetivos devem ser verdadeiramente cumpridos. O livro que você escreve não é a sua realização, é uma expressão dela. Não confunda o rádio com a onda sonora.

06 | Você não "precisa", você "faz".

Essa é uma das mudanças de percepção mais simples, mas também algo que as pessoas verdadeiramente realizadas dominam: saber que tudo é uma oportunidade a ser experimentada. Você não precisa ir trabalhar, você trabalha. Você não precisa acordar cedo, você acorda cedo. Quando você começa a considerar as coisas não como obrigações, mas como oportunidades, passa a tirar vantagem delas, em vez de tentar evitá-las.

07 | Fácil e bem-feito.

Tudo o que é autêntico, maravilhoso e tem mais chance de sucesso não exige esforço. O estado em que você está durante o processo de criação de algo determinará o resultado daquilo. Quanto mais facilidade e amor você dedicar, mais outras pessoas tirarão proveito disso.

08 | Tudo o que existe em sua vida existe porque você criou. Se algo persiste, é porque você o está alimentando.

Considere o seguinte: cada uma de suas ações alimenta algo dentro de você. Alimenta seu desejo de controle, seu amor pelo trabalho, sua maldade para com a sua irmã, sua complacência para com seu casamento. Cada ação nasce e se cria sobre algo que já existe. Com isso em mente, pergunte-se o que é que você alimenta a cada dia... Sua vida fará mais sentido se você fizer isso.

09 | Não se trata de ouvir ou não a si mesmo, e sim qual parte de você é ouvida.

A maioria das pessoas acha quase impossível ouvir a própria intuição porque não sabe o que ela está dizendo. Ou pior, essas pessoas já a ouviram e estavam erradas ou foram incapazes de enxergar plenamente as possíveis repercussões de seus atos. Isso porque, a qualquer momento, haverá muitas "vozes" diferentes que o levarão a resultados diferentes. Sua intuição imediata pode estar mais voltada para protegê-lo do que abri-lo. Pode estar se manifestando devido à carência ou ao medo. Você precisa se perguntar: qual é a origem dessa reação, de onde ela vem e qual é o seu resultado a longo prazo?

10 | Mesmo que você justifique as suas críticas a respeito de alguém, ainda assim estará errado.

Ainda que alguém esteja sendo horrível ou que você tenha bons motivos para derrubar o estado mental-emocional dessa pessoa, você ainda estará errado em fazer isso. Não lhe cabe policiar o universo; seu trabalho é cuidar dos motivos pelos quais você se sente mais confortável atacando suposições que faz sobre os outros, em vez das suposições que teme que estejam fazendo sobre você.

11 | Sua alma sabe o que fazer para se curar; o desafio é simplesmente deixar que ela se cure.

A maior parte da cura mental e emocional acontece quando nos dedicamos completamente aos problemas. Você descobrirá que, ao longo da vida, criará situações que praticamente o forçarão a resolver algum problema antigo. Isso não acontece porque você quer se torturar, e sim porque quer se dedicar a um assunto e trazê-lo à sua consciência para que possa lidar com ele e superá-lo. Confie em sua natureza. Ela sabe mais do que a sua mente física.

12 | Provavelmente você não pode ser o que quiser, mas se tiver muita sorte e trabalhar muito, poderá ser exatamente quem é.

E isso é tudo o que a maioria das pessoas deseja, no final das contas. Visões grandiosas de ser algo espetacular — e espetacularmente afastado da personalidade e do conjunto de habilidades de alguém, etc. — são proporcionais ao quanto cada um sente que lhe falta. O curioso é que as pessoas que realizam coisas incríveis nunca pensam nessas coisas como sendo incríveis; elas as julgam normais. É essa integração na "normalidade" que as torna um padrão, o que as torna uma rotina, o que as torna um hábito, o que, em última instância, as torna um produto. Esse impulso e essa consistência nascem de uma única coisa: fazer algo alinhado com quem você realmente é. Despertar para si mesmo é um privilégio, embora também seja um desafio extraordinário. E é um privilégio maior ainda ter alguém que ame essa pessoa, um trabalho que utiliza essa pessoa e uma vida que a realiza plenamente, mesmo que você a negue ao longo do caminho.

O QUE AS PESSOAS
que perderam
UM AMOR
SABEM

As pessoas que perderam um amor sabem que o amor dos outros não é delas, portanto, não podem perdê-lo.

Você pode experimentar o amor de outra pessoa, mas qualquer coisa além disso é apenas se apegar a uma ideia, uma esperança, um grande e velho "era para ter sido". As pessoas que perderam um amor sabem que é nesse ponto que você se perde — quando começa a acreditar que outra pessoa levará alguma parte de você quando for embora. Quando você começa a buscar a salvação na própria pessoa de quem deve ser salvo, acreditando que alguém além de você poderá salvá-lo.

As pessoas que perderam um amor sabem que você pode perder coisas que nunca teve de fato, terminar relacionamentos que nunca começaram, que nunca cumpriram todos os sonhos e planos que vocês tiveram juntos. Elas sabem que você pode prantear pessoas que nunca estiveram presentes de verdade.

As pessoas que perderam um amor sabem o que significa preencher os espaços vazios da cama com almofadas e da vida com o trabalho, com encontros sem importância ou, simplesmente, com o reconhecimento da tristeza. Elas sabem como é terapêutico abraçar isso.

Elas sabem o que significa estar absolutamente certo de que não há como amar outra pessoa tanto quanto ama esse alguém. Elas sabem o que é ter o seu conceito de lógica, bom senso, justiça e imparcialidade e de "era para ter sido" virado de cabeça para baixo.

Elas sabem que você nem sempre passará a eternidade com a pessoa que mais ama, mas que pode passar a eternidade tentando aceitar esse fato em sua mente.

E, mais importante do que tudo isso, sabem que seguir em frente não é uma escolha consciente, mas sim o que acontece quando você para de tentar. Quando você parar de se forçar a esquecer. Você se esquece dessa pessoa quando começa a pensar em si mesmo.

Elas sabem o que é olhar para as coisas que pensaram ser impossíveis de superar e perceber que mesmo as situações mais difíceis de alguma forma se dissipam com o tempo, se atenuam com a compreensão, se liberam com a consciência.

Eles sabem que há uma força incomparável no fato de ter passado pelo pior.

Elas param para pensar nas próprias ações antes de serem imprudentes com outras pessoas. Sabem o que é ser negligenciado. Elas se tornam amantes gentis e pretendentes cautelosos, cuja hesitação e timidez podem ser confundidas com indiferença — embora não seja esse o caso, e isso é significativo. Elas aprendem a reverenciar e compreendem como um coração humano pode amar profundamente e como é fácil ferir um ego.

As pessoas que perderam um amor conhecem aquela sensação de aperto, ardência e queimação no peito, na garganta e nas pernas. Elas sabem a que profundidades o pânico pode levá-lo quando você esgota todas as opções.

Elas sabem que almas gêmeas não são o que as pessoas pensam — que, na maioria das vezes, não são felizes para sempre. Sabem que são um amor que ilumina cada parte de você e expõe as suas camadas não curadas; sua verdadeira alma gêmea é aquela que mostra você para você mesmo.

E elas sabem que é esse o objetivo.

Elas sabem que você pode amar uma pessoa, mas nunca tanto quanto pode sentir falta dela. Elas sabem o que é não ter outra escolha além de viver o momento, ter de se orientar mentalmente por cada hora do dia porque, caso contrário, sua consciência será levada a remoer o que aconteceu, se preocupar com o que acontecerá e se perguntar onde elas estão e se elas se importam com isso.

Elas sabem valorizar o que têm enquanto têm.

Elas sabem que talvez não exista dor mais profunda do que ver alguém que você ama apaixonado por outra pessoa. Ou, mais precisamente, alguém que você pensava lhe pertencer subitamente pertencendo a outra pessoa. Simples assim. Que apesar dos grandes e profundos oceanos que sente correr entre vocês, aquilo pode se transformar em uma simples gota d'água.

Elas sabem o que é sonhar acordado com um reencontro com aquele amor perdido. Têm consciência do que é escolher roupas pensando nele, ensaiar conversas sozinhas no quarto, cortar o cabelo e correr mais um quilômetro, como se uma simples mudança de aparência pudesse fazer alguém voltar a se apaixonar por você.

Elas sabem o que é esbarrar com ele acompanhado de outra pessoa. Alguém que em muitos aspectos não é o que elas são, tanto para melhor quanto para pior.

Com essa dor extraordinária, elas aprendem que o amor de alguém por você não diminui nem aumenta de acordo com o quanto ele ama outra pessoa. Não é uma coisa única e consumível.

E saber disso pode ser a maior lição de todas.

Elas sabem o que é viver com o fantasma do que teria sido, do que deveria ter sido e talvez ainda possa vir a ser: é andar pela rua com a narrativa constante do que ele diria, no que estaria pensando caso estivesse ali. É estar em um bar e, de repente, a conversa parecer fugir de sua mente e você só conseguir se concentrar no vago pensamento de como seria caso ele estivesse sentado ali ao seu lado. É estar segurando a sua cesta na fila do supermercado e ouvir a música de vocês tocar e, de repente, começar a imaginar todas as maneiras como você pensou que ele a imaginara, e como ele deve ter esses mesmos pensamentos, enviar os mesmos textos e agir da mesma maneira, só que com outra pessoa.

Elas sabem como é existirem no mundo estranhos que um dia souberam tudo sobre você.

Elas sabem que você, de algum modo, sempre atrai para a sua vida exatamente aquilo de que precisa — inclusive o mais doloroso, o que mais transforma.

Elas sabem que você nunca perde um amor. Sabem que o importante é aquilo que você experimenta, como você cresce, o que você vê, aprende e faz por causa disso. Não para ter isso para sempre, mas para se tornar o que você deveria ser.

Elas sabem que — no início — você vai perder tempo tentando descobrir o que fazer com todo o amor que lhe resta.

E elas sabem que devem dá-lo para si mesmas.

… 70

SIMPLICIDADE

Aprenda a gostar daquilo que não custa muito caro. Essas são as coisas que valem a pena. Você pode pagar para ir a lugares e comprar coisas, mas não pode pagar pela experiência que proporcionam. Não é o que você faz, é o que você percebe. Uma vida significativa não tem a ver com o quanto você satura os seus sentidos, mas a forma como encara até mesmo as coisas diárias mais simples e despretensiosas.

Aprenda a gostar de ler, não importa o tipo de leitura. Aprenda a gostar de conversar com as pessoas, mesmo que elas não sejam iguais a você. Aprenda que verdades diferentes podem coexistir. Só isso o libertará.

Aprenda a gostar de alimentos simples e a prepará-los. Aprenda a gostar dos campos, das árvores, de acampar, caminhar, fazer fogueiras, de ver o sol nascer e se pôr. Aprenda a gostar de escrever e acender velas nas noites chuvosas de verão. Aprenda a gostar de lençóis limpos, de lavar pratos, de banhos quentes, de se hidratar e de longas viagens por estradas sinuosas.

Aprenda a ter necessidades simples e desejos singelos.

Aprenda a respirar profundamente. A saborear a comida, a dormir bem. Ria até perder o fôlego. Quando ficar com raiva, fique furioso mesmo, deixe as coisas queimarem dentro de você. Quanto menos você se afastar dessas coisas, menor a chance de elas virem à tona de uma forma inadequada e prejudicial. Não é a raiva ou a tristeza que o controla; é a resistência a elas que as mantém presas em sua alma.

Aprenda a deixar os pensamentos negativos voltarem para o lugar de onde vieram — ou seja, lugar nenhum.

Faça o que não exige esforço. Permita que seja sem esforço. Encontre o amor sem esforço. Você será levado a crer que o sucesso vem do trabalho árduo e exaustivo, mas isso é algo que impomos a nós mesmos porque deixar as coisas fáceis também serem bem-sucedidas faz com que pareçam imerecidas. É assim que criamos problemas onde não existem.

Guarde o que tem propósito e é significativo. Quando você circula pelo seu espaço tocando, vendo e usando apenas coisas que evocam uma sensação de segurança, propósito, significado, alegria... sua vida cotidiana passa a se basear na felicidade. Quando você não tem com o que fazer bagunça, não mais do que você é capaz de limpar, lavar e arrumar, tudo parece resolvido.

A complexidade costuma ser a escolha mais fácil. É fácil nos enredarmos e nos atermos às maneiras como permitimos que os nossos pensamentos e medos transformem narrativas criadas em realidades que vivemos.

A simplicidade é difícil porque requer um pensamento focado. É o longo e difícil caminho para uma percepção focada (isto é: sem ser distorcida por condicionamentos ou pensamentos negativos). Mas é seu, e sempre seu. Você pode guardar todos os seus pertences pelo resto da vida, e cada um deles será usado, quebrado, substituído, roubado, jogado fora, tornado obsoleto. Mas a sua percepção de como essas coisas temporárias foram significativas e úteis, o quanto você as apreciou e desfrutou, isso é seu. E é isso que acontece quando escolhemos uma vida baseada na simplicidade: o comum se torna algo milagroso.

As pessoas gostam de falar sobre aquilo que lhes trará felicidade. E felicidade, de algum modo, é o que todos buscamos, mesmo que a chamemos por outro nome — estabilidade, amor, dinheiro. A psicologia da felicidade, o fenômeno das últimas três décadas, surgiu pelo fato de termos sido pioneiros na criação de um país baseado na felicidade desenfreada e radical: liberação religiosa, liberdade, democracia.

No entanto, essas coisas, essas casas que nos abrigam e as empresas que dirigimos, esses relacionamentos nos quais fracassamos porque estamos sempre esperando que sejam mais — o desejo de maximizar o prazer — não nos tornaram mais felizes.

Porque não mudamos o nosso modo de pensar — e essa é a única mudança verdadeira, porque é a base de como nos sentimos. A magnitude da vida de uma pessoa é diretamente proporcional à profundidade da percepção dela. Sua vida cresce com você. O que você experimenta é um reflexo do que você é.

Não se esqueça de que você não tem uma eternidade para fazer isso, para mudar isso.

É fácil deixar passar outro dia, semana, mês, ano, permitindo-se continuar buscando a luz nas pessoas, no dinheiro, e mais, e mais, e mais. É mais fácil gastar esse tempo buscando a luz em si mesmo porque você acha que é a coisa certa a ser feita. Você não encontra a luz — a capacidade de perceber — porque você já é essa luz. O trabalho é se livrar de tudo o que estiver no caminho.

18 PEQUENOS LEMBRETES PARA QUEM *sente que* NÃO SABE O QUE *está fazendo* DA VIDA

01 | **Ninguém sabe o que está "fazendo da vida".** Algumas pessoas têm uma ideia melhor de para onde estão indo, mas, no fundo, nenhum de nós pode prever ou resumir com precisão do que se trata a nossa existência. Ainda não.

02 | **Você decide o que define a sua vida.** Você não se sente "perdido" quando sai do caminho, e sim quando perde o controle. Quando não quer aceitar o curso dos acontecimentos. Encontrar-se novamente é se apropriar do que aconteceu e continuar a escrever a sua história.

03 | **J.K. Rowling não sabia que seria uma das escritoras mais famosas do mundo; ela estava apenas escrevendo uma história para os filhos.** Steve Jobs não sabia que seria um pioneiro do modo como a humanidade interage com a tecnologia; ele era só um cara fazendo um computador na garagem. Oprah não sabia que se tornaria a mulher-propaganda do autoaprimoramento e do sucesso; ela estava apenas tentando fazer o trabalho dela. Você não precisa saber o que está fazendo para realizar algo extraordinário.

04 | Não há como prever ou planejar o que vai acontecer daqui a cinco anos.

05 | Se você for capaz de prever e se planejar para isso, então sonhe mais alto. Tente com maior afinco.

06 | Planejar a sua vida (ou ter uma ideia coesa "do que você está fazendo") não é necessariamente ambição; é apenas outra noção tranquilizadora. Em vez disso, concentre-se no que você deseja fazer com cada dia de sua existência. Isso é digno. Isso vale a pena. Isso o levará a algum lugar.

07 | Você não deve nada ao seu eu mais jovem. Você não é responsável por ser a pessoa que um dia pensou que seria.

08 | Você deve tudo ao adulto que é hoje. Você deve se perguntar do que gosta, o que quer, o que o motiva, do que precisa e o que merece.

09 | Você sabe por que não tem as coisas que pensava que queria? Porque você não as quer mais. Não tanto.

10 | É provável que você tenha percebido que não deseja mais o que desejava antes, mas ainda não tenha se permitido reconhecer o que quer agora.

11 | Dê a si mesmo permissão para querer o que quer agora.

12 | Se quiser mudar a sua vida, pare de pensar em como se sente perdido e comece a focar em atitudes que você pode tomar e que o movam em uma direção, qualquer que seja — isso é positivo. É muito mais difícil pensar diferente para agir de uma nova maneira do que agir diferente para pensar de uma nova maneira.

13 | Ninguém tem a vida tão boa quanto parece ter nas redes sociais.

14 | Ninguém se preocupa tanto com a sua presença nas redes sociais quanto você mesmo.

15 | As redes sociais nos deixaram cada vez mais preocupados com o próximo grande "objetivo". Se você sente que não sabe para onde a sua vida está indo, provavelmente é porque não sabe o que gostaria que fosse o seu próximo grande e impressionante "objetivo".

16 | Você não precisa realizar nada para ser uma pessoa digna. Pouquíssimos de nós somos realmente extraordinários. Isso não significa que você não possa conhecer o contentamento, o amor, a alegria e todas as verdadeiras maravilhas da vida.

17 | Sua vida é tão boa quanto a percepção que você tem dela. Você só deixa de se sentir perdido ou de achar que "não sabe o que está fazendo" se aprender a pensar nas coisas de maneira diferente. Isso é tudo.

18 | Pare de perguntar "O que estou fazendo da minha vida?" e comece a perguntar "O que farei hoje?".

A ARTE DA CONSCIENTIZAÇÃO,
ou como
NÃO SE ODIAR

Todo ódio é ódio a si mesmo.

E tudo é *feedback*.

Eu espero de verdade que você se lembre dessas duas pequenas frases toda vez que experimentar um aperto no peito e se sentir desesperado, desamparado, como se estivesse caindo em um poço de lama.

Tudo é um reflexo de você porque tudo o que pode tirar e o que de fato tirará disso será aquilo que tiver consciência para perceber. A extensão de sua experiência está diretamente alinhada com a sua consciência. Nada é como é; as coisas são como você é. (Isso é uma brincadeira com uma citação de Anaïs Nin.)

A menos que você esteja ali para tocar, cheirar e ver uma flor, ela nada mais é do que matéria aleatória vibrando no vazio. Seu reconhecimento lhe confere beleza e presença. Você não está no mundo; o mundo está em você. E embora isso soe como outro chavão abstrato, não é. É o reflexo de uma verdade maior, mais profunda e mais verdadeira, e, nesses minúsculos momentos de reconhecimento, de consciência, descobrimos que o que percebemos imediatamente não é tudo o que existe, e que tudo o que parece denso, pesado, "errado" e "negativo" não está do lado de fora, mas sim é aquilo que não estamos curando e mudando do lado de dentro.

A consciência é o antídoto para resolver muitos problemas aparentemente insolúveis. O simples fato de saber que a sua mente egocêntrica está deduzindo as ações e os pensamentos de outras pessoas para torturá-lo é o suficiente para silenciá-la.

A arte de aprender a ser é não atribuir "bom" e "ruim", "certo" e "errado" ao que você sente, vê e ao que outras pessoas lhe mostram. Afinal, mesmo as coisas mais pesadas e sombrias lhe são úteis e o abrem para uma verdade que você não teria considerado caso não tivesse sido condicionado vê-las.

A seguir, algumas coisas a considerar, refletir e reler quando estiver se sentindo particularmente péssimo.

01 | Suas ações são mais poderosas do que qualquer coisa que uma pessoa possa vir a dizer de você.

O problema de cair em uma espiral de desamparo é que isso costuma vir acompanhado pela sensação de que não controlamos absolutamente como as outras pessoas nos veem. Claro, isso nada mais é do que um mecanismo pelo qual nos vemos, mas tenha paciência comigo, porque a questão aqui é que nenhuma palavra que alguém diga é mais poderosa ou verdadeira do que suas atitudes e de quem você realmente é. Você detém o poder. Você dá as cartas. O modo como as outras pessoas querem percebê-lo é problema delas, algo que elas terão de resolver por conta própria. Mas o quanto você deseja permitir que as percepções delas o afetem é problema seu.

02 | O que você acha que os outros pensam é mais importante do que aquilo que eles realmente pensam. (Isso o expõe a você mesmo.)

Depois de se conscientizar de que todo o conceito de "o que as outras pessoas pensam" é uma grande ilusão que sempre o deixa em desvantagem, você começa a perceber que "como as outras pessoas o veem" muda de acordo com a sua mentalidade. Engraçado como isso funciona, não é mesmo?

03 | Suas reações são mais importantes do que as ações de outras pessoas, e você pode escolher como reagir.

Suas opiniões, pensamentos, sentimentos, emoções e estados mentais não devem se basear naquilo que você descobriu ou simplesmente imagina que as pessoas dizem, pensam ou acreditam a seu respeito. A realidade é que você nunca saberá tudo o que as pessoas estão dizendo, pensando ou acreditando, e essas coisas não são da sua conta. Elas estão seguindo em frente, e sempre estiveram, esteja você ciente disso ou não. O ponto é o quanto você deseja mudar com base nessa hipótese. Elas podem dizer o que quiserem. Você pode reagir como quiser.

04 | Falando em relacionamentos românticos, sexo, amor, tipos de corpo, atração e tudo o mais, as pessoas a quem vale a pena amar, namorar e fazer sexo são muito mais receptivas do que você pensa.

Nunca houve uma história de amor verdadeiro que tenha florescido porque alguém achou que a barriga do outro era perfeita. Enquanto você estiver buscando validação de alguém que nunca fará isso, você estará se negando a alguém que o amará incondicionalmente.

05 | Você deveria se envergonhar de seu eu mais jovem, sério.

É um sinal de progresso. (No entanto, isso não significa que você deva se envergonhar.) É bom porque significa que você é capaz de olhar para trás e se perguntar: "Como eu pude ter sido daquele jeito?", indicando que você não é mais. Espero que você nunca olhe para trás, para seu eu mais jovem, e pense: "Uau, eu tinha tudo planejado!" Isso significa que você parou de crescer. (O que significa que parou de viver.)

06 | Há problemas abrangentes cujos sintomas não param de ressurgir.

A maioria das pessoas passa a vida inteira apenas tratando os sintomas. Por exemplo: perder peso não resolverá a percepção distorcida que tem de sua aparência, não importa o quanto você se convença de que está fazendo a coisa certa. Você estará fazendo algo que o encaixará em sua visão de "correto", em vez de perceber que o verdadeiro amor ao corpo não tem nada a ver com manter sua estabilidade mental dependente de perder ou não uma aula ou comer um pedaço de pizza. É uma questão de avaliar onde as ações estão enraizadas, não como parecem superficialmente. Não estou dizendo que lidar com essas raízes seja fácil ou divertido — estou dizendo que você acabará tendo de fazer isso. Você pode escolher agora ou será forçado a escolher mais tarde.

07 | Não há medo, preocupação, inquietação, paranoia ou insegurança que você sinta que outros milhões de seres humanos já não tenham sentido.

O problema da aversão a si mesmo é que é uma atitude isoladora por natureza. Isso faz de você o "outro" e dos outros "pessoas normais e críticas". Eu sei que isso pode ser um pouco desanimador para o seu ego, mas vá com calma: de modo geral (e reconhecendo as exceções lógicas), não há nada que você já tenha feito que não tenha sido feito — em algum lugar, de algum modo, em algum momento. A história da condição humana é universal por natureza. O que intensifica o sofrimento é o isolamento e a ideia de que somos os únicos que o vivenciamos. (Interessante como isso funciona, não é?)

08 | Você volta e meia está preocupado com a visão que uma pessoa (ou talvez duas) tem de você.

Essas pessoas também tendem a ser aquelas que sentimos que não nos aceitam, de uma maneira ou de outra. Para quem estamos tentando provar alguma coisa. Nos preocupamos com quem vai nos ver de uma maneira nada lisonjeira e contar para todo mundo. Geralmente são os quase relacionamentos, pais um tanto severos, certas pessoas que sonhamos impressionar por anos a fio. Somos incapazes de ter nossa vida girando em torno de mais do que algumas pessoas de cada vez, mesmo que pareça que estamos preocupados com as "pessoas" de modo geral. Tente dar uma cara a essa preocupação toda vez que ela surgir e descobrirá que essa multidão de pessoas sem rosto é, na verdade, apenas uma ou duas que lhe são muito, muito familiares.

09 | Ninguém pensa tanto em você quanto você mesmo.

Muitas de nossas conversas internas giram em torno de reprimir o medo e o pânico sobre como estamos sendo vistos em determinado momento. O que raramente percebemos é que o fator X aqui é que nos baseamos na mentalidade de outras pessoas. Estamos apenas fazendo previsões e suposições que são fortemente, senão inteiramente, influenciadas por nossas próprias suposições sobre nós mesmos. Resumindo: assim como você, todo mundo anda por aí preocupado consigo mesmo.

10 | Há muito em jogo...

... para você desperdiçar o seu tempo preocupando-se com coisas que são impermanentes, sem importância e, na verdade, apenas distrações daquilo que lhe traz alegria.

11 | Seus sentimentos de pânico estão diretamente relacionados à vontade de mudar para se encaixar na ideia que outra pessoa tem de você.

Se você não se importasse em agradar alguém, se não sentisse que precisa ter uma boa imagem aos olhos dos outros para estar bem, não se preocuparia com isso. Essa sensação de pânico e preocupação com o modo como as pessoas o veem está diretamente, embora não totalmente, relacionada ao quanto você sente que precisa mudar ou provar para si mesmo. Em um nível mais profundo, significa que você externalizou o seu senso de valor e propósito e, portanto, estabilidade. Enquanto permanecer assim, nunca poderá ser autêntico.

12 | Portanto, se você quiser superar essas coisas externas, rasas e superficiais, deverá voltar a sua atenção para coisas mais importantes.

Essa é a solução mais verdadeira, o antídoto mais eficaz e o maior segredo de todos para renunciar ao que significa estar ou não bem consigo mesmo: faça com que algo seja mais importante do que a visão que as pessoas têm de você. Se sua única preocupação, se tudo o que você pensa que pode oferecer ao mundo é um corpo bonito, um estilo de vida sofisticado, muito dinheiro ou a aprovação dos outros, você não está fazendo tudo o que pode e deve fazer. Claro que você ficará ansioso; nada disso tem sentido. No momento em que perceber que você vale mais do que o modo como é visto, no momento em que verdadeiramente se inteirar de que a sua vida é mais importante do que você, as preocupações mesquinhas dos outros perderão importância e cairão no esquecimento. Você não conseguirá mais enxergá-las porque estará focado apenas no que realmente importa: você e tudo o que verdadeiramente tem a oferecer ao mundo.

73

10 PERGUNTAS
PARA
quando você não souber
O QUE FAZER DA VIDA

01 | **Se você tivesse a vida que pensa que deseja, como seria o amanhã?** Quando você imaginar a vida que deseja, em vez de focar em se vender ("Eu sou isso, eu faço aquilo..."), concentre-se na rotina diária. Se você tivesse a vida que pensa que deseja, o que faria amanhã? Como seria diferente do que você está fazendo hoje? Tendo essa visão, o que você realmente poderia começar a fazer amanhã?

02 | **Se as redes sociais não existissem, o que você faria de diferente?** Você se vestiria de outra maneira, se sentiria mal em relação ao lugar onde mora, se importaria com a aparência de seu apartamento? Quais escolhas você faria se sentisse que não está sendo silenciosamente policiado pela multidão de pessoas sem rosto que estão atrás das telas das redes sociais? O que seria importante para você? O que você faria? Quem você seria?

03 | **Se ninguém pudesse saber o que você fará com o resto da sua vida, o que você faria?** Se a sua vida não fosse nem um pouco performática, se ao fazer alguma coisa você não obtivesse nada em troca além do simples ato de fazer aquilo, como você usaria o seu tempo? O que você se interessaria em fazer? O que lhe daria energia?

04 | **Se você tivesse morrido ontem, do que se arrependeria mais?** Pare de imaginar o que aconteceria se você morresse

101 REFLEXÕES QUE VÃO MUDAR SUA FORMA DE PENSAR | 293

amanhã... E se você já estivesse morto? Do que você se arrependeria mais? O que você gostaria de ter feito diferente, visto de outra maneira? Ao que você gostaria de ter reagido de outra forma?

05 | **Se tivesse de escolher as cinco coisas mais importantes para você, quais seriam?** Quer você perceba ou não, sua vida será fundamentalmente construída a partir das poucas coisas com as quais você mais se preocupa. Caso contrário, parecerá estar desalinhada, na melhor das hipóteses, ou fora dos trilhos, na pior. Satisfação é viver de acordo com o que realmente valorizamos.

06 | **O que em sua vida lhe provoca um "empurrão" sutil e inexplicável?** O que lhe dá uma sensação de prazer sutil e inexplicável? Do que você gosta, embora não entenda por quê? Essas são as coisas que merecem sua atenção. São as coisas verdadeiras. Sua mente está respondendo ao que você pensa que gosta, suas emoções estão respondendo ao que realmente ressoa dentro de você.

07 | **Se soubesse que ninguém o criticaria, o que faria com os seus dias?** Se você só fosse elogiado pelo seu trabalho, pela sua vida e por suas escolhas, o que você faria?

08 | **Qual é a maior dificuldade que você está encarando agora?** Curiosamente, as coisas que mais o atormentam são aquelas que você deve levar adiante. Se o seu problema mais profundo é não ter um relacionamento romântico, a próxima fase de sua vida talvez precise envolver pelo menos o desenvolvimento de um. As maiores dificuldades que você enfrenta agora podem lhe dizer qual é o seu real desejo e em qual direção deve seguir.

09 | **O que você já tem a seu favor neste momento?** O mantra de qualquer mudança importante na vida deve ser sempre: "Comece onde você está, use o que você tem, faça o que você pode." Não há outra maneira de chegar a algum lugar.

10 | Se você tivesse que viver o dia de amanhã repetidamente pelo resto de sua vida, o que faria? Ou, dito de outra maneira: se você tivesse de repetir o dia de hoje para sempre, onde você estaria? O que estaria realizando? Você estaria crescendo no trabalho? Teria tempo para as pessoas que ama? Teria escrito um livro, estudado música ou estaria gastando o seu dinheiro de maneira saudável? Estaria se vestindo como você mesmo, curtindo o nascer do sol e se alimentando de uma maneira que o sustentasse no longo prazo? Sua vida se desenrola a cada dia. Não nas ideias que você tem sobre esses dias. Seus hábitos se acumulam e começam a se tornar um padrão. Imaginar que você nunca vai crescer mantendo esses hábitos é a maneira mais rápida de cair na real.

NÃO EXISTE ESSE NEGÓCIO DE DEIXAR IR;
existe apenas
ACEITAR
o que
JÁ FOI

Todas as coisas são boas.

Todas as coisas existem para nos servir. Todas as coisas são boas.

Eu sei o que você está pensando. Como assim? Isso parece só mais um chavão sem sentido que você está tentando passar como uma verdade impossível de ser provada.

Mas o que torna algo "ruim"? É aquilo que decidimos (ou fomos condicionados a) acreditar que "não está certo". O que torna um sentimento "ruim"? Temos muitos sentimentos. Por que alguns são bons e outros ruins? Alguns nos mostram que estamos no caminho certo e outros nos mostram como, quando e para onde devemos nos redirecionar. No que os primeiros são melhores do que os outros? Os outros não são mais importantes, na verdade?

Os sentimentos tornam-se ruins quando lutamos contra eles.

Quando, em vez de ouvir a nós mesmos, em vez de permitir que quaisquer sentimentos venham a transparecer, mesmo que não sejam necessariamente confortáveis, lutamos contra eles. As coisas que deveriam nos servir e mostrar nossas partes que precisam ser curadas ou os lugares em nossos caminhos onde precisamos dar uma guinada acabam se tornando "ruins".

No grande esquema das coisas, "bom" e "mau" são atribuições de valor, são subjetivos. Para uma pessoa, para uma família, para uma cultura, para um país, para uma nação, para uma raça etc. O que é certo para um é errado para outro; o que é bom para alguém é trágico para outra pessoa. A história não é ensinada da mesma maneira nas salas de aula ao redor do mundo. O momento em que você percebe que pode definir o que é "bom" em sua vida é o momento em que pode começar a se libertar. Porque tudo — até mesmo as coisas mais difíceis de superar — pode ser bom, se decidirmos ver por que essas coisas estão presentes, o que precisam nos mostrar.

É raro amar alguém incondicionalmente. A própria base do amor é encontrar uma pessoa que preencha um conjunto de condições preconcebidas. Quando o objeto de nossa afeição não as segue como havíamos planejado, nossos sentimentos começam a vacilar. É por isso que os relacionamentos mais profundos se tornam os mais difíceis — alguém preenche uma ideia daquilo que você queria e precisava e, assim que deixa de preencher, você fica totalmente surpreso. Você não está fazendo o que eu acho que deveria, como pôde fazer isso comigo?!

Isso não é amar de verdade. E a chave para superar esse tipo de amor meia-boca é perceber que muito daquilo pelo que lutamos e nos arrasamos não é uma questão de amarmos ou não alguém como um ser, como pessoa, como uma presença em nossa vida, mas o quanto aprovamos ou não aquilo que ela faz por nós.

Somos exigentes desse jeito. Dizemos que queremos amor e felicidade incondicionais, mas não nos comportamos como se os quiséssemos. Queremos amor e felicidade quando temos algo ou alguém. Por quê? Porque assim transferimos a algo externo a responsabilidade de escolher a felicidade, de trabalhar por ela e em direção a ela.

O primeiro passo para recuperar o seu ponto de controle, sua personificação de si mesmo, é permitir tudo. Permitir o amor, permitir a perda, permitir o fluxo e o refluxo. Não abrigue intenção, apenas seja. Com que rapidez os nossos problemas mais profundos desaparecem quando nos concentramos nisso?

De acordo com o taoismo, a suavidade equivale à vida. Corpos enrijecem na morte. Árvores que endurecem são cortadas. Portanto, rigidez é morte e suavidade é vida.

Quando nosso coração endurece, quando partes de nós estão bloqueadas e repletas de emoções não filtradas, somos forçados a quebrá-las. As árvores são cortadas, os corpos apodrecem. A rigidez só pode existir por algum tempo.

O cérebro tem um mecanismo através do qual se concentra na dor mais forte e bloqueia todas as demais. Concentra-se na parte mais difícil e nos obriga a enfrentá-la. Mesmo que pareça que estamos entorpecendo todas as outras dores ao nos concentrarmos em uma, não estamos, na verdade. Só estamos avançando no caminho da abertura.

Não existe esse negócio de deixar ir; existe apenas aceitar o que já foi. Estamos nos perdendo no labirinto da ilusão de controle e encontrando alegria no caos, mesmo quando isso é desconfortável. Não é para sempre. Só permanecerá enquanto resistirmos. Enquanto lutarmos contra isso. Enquanto nos controlarmos. Enquanto não aceitarmos o que já foi.

VOCÊ É UM LIVRO *de* CONTOS, NÃO UM ROMANCE

Quem você era não precisa se transformar em quem você será.

Muitas vezes nos atrapalhamos ao relacionar quem éramos com quem achamos que precisamos ser. Não conseguimos traçar uma trajetória para o nosso futuro sem considerarmos o que faria sentido para a pessoa que fomos.

Percebi isso quando reuni três hábitos que vi em mim e nas pessoas em geral:

Primeiro, criamos problemas onde não existem. Como se precisássemos superar alguma coisa para a nossa vida fazer sentido. A felicidade é algo que devemos escolher conscientemente; caso contrário, criaremos a realidade que, no nosso inconsciente, pensamos merecer. Não porque presumimos que merecemos, mas porque, em algum momento, fomos condicionados por outras pessoas (e por nossas suposições) a acreditar que somos tão bons quanto as coisas ditas a nosso respeito.

Em segundo lugar, evitamos coisas que são perfeitas demais. Nós as destruímos, mentalmente ou não, caso o sejam.

Em terceiro, fazemos várias sinopses em nossa mente. Sempre que estamos prestes a fazer uma escolha (sobre qualquer coisa), dizemos em nossa mente como aquilo vai ser. "Ela se formou e começou a trabalhar nisso aos vinte anos...", ou o que quer que seja. É como se as nossas decisões só pudessem ser aceitáveis se parecerem certas, e como continuarão a parecer anos depois, sejam elas certas ou não para quem formos naquele momento.

Mas as sinopses que passamos tanto tempo escrevendo são para personagens que já não somos mais. Nem sempre é possível traçar limites entre o que foi, o que é e o que deveria ser. Você nem sempre consegue entender as verdades que coexistem em você; resta saber que todas são válidas. E você não pode evitar coisas boas porque, em algum momento ao longo do caminho, o personagem que você delineou para si mesmo não acredita que você mereça o que tem.

Quando evitamos — quando fugimos —, bloqueamos a nossa felicidade.

Você não nasceu para ser uma história que se desenrola de uma forma nostalgicamente agradável. A vida não é um *flashback* em tons de sépia. Ela é vívida e mutável, real e imprevisível. Desconhecida. Sem outro enredo além daquele que vivemos no momento, aqui e agora. Nem mesmo percebemos quantas vezes escolhemos as nossas experiências atuais com base em velhas crenças a respeito de nós mesmos que ainda mantemos no inconsciente. Porque o que pensamos de nós mesmos se traduz no que permitimos de nós mesmos, e o que permitimos é o que experimentamos, e o que experimentamos é o que vale para nossa vida como um todo. Tudo isso é um livro de contos, os quais não precisam fazer uma transição perfeita entre si. Não precisam ser narrados da mesma maneira. Podem ser tão curtos, tão longos, tão alternados, tão confusos ou tão excitantes quanto você quiser.

A questão é que você está no controle de como tudo se desenrola, mas a narrativa interna recorrente, a vozinha que está lhe contando a história de sua vida precisa deixar de lado os capítulos antigos para escrever os novos.

SINAIS DIÁRIOS
de que o mundo está
PASSANDO POR
uma mudança de
CONSCIÊNCIA

Há uma teoria social de que o desenvolvimento da humanidade não é uma progressão linear, mas algo que ocorre em ciclos. Civilizações ascendem e caem; a cada vez, a inteligência coletiva atinge um pico mais alto. Uma breve varredura mental da história e uma compreensão geral da natureza fariam isso parecer bem lógico: nós evoluímos de um jeito espetacular, e, então, ocorre a catástrofe.

Isso não surgiu do nada. Há uma antiga crença de que a Terra está sujeita à posição em sua precessão do equinócio. Toda vez que ela atinge o ponto mais próximo do centro do universo, onde a concentração de energia é mais alta, chegamos mais perto do despertar. No momento, estamos em alta.

Independentemente da mitologia, há algo interessante acontecendo no mundo agora. Nossa consciência coletiva está se expandindo. Estamos mais conscientes do que está acontecendo (para melhor e para pior), nos esforçando para nos compreendermos, aprendendo a trabalhar com as nossas emoções e a construir vidas que representem o que valorizamos, não o que somos obrigados a valorizar. Seja qual for a causa, eis aqui alguns efeitos diários:

01 | **As pessoas estão começando a reconhecer o próprio poder.** O empoderamento, a individualidade e a autonomia são vistas como fundamentais para se viver uma vida inteira e plena.

02 | **Psicologia positiva, inteligência emocional, tipos de personalidade e outros conceitos de autocompreensão estão se tornando cada vez mais populares.** A psicologia positiva está no ápice na mídia nos últimos quinze anos. Entre os Cinco Grandes, Myers-Briggs, astrologia, eneagramas e outros, estamos famintos por autoconsciência e é assim que ela tem se apresentado.

03 | **Questões de justiça social estão sendo manchetes como nunca antes, e a palavra "ignorância" é atribuída a qualquer pessoa que não considere todos os seres como iguais.** Certamente esta não é a primeira vez na história que queremos nos libertar de construções opressivas, mas com a ajuda da tecnologia, é a primeira vez que pensamos em "normas" sociais saudáveis como sendo aquelas que são justas e aceitáveis.

04 | **Ioga e meditação tornaram-se práticas comuns no Ocidente.** Embora fossem consideradas coisas estranhas há apenas algumas décadas, aulas de ioga estão disponíveis em quase todos os lugares, e pesquisas demonstram que a meditação realmente muda o cérebro.

05 | **O "conhecimento geral" está se expandindo a uma taxa nunca antes alcançada na internet.** Embora antes soubéssemos apenas aquilo que podíamos lembrar, agora podemos pesquisar praticamente qualquer coisa. A mídia convencional nos faz consumir artigos e ideias em velocidade recorde. Estamos aprendendo de maneiras que nunca fomos capazes e mais rápido do que jamais conseguiríamos.

06 | **Há um interesse recente em alimentos orgânicos e remédios homeopáticos.** Subitamente, as pessoas estão preocupadas com os organismos geneticamente modificados, antibióticos e a outra infinidade de produtos químicos que estão tomando conta dos nossos alimentos.

07 | **Todos podem ter voz.** Antes, as informações transmitidas pelos meios de comunicação passavam pela curadoria de

alguns guardiões selecionados. Agora todos podem falar e compartilhar os seus pontos de vista. Para o bem ou para o mal, qualquer pessoa pode compartilhar o que pensa e, embora às vezes possa parecer frustrante, isso é crucial para reconhecer em que pé estamos enquanto coletividade.

08 | **As pessoas estão questionando o sistema e aprendendo a pensar por conta própria.** Embora algumas conversas sejam mais construtivas do que outras, estamos teorizando mais do que apenas aceitando as coisas como "verdade". Cada vez mais encaramos com ceticismo as principais estruturas sociais, e com razão.

09 | **Nossos relacionamentos estão sendo baseados na compatibilidade, não na obrigação.** Os dias de casamento e paternidade por "obrigação" estão contados. Agora, queremos parceiros de vida compatíveis, procriação com intenção e estruturas familiares felizes (não nucleares).

10 | **Estamos falando pública e honestamente sobre questões que costumavam ser ignoradas, como depressão, abuso sexual etc.** Estamos removendo lentamente a vergonha e o estigma em torno da doença mental e do abuso e nos tornando mais compreensivos com aqueles que precisam de ajuda, compartilhando, relacionando, ensinando e nos curando com eles.

11 | **Estamos fartos do modelo de emprego que temos.** Reconhecemos que trabalhar até morrer não contribui para uma vida boa, mas também percebemos que somos essencialmente escravos do capitalismo para a nossa sobrevivência. Embora o trabalho de meio expediente, o freelance e o equilíbrio entre a vida pessoal e profissional estejam se tornando assuntos cada vez mais populares, a estrutura geral permanece.

12 | **As pessoas estão se tornando mais intuitivas.** E mais empáticas, curiosas, informadas e tolerantes com aqueles que são diferentes delas.

13 | **Estamos reconhecendo o desequilíbrio da energia femi-nina.** Vemos como a feminilidade foi deliberadamente opri-mida na sociedade e a importância crucial que o equilíbrio perdido em todos os aspectos da vida (e da sociedade) tem.

14 | **Estamos rompendo com a binariedade de gênero.** Não es-tamos mais nos definindo simplesmente pelo que aparenta-mos ser: está se tornando cada vez mais aceitável descobrir com o que você se identifica em vez de apenas aceitar quem você parece ser por fora.

15 | **O impacto que causamos no clima nos preocupa cada vez mais.** Tratamos a Terra como uma coisa, não como uma en-tidade viva.

16 | **Estamos lidando com os efeitos de emoções reprimidas há muito tempo.** Nos últimos cinco anos ou mais, você prova-velmente teve um amigo ou membro da família que passou por mudanças radicais e intensas na vida e nele mesmo — se é que você mesmo não passou! Nós não nos deparamos com tempos difíceis e os superamos, mas passamos por esses mo-mentos e despertamos para algo mais profundo.

77

POR QUE
valorizamos
TANTO O NOSSO
SOFRIMENTO?

O sofrimento é um mal necessário.

Mas sua inevitabilidade não é resultado de ser algo que devamos processar naturalmente com o tempo. Não é algo no qual assumimos um papel passivo. É resultado de uma falha em nosso crescimento. É um catalisador para nos indicar que há mais a ser feito. Isso quer dizer que nós o controlamos. Nós o cultivamos e o experimentamos porque assim permitimos. Ou melhor, permitimos que as nossas partes não curadas controlem todo o resto. Se permanecermos alheios a isso — e ao fato de sua origem e, portanto, sua solução, ser externa —, passamos a acreditar que o merecemos.

Qualquer um de nós é capaz de se lembrar de ocasiões em que, devido a uma onda de preocupação e paranoia infundadas, arruinamos desnecessariamente um dia que estava indo bem. Começamos a nos forçar a entrar em pânico quase que por necessidade. Se não houver nada, preencha com alguma coisa — algo que mereçamos.

No entanto, de onde vem essa suposição? Geralmente tem muito a ver com emoções reprimidas. Acumulamos esses sentimentos que não aceitamos ou com os quais não lidamos e eles se tornam a base sobre a qual acumulamos as nossas crenças a respeito de nós mesmos. Quando nos apegamos a uma ideia do que é "errado" e nos deixamos ser condicionados por ela (um amigo extravasando é uma projeção externa daquilo com que ele está lidando; uma oportunidade fracassada geralmente abre caminho para outra mais adequada), ficamos condicionados pela ideia de

101 REFLEXÕES QUE VÃO MUDAR SUA FORMA DE PENSAR | 305

que não somos bons o bastante. A solução é se dar conta de que fazemos isso conosco.

Vivemos presos nas estruturas mentais que deixamos as circunstâncias externas construírem, porque nunca percebemos nossa capacidade de derrubá-las. Quando estamos em uma situação que ativa alguma dessas lembranças e incorre em um problema não curado e não resolvido, não paramos para vê-lo objetivamente; atacamos o que agravou o problema.

Nossa dor não pode ditar o nosso diálogo interno, e não podemos nos permitir pensamentos compulsivos e involuntários. Cada vez que fazemos isso, deixamos que a emoção se infiltre em nossa consciência e se transmute em nossa experiência atual. Projetamos o que era no que é.

Há um elemento de desidentificação que deve ocorrer. A compreensão de que o que está sendo experimentado não é uma questão do que está à mão, mas uma projeção subjetiva e temporária de tudo o que você acredita no momento — neste caso, que você deve sofrer.

Ironicamente, porém, o oposto da dor não é a alegria, mas a aceitação. Resistir apenas adiciona mais lenha à fogueira. Isso o leva de volta ao ponto em que estava quando a reprimiu, lá no início. Você não está desmontando a estrutura, mas fortalecendo-a. Você permite que isso aconteça ao lutar contra ela.

Para nós, é difícil crer que merecemos a felicidade e, por isso, sempre saímos do nosso caminho para atrair e infligir a dor. Essa dicotomia é natural e humana, mas há algo a ser dito para transcendê-la. Se você quiser acreditar que isso é impossível, só continuará a sofrer. Se você quiser continuar acreditando que esse sofrimento o torna mais humano, então que seja — mas a realidade é que o que nos torna humanos não é o que nos destrói, mas aquilo com que nos construímos.

Como disse Marco Aurélio: "Escolha não ser prejudicado e não se sentirá prejudicado. Não se sinta prejudicado, e não será."

O QUE VOCÊ ENCONTRA
na SOLIDÃO

A solidão é apenas uma ideia.

É a implicação de que você está sempre desconectado das pessoas ao seu redor. É o que acontece quando você depende da interação para se compreender e ficar bem consigo mesmo.

Porque a interação tem menos a ver com a forma como as outras pessoas o tratam e mais com o modo como você se percebe com base nesse tratamento. Não diz respeito a quantas pessoas estão realmente à nossa volta ou nos dando amor, mas sim o que esse amor significa para nós e como altera a nossa mentalidade em relação ao que estejamos fazendo ou no que estejamos focalizando. Companheirismo parece o reforço da unidade e da conectividade, mas também é a ideia de que você não apenas precisa da presença de outra pessoa, como também da aprovação e da aceitação dela.

Você pode estar muito só em uma sala lotada e se sentir mais conectado em completa solidão.

Só podemos ser "solitários" porque somos seres separados, ou por termos consciência de que somos seres separados. Basicamente, você está tão sozinho quanto pensa estar.

Superar a ideia de que a solidão é solitária é importante porque há algo fenomenalmente estranho e evasivo que encontramos nesse tipo de sagrada ociosidade. Quando você para de trabalhar e começa a ser. Quando você para de se definir pelos papéis que desempenha para outras pessoas — e para você mesmo. Você para de se ver no contexto de uma sociedade. Você para de se julgar por comparações. Você começa a refletir a sua maneira de pensar por meio do que seria aceitável para os outros. Você não só começa a se ouvir falar, mas percebe que é uma pessoa, ouvindo uma mente.

E você começa a se comunicar consigo mesmo de maneiras muito mais profundas, mais compreensíveis do que a linguagem permite. Como disse Huxley: "Apesar da linguagem, apesar da inteligência, da intuição e da simpatia, nunca se pode realmente comunicar nada a ninguém. A substância essencial de cada pensamento e sentimento permanece incomunicável, trancada na fortaleza impenetrável da alma e do corpo individual. Nossa vida é uma sentença de perpétuo confinamento solitário."

Mas isso não é ruim.

Isso mostra quem você é porque não está mais sendo outra pessoa para outra pessoa. Você é apenas para si mesmo. Você para de se comportar para se ajustar a um padrão e começa a agir em prol da sobrevivência, de estar vivo, de ser humano. Você não percebe quanto de sua vida diária e quantas de suas ações rotineiras são planejadas exclusivamente para serem "aceitáveis" para o mundo ao seu redor. Não percebe quanto essas ações que não são baseadas na autenticidade podem desconectá-lo de si mesmo.

A solidão é a prática mais importante de todas. Ela o fundamenta no que é e o ajuda a escapar do que você acha que deveria ser. É irritante e libertadora exatamente por isso: deixa você sozinho para ver quem você é e o que faz; mais importante, deixa você sozinho para ver a verdadeira essência do que é ser uma pessoa, o que é bom, o que é mau, o que é absolutamente estranho e feio. Não lhe deixa escolha a não ser contemplar o quadro geral, o raciocínio subjacente, a maneira como as coisas são.

A única vez que enxergamos toda a estrutura com clareza é quando nos afastamos dela.

COMO CRIAR UMA GERAÇÃO DE JOVENS *sem* PROBLEMAS DE ANSIEDADE

Muitas pessoas não se consideram obcecadas por controlar as próprias emoções porque não pensam conscientemente a respeito dos próprios sentimentos. Em vez disso, pensam em todo o resto de que precisam para estarem "certas" e não terem que sentir nada.

Elas trazem para a vida os seus piores pesadelos. Não param de se preocupar com quanto dinheiro precisam ganhar para serem "bem-sucedidas", quanta comida precisam deixar de comer para manter o peso, as minúcias de como as outras pessoas reagem a elas para que possam se comportar de maneira que as façam parecer simpáticas. Elas pensam em sua presença nas redes sociais, se algo é ou não é "certo", o quanto a casa delas é legal.

Elas usam o medo para se obrigarem a serem "boas".

Como diria qualquer pessoa que lute contra emoções intensas ou irracionais, a raiz da maior parte da ansiedade e do pânico é o medo de sentir ansiedade e pânico.

Negamos os nossos sentimentos não nos recusando a senti-los, mas recorrendo a outros subterfúgios para tentar evitá-los. Quando ficamos obcecados em tentar controlar os resultados, reduzir os riscos e garantir que não experimentemos nada de "ruim", não vivemos a vida por completo. Somos eus fragmentados, expressando apenas as partes com as quais nos sentimos momentaneamente confortáveis.

Não controlamos as coisas físicas na vida quando não podemos controlar as nossas emoções; controlamos as coisas físicas na vida para controlar as nossas emoções. Achamos que, se encontrarmos uma "alma gêmea", não ficaremos desiludidos; se formos atraentes, seremos respeitados; se outras pessoas pensarem em nós com carinho, também sempre pensaremos em nós dessa maneira.

Essa dissociação emocional começa na infância, como produto da punição por sentimentos "ruins". As crianças não sabem como autorregular as suas emoções. Elas não as entendem e, assim como não entendem como o próprio corpo funciona, ou o que significa ter boas maneiras à mesa de jantar, ou como tratar os outros com respeito, elas devem ser ensinadas, embora muitas vezes não sejam.

Em vez disso, as crianças aprendem que serão punidas caso expressem as suas emoções e, assim, começa o ciclo de repressão. Elas aprendem que seus pais as amarão mais quando forem "boas" e bloqueiam as partes de si mesmas que temem ser inaceitáveis.

Na verdade, elas estão respondendo a uma carência de se sentirem amadas. Estão programadas para buscar o amor dos pais. Se esse amor não for dado naturalmente, elas tentarão manipular o modo como os pais as veem para criar esse sentimento. Infelizmente, elas se desassociam de uma parte crucial de si mesmas nesse processo.

E é assim que elas evoluem para adultos críticos, ansiosos e em pânico que não conseguem lidar bem com relacionamentos. É assim que aprendem que é crucial controlar tudo ao redor: se não desencadearem um sentimento, não precisarão lidar com ele.

Criaremos indivíduos que não lutam contra a ansiedade sendo adultos que a aceitam. Devemos ser a voz da razão que essas crianças ainda não têm. As vozes que ouvem de nós — especialmente em seus momentos mais assustadores e vulneráveis — algum dia se tornarão as vozes na mente delas. A maneira como criamos adultos que não lutam contra a ansiedade é sendo adultos amorosos, gentis e não críticos. As crianças não fazem o que mandamos, e sim o que fazemos. Se quisermos que o mundo mude, precisamos mudar a nós mesmos. Se quisermos inspirá-las a lidar com os seus sentimentos, devemos aprender a lidar com os nossos.

E, agora, temos o privilégio único de aprender a fazer isso. Sem a inteligência emocional para lidar com a ansiedade, temos a oportunidade de crescer conscientemente para compreendê-la. Temos o potencial de dar aos nossos filhos, nossos netos e bisnetos o dom do autoconhecimento, mas isso só pode acontecer se o dermos primeiramente a nós mesmos. (Não é sempre assim?)

GUIA DA INTELIGÊNCIA EMOCIONAL
para idiotas:
POR QUE PRECISAMOS DA DOR

O prazer não pode curar a dor. Esse é um dos maiores equívocos psicológicos que existem. O prazer não pode curar a dor porque ambos existem em extremos opostos do mesmo espectro. Biologicamente, tanto as nossas respostas de prazer quanto as de dor estão sediadas na mesma parte do cérebro. A "química do prazer" que nos traz alegria também está envolvida na resposta à dor. Alan Watts diz que esse é o preço que pagamos por aumentarmos a nossa consciência. Simplesmente, não podemos ser mais sensíveis a uma emoção e não experimentarmos as demais no mesmo grau.

Sabe aquele ditado que diz que se você não tiver dias chuvosos não será capaz de apreciar os dias ensolarados? A verdade é que se você não tivesse dias chuvosos, os dias ensolarados não existiriam. Isso se chama dualidade. Vivemos na dualidade. Existimos devido à dualidade. Isso soa como uma palavra da moda, mas é algo muito importante a ser entendido. Nosso corpo existe na dualidade: nossos pulmões, coração, gônadas, todos funcionam porque têm uma metade oposta e igual. O mesmo se aplica à natureza: ela se sustenta através de um ciclo de criação e destruição, assim como a vida humana. É importante entender que não somos separados da anatomia do universo. Não há bem sem mal, alto sem baixo, vida sem dor. O problema não é a presença da dor. É a incapacidade de perceber o seu propósito.

Acreditamos que "felicidade" é se sentir sempre "bem". É por causa dessa crença que não somos felizes. Pessoas felizes não são aquelas que "se sentem bem" o tempo todo; são pessoas capazes de serem guiadas por suas emoções negativas, em vez de ficarem paralisadas por elas.

A felicidade não tem a ver com "a forma como você se sente bem", mas por que você se sente assim. Uma vida construída sobre um significado e um propósito é boa, mas também é uma vida baseada na ganância e no egoísmo. No entanto, uma é melhor do que a outra. Por quê? Porque ganância e egoísmo são traços essenciais de alguém que procura um "barato" para eliminar a dor. Trabalho ou ideologias orientados por significado e propósito são características de pessoas que aceitaram a sua dor e escolheram trabalhar com — e não contra — ela. A primeira é destrutiva e insatisfatória. A segunda é mais difícil, mas vale a pena.

Nossa dor nos serve. É uma força orientadora crucial. O sofrimento começa a aumentar quando não a ouvimos. Imagine o que acontece quando você coloca a sua mão sobre uma boca de fogão acesa. Você sente dor porque seu corpo está sinalizando que você deve mover a mão antes que ela se desintegre. Nossa vida emocional não é diferente, exceto pelo fato de compreendermos a consequência de ficarmos com a mão no fogão. Ainda não entendemos para onde a nossa dor emocional está nos guiando.

Vemos a dor como algo oposto ao nosso bem-estar, e não como um componente-chave para criá-lo.

A primeira coisa necessária para se consertar isso é entender que, inerentemente, não queremos evitar a dor. Na verdade, muito do que pensamos que queremos não é o que queremos. (Algumas das pessoas mais emocionalmente vazias e insatisfeitas são aquelas que idolatramos por serem ricas ou "bem-sucedidas".)

Em seguida, devemos mudar o nosso objetivo de querer transcender a dor pelo de buscar um pH emocional mais neutro. Alguns chamam isso de "mudança de linha de base". Normalmente evitamos o trabalho de ajustar a nossa receptividade mental/emocional porque isso elimina a possibilidade de atingirmos o "eu" externo. Achamos que estamos desistindo dos sonhos e esperanças que presumíamos que nos fariam nos sentir incríveis. Na realidade, estamos só renunciando à ilusão de que essas coisas nos trarão uma felicidade sustentada em vez de uma mudança na percepção — e é isso que acontecerá.

Para facilitar, chamamos isso de paz: quando nem o desejo pelo alto nem a supressão do baixo estão presentes. Quando você muda a sua linha de base de "sobreviver" para "prosperar" e se separa dos resultados, pode aproveitar o que cada dia lhe trouxer.

Após abandonar a correria sem fim em busca de uma felicidade elusiva, você perceberá que não estava correndo em direção a algo melhor, e sim que estava apenas tentando fugir de si mesmo. Você também perceberá que foi apenas por causa da dor que foi capaz de entender isso. Sua dor delineou o caminho e o guiou até esse entendimento o tempo todo.

81

TODO
RELACIONAMENTO
que você tem
É COM VOCÊ MESMO

É interessante que os seres humanos sejam a única espécie (conhecida) cujos indivíduos falam consigo mesmos, mas é ainda mais interessante considerar que sejam a única espécie cujos indivíduos falam consigo mesmos através de outras pessoas.

Ou seja: nossa percepção da mentalidade de outras pessoas dita em grande parte como nos vemos.

O que nos une no amor, no companheirismo, na amizade? A familiaridade. A sensação de que vocês se entendem em um nível visceral. É ser capaz de se ver em outra pessoa e, mais importante, ser capaz de mudar a sua narrativa interior quando você sabe, vê e sente que outra pessoa o ama, aceita e aprova, não importando o que aconteça. Portanto: você pode fazer o mesmo. (Tenho certeza que é um mecanismo de sobrevivência.)

Os relacionamentos mais significativos tendem a ser aqueles nos quais somos completamente refletidos de volta para nós mesmos, porque é para isto que os relacionamentos servem: para nos abrir. Reconhecemos isso apenas em relacionamentos grandes, opressores, geralmente comoventes, mas é assim que funciona em todos os relacionamentos. E é o ponto crucial de nossos problemas além da sobrevivência básica: como estamos em relação às outras pessoas. Como estamos em relação a nós mesmos.

Os relacionamentos nos quais tendemos a ser mais felizes são aqueles nos quais adotamos a suposta narrativa de outra pessoa — o que pensamos que ela pensa ao nosso respeito.

Sentimo-nos mais amados quando nos sentimos compreendidos, quando percebemos que outra pessoa está pensando de acordo com o que precisamos ouvir e acreditar. Sentimo-nos muito amados quando pensamos que alguém tem consideração por nós — seus esforços e demonstrações de afeto servem para provar isso.

Não é qualquer um que pode nos afirmar que estamos bem, apenas as pessoas a quem atribuímos significado. Alguém com quem já sentimos uma conexão física ou psicológica. Alguém que vejamos como parceiro, alguém que seja como nós, alguém que nos compreenda.

É por isso que "amar a si mesmo primeiro" é o mais comum, o mais confuso e, ainda assim, o conselho mais profundamente sólido que alguém poderia lhe dar. Porque não se trata só de sentir amor por si mesmo; é também ser capaz de se sentir estável o suficiente para que a sua mentalidade não descanse na narrativa de um suposto outro.

É por isso que as coisas doem tanto quando nos identificamos com elas. Todo ódio é ódio a si mesmo. É por isso que nos desiludimos. Não podemos perder pessoas; só podemos nos perder na ideia que fazemos delas. Decidimos como nos sentimos sobre nós mesmos através delas — para o bem e para o mal —, então, quando percebemos que elas deixam de nos amar para amar outra pessoa, nossa própria estabilidade também vai embora.

A coisa mais libertadora que você pode fazer é perceber que todos formamos um coletivo e que cada fragmento de uma luz maior refrata um no outro de modo a revelar o que você precisa ver e entender, mas a luz é sempre sua. Cada relacionamento que você tem é consigo mesmo. Cada relacionamento que o faz sentir como se estivesse voltando para "casa" na verdade é uma volta para você mesmo.

Quem você encontra no fim da jornada é sempre você mesmo. Quanto mais cedo você enfrentar a si mesmo, menos precisará de outras pessoas para preencher os vazios. (Você não pode espremer alguém dentro de sua bagunça e esperar que isso a arrume.) Quanto mais cedo você enfrentar a si mesmo, mais cedo as ações de outras pessoas não o afetarão negativamente — sua mentalidade não dependerá delas. Você não dependerá delas. Relacionamentos não servem para lhe trazer felicidade perpétua e eterna. Servem para torná-lo mais consciente. Quanto mais cedo você perceber que essa consciência é sua, mais fácil será o resto.

15 MANEIRAS RÁPIDAS
de aprofundar o seu
RELACIONAMENTO
COM QUALQUER PESSOA

01 | Passe um domingo com ela. Não uma noite de sábado, quando tudo é movimentado, barulhento e socialmente perfeito. Escolha uma manhã de domingo, quando ambos estiverem cansados e de ressaca e sem planos para o dia. Tomem café da manhã juntos e não ajeite o cabelo. Experimentem um ao outro sem a necessidade de se entreterem.

02 | Fiquem confortavelmente em silêncio. Façam uma longa viagem e se deixem levar por momentos de silêncio à medida que estes ocorrem naturalmente. Existir no silêncio de alguém é existir na parte mais íntima de sua vida.

03 | Ligue para ela quando você não estiver bem. Cobre a promessa que ela lhe fez de estar ao seu lado, não importando o quê. Diga-lhe a verdade. Deixe que ela o conforte e console. Diga-lhe que você estará ao seu lado quando ela precisar. Mantenha-se fiel a essa promessa.

04 | Abra espaço para ela. Ouça tudo o que ela tem a dizer. Sem antecipar a sua resposta, sem verificar o seu telefone, sem olhares errantes. Dedique toda a sua energia a ela. Não há nada mais precioso, sagrado e raro.

05 | Fale sobre ideias. No que você acredita. O que você teoriza sobre a existência ou o que o destino pode ter reservado para você nos próximos cinco anos. Vá além de discutir pessoas, eventos e queixas mesquinhas do dia a dia.

06 | Leiam os livros favoritos um do outro. Troquem os seus exemplares pessoais — aqueles que têm trechos destacados e marcados, nos quais a encadernação está quase totalmente solta por ter sido tão folheado. Compartilhe com ela algo que abriu o seu coração e alimentou a sua mente.

07 | Criem algo juntos. Comecem um pequeno negócio, trabalhem em uma história ou façam pinturas para se divertir. Façam uma viagem de trabalho, construam uma mesinha de centro ou redecorem suas respectivas cozinhas. Façam algo em que vocês se unam por uma causa maior.

08 | Preste atenção nas pequenas coisas. Observe o que a incomoda, qual é o seu sabor favorito de sorvete. Saiba qual é o seu pedido favorito no Taco Bell e a surpreenda. Nem todo mundo presta atenção nos detalhes com naturalidade, então faça disso uma intenção. As pessoas gostam mais desse cuidado do que você imagina.

09 | Frequente com ela as suas respectivas práticas religiosas ou espirituais. Para entendê-la melhor, vá ao culto da igreja dela em um domingo, mostre-lhe como você medita ou pergunte no que ela acredita, e por quê. Deixe que ela seja o seu guia em algo que você não saberia de outra forma. Há algo extraordinário em aprender sobre a cultura, o dogma ou o estilo de vida de outra pessoa, em praticar o que significa coexistir com amor.

10 | Planeje uma viagem curta. Não precisa ser uma viagem cara ou elaborada. Explorem uma cidade vizinha por um dia ou façam uma caminhada. Planeje com antecedência para que tenham algo pelo que esperar.

11 | Integre-a em seus outros círculos sociais. Reúna os amigos dela para uma noite para tomar vinho, não importando quanto você esteja convencido de que não terão nada em comum. Há algo muito íntimo e especial em reunir todas as partes separadas de suas vidas em um só lugar.

12 | **Esteja sempre presente.** Em seus chás de bebê, exposições de arte, formaturas e dias de mudança. Não porque é isso o que "bons amigos, namorados e namoradas fazem", mas porque é isso que você faz quando se preocupa com a felicidade de outra pessoa tanto quanto com a sua.

13 | **Planeje as suas conversas íntimas.** Quanto mais você envelhece, mais inconveniente se torna conversar até às três da manhã (há trabalho a fazer, comidas a comprar e pais para quem ligar). Portanto, se necessário, planeje com antecedência. Programe uma festa do pijama e mantenha o dia seguinte em aberto para que você possa ficar acordada até tarde de modo a reviver os seus dias de glória no ensino médio.

14 | **Conversem sobre as suas famílias e como foi crescer.** Uma coisa é encontrar parentes de seu amigo, namorado ou namorada. Outra bem diferente é ouvir toda a história, a realidade, a imagem imperfeita daquilo que a outra pessoa vivenciou. Isso não é um chamado para lavar a roupa suja desnecessariamente, mas para que você entenda que não conhecerá alguém até compreender a verdade sobre aqueles que formam sua base.

15 | **Não tenha filtros.** Não meça as suas palavras, não adapte as suas opiniões nem exiba apenas um lado seu que você considere "aceitável". Afinal, se a outra pessoa não quiser você por inteiro, a verdade de quem você é, ela não é adequada para você. E o mais importante: as pessoas pressentem a sinceridade e, subconscientemente, a tomam como uma dica de que também são livres para serem quem realmente são.

83

PERMITA-SE
SER MAIS FELIZ
do que você acha
QUE MERECE

Se todas as coisas grandiosas são feitas por uma série de pequenas coisas reunidas, então vidas grandiosas são criadas por uma série de pequenos momentos, a maioria dos quais perdemos porque estamos escrevendo a sinopse em vez dos parágrafos dos capítulos.

É como se vivêssemos para escrever os nossos discursos fúnebres. Obtemos diplomas, cônjuges, desejamos histórias e destinos que façam sentido e fluam bem e, no fim das contas, escrevemos histórias lindas e admiráveis, mas apenas aquelas que contaremos para nós mesmos. Na verdade, só somos lembrados por quem éramos, quem amamos e como vivemos de momento a momento. O resto — as coisas grandes, abrangentes e marcantes — não importa, e talvez nunca tenha importado.

Perdemos os momentos porque estamos distraídos. Distraídos pela pessoa que procuramos na multidão, com medo de que ela esteja lá, mesmo quando estiver a horas ou a muitos quilômetros de distância. Por alguém que está sempre em nossa mente quando estamos escrevendo, criando, escolhendo, viajando de trem ou dormindo — e nos comportamos como se essa pessoa estivesse conosco e narramos a nossa vida a partir do que ela diria, sentiria e pensaria caso estivesse conosco, embora tenhamos consciência de que nunca o saberemos.

Sempre há uma tarefa assustadora, sempre há uma lista de afazeres que não inclui nada do que realmente queremos fazer. Não pelo trabalho, não pelo crédito, não por responsabilidade, mas apenas porque queremos ser felizes. Sempre há mais uma promoção, mais um movimento, mais um grande amor para encontrar antes que possamos ser felizes.

Mas não somos. Nós não escolhemos isso. Não achamos que merecemos. Continuamos procurando, narrando e vivendo como se tivéssemos um amanhã para viver todas essas grandes fantasias e promessas para nós mesmos, quando a realidade é que, a menos que paremos com isso hoje, viveremos para sempre na promessa do amanhã. Isso são devaneios. São visões, esperanças e problemas que não existem. No momento em que você começar a pensar no passado ou no futuro, perceba que isso é apenas um pensamento de uma coisa, um pensamento que está acontecendo em um agora. Um agora que estamos perdendo.

O amanhã não nos muda. Nossos trabalhos não nos mudam. Nem os nossos relacionamentos. Nossos problemas mudam conforme as coisas em nossa vida mudam. Os problemas que temos são reflexos do que há de errado conosco, as pessoas que odiamos são reflexos de nossas inseguranças. Não importa o que aconteça, temos os mesmos problemas e odiamos as mesmas pessoas pelos mesmos motivos, e nunca paramos para perceber que não são elas que odiamos, e sim as partes de nós mesmos que elas nos obrigam a reconhecer.

Você precisa parar de viver em função de como os outros se lembrarão de você. Pare de viver contando para si mesmo a história que você acha que as outras pessoas gostariam de ler. Porque é vazio e rouba de você aquilo que você mais busca. O mais importante é que você faça aquilo que o faz feliz — e que entenda que a sua felicidade é uma escolha de sua exclusiva responsabilidade. Não é um dia, um trabalho, um relacionamento ou uma mudança, é agora. O único trabalho a ser feito é remover os bloqueios que o impedem de vivê-la. A única mudança que precisa acontecer é em você mesmo.

Os incontáveis milhões de pequenos momentos são o que importa. Não se trata de ter um emprego, mas de ter uma vida que você queira viver. Não se trata de ter um diploma, mas das noites em que você finalmente sentiu o oposto da solidão. Não se trata de ter um relacionamento, mas de estar em um. E não se trata de viver uma vida que outras pessoas possam resumir confortavelmente, mas de ter uma vida na qual esses milhões de momentos se constroem e corroboram uns com os outros — e você os segue — e criam mais. Você não está aqui para ouvir histórias e elegias a seu respeito — você só está aqui para conhecê-las agora.

COMO PENSAR
por si mesmo:
UM GUIA DE 8 ETAPAS

A maioria dos pensamentos que você tem em um dia não são únicos nem autogerados. Nossa mente é como um programa de computador: ela procura, repete e acredita naquilo que lhe é dito.

Poucas pessoas reconhecem quão profundamente os seus pensamentos estão condicionados e, portanto, presumem que seus pensamentos e sentimentos subsequentes fazem parte daquilo que elas são (e, por isso, os defendem de maneira apaixonada). Aprender a pensar por si mesmo é algo que você deve escolher conscientemente, e pouquíssimas pessoas fazem isso. A seguir, algumas etapas para guiá-lo, supondo que você esmiúce uma ideia (ou opinião) de cada vez:

01 | Decifre a origem da opinião. Lembre-se da primeira vez que você a ouviu.

Por exemplo, se quando você estava na segunda série ouviu um de seus pais dizer que qualquer pessoa que não seja antiaborto é um assassino, você talvez tenha tido uma reação muito forte a isso, já que devia ter por volta de sete anos de idade. Descobrir a origem de seus pensamentos, ideias e crenças mostra quantas vezes elas não são realizações ou descobertas suas, e sim uma imposição de outra pessoa.

02 | Determine se a sua evidência é baseada na emoção ou na razão.

Quais são os argumentos que apoiam a sua ideia ou opinião? Caso sejam baseados na emoção, esses sentimentos são seus ou de outra pessoa? Se não for nenhum dos casos, quais são os fatos que sustentam a sua crença?

03 | Pergunte a si mesmo a quem a opinião beneficia.

A alguém (ou a alguma coisa), a você ou ao bem geral da humanidade?

04 | Considere que ideias opostas podem ser válidas.

Esta é provavelmente a parte mais crucial, mas pouquíssimas pessoas conseguem considerar e discutir ideias opostas sem ficar completamente furiosas. (É o que acontece quando nos identificamos com os nossos pensamentos de forma muito profunda.) Independentemente disso, pare e, sem julgar, tente entender a lógica, a razão ou o medo de opiniões contrárias.

05 | Reconheça por que você se sente assim.

A menos que você seja um especialista treinado para isso, quaisquer emoções fortes que acompanhem a sua opinião sobre um assunto são estritamente pessoais (e, portanto, o impedem de ser objetivo e realista). Levaria anos e uma quantidade extraordinária de pesquisa (em um nível que renderia um doutorado) até estarmos em posição de entendermos de fato um assunto controverso bem o bastante para termos um sentimento forte a respeito desse assunto.

06 | Pesquise.

Se você é tão apaixonado por uma ideia em particular quanto afirma, pesquise e certifique-se de que essa ideia não seja infundada. Então, siga jornais de boa reputação, fontes de notícias imparciais e centros de pesquisa para se manter atualizado com o que está sendo descoberto e discutido no mundo.

07 | Pergunte a si mesmo qual seria o resultado se todos no mundo pensassem como você.

É a melhor maneira de determinar se uma ideia beneficia apenas o seu ego.

08 | Visualize seu eu mais atualizado: o que ele pensaria além disso?

Imaginar o que o seu melhor eu diria a respeito de um problema é uma boa maneira de determinar em qual direção você deve mudar a sua mentalidade.

85

A RAZÃO MUITO IMPORTANTE
pela qual escolhemos
AMAR PESSOAS
que não podem
RETRIBUIR ESSE AMOR

O propósito de um relacionamento não é ser amado de forma perfeita ou para sempre. Não é ter todos os nossos caprichos e desejos atendidos e satisfeitos. Não é para nos sentirmos completos, ou termos o nosso coração e a nossa mente alimentados pela chuva de hormônios que pensamos ser o sentimento de amor. O propósito de um relacionamento não é a maneira em que o universo diz: "Você é digno e eis aqui alguém para provar isso."

O objetivo de um relacionamento é nos vermos por completo. Vermos partes de nós mesmos das quais, de outra forma, não teríamos consciência. O propósito de um relacionamento é nos enfurecer, nos alegrar e nos destruir, para que possamos ver o que nos irrita, o que nos emociona e onde precisamos nos dar amor. O propósito de um relacionamento não é nos consertar, nos curar ou nos tornar completos e felizes; é nos mostrar onde precisamos nos consertar e quais partes de nós ainda estão quebradas. E, talvez, a mais brutal de todas as constatações: a de que ninguém pode fazer esse trabalho, ou nos fazer felizes, a não ser nós mesmos.

Escolhemos amar quem não pode nos amar de volta para ensinar a nós mesmos que somos, de fato, dignos de sermos amados. Escolhemos essas pessoas porque elas representam as partes de nós que não amamos — por que outro motivo perderíamos o nosso tempo com quem não retribui o nosso afeto? Escolhemos amar essas pessoas porque elas são as únicas com quem compartilhamos uma conexão íntima o bastante para despertar e iluminar os cantos mais sombrios de nós mesmos, e são as únicas que podem partir e nos deixar fazer o que devemos, ou seja: resolver, atualizar e curá--las em nós mesmos.

As pessoas não lutam contra a natureza do amor, e sim contra aquilo que ele foi projetado para fazer. A maior parte de nossa confusão vem simplesmente de nunca terem nos ensinado que o amor continuará partindo o nosso coração até que ele se abra, e que continuaremos a nos jogar nele de cabeça.

Nossos parceiros de vida são as pessoas que vêm após o amor que nos abre. Nossos grandes amores são os amores que surgem depois que pensamos que já os perdemos. Eles vêm quando estivermos prontos, depois de limparmos os estragos e os escombros, só depois de aprendermos o que significa amar a nós mesmos. É assim que percebemos que amar é compartilhar o que já temos e não depender de outra pessoa para nos dar algo para nos complementar. É assim que percebemos quão crucial era amar as pessoas que não podiam nos amar de volta. Elas não foram feitas para tanto, e o resto depende apenas de quanto tempo levaremos para perceber isso.

86

NEM TODO MUNDO
O AMARÁ
da maneira que você
COMPREENDE

Grande parte da tensão que se transforma em atrito e muito do atrito que cria as fissuras que surgem em nossos relacionamentos têm a ver com as maneiras como percebemos o amor, como o esperamos e como o amor que pensamos merecer ou não corresponde ao que recebemos e, muitas vezes, damos.

Para muita gente, não se trata de estarem ou não apaixonadas por alguém, e sim das nuances que acompanham o fato de estarem apaixonadas. É como elas se apaixonam por essas pessoas. É a gota de incerteza que nos diz que não deveríamos ter aquilo. A noção de que são muito jovens. Que uma pessoa sem determinados problemas poderia aparecer e ser melhor do a que temos agora. Que existe algo melhor lá fora. O ex que é mais conveniente, a distância, o medo do compromisso. O momento, as distrações, o impulso de tentar outra coisa.

E cada um de nós pode admitir saber o que é transitar através dessas noções, preso entre amar alguém e querer escolher outra coisa.

O problema é que raramente percebemos que o coração não é algo que se usa uma única vez. Você não pode colocar alguém nele e esperar que isso cure as suas cicatrizes. Precisa perceber que, frequentemente, a luta é ir embora, mesmo que os amemos, e lutar, mesmo que os amemos, e errar com eles, mesmo que os amemos; e não é porque não os amemos o suficiente, mas por que todas essas coisas podem coexistir dentro de nós, e a presença de um amor não faz com que outro vá embora — mas também não cura a dor pela raiz. Pode apenas mascará-la um pouco.

Podemos esperar que o nosso coração seja capaz de conter mais de uma coisa, mais de uma pessoa, mais de um sentimento — mas não podemos esperar que todos coexistam perfeitamente. O amor cresce e o faz crescer de dentro para fora. Ele o expande, mas a expansão não elimina tudo o que estava ali anteriormente.

Portanto, ele nem sempre tem a aparência que achamos que deveria ter. Há espaços e profundezas ocultas dentro de nós, e o amor às vezes ecoa de maneira diferente ao passar por essas reentrâncias.

Algumas pessoas amam silenciosamente. Algumas amam sem nunca perceberem que estão amando — o amor nem parece amor. É mascarado pelo medo, forçado à remissão e executado em acessos de raiva e decepção. Às vezes, é não ser capaz de olhar para alguém depois que essa pessoa foi embora, às vezes, é não ser capaz de parar e, na maioria das vezes, é não ser capaz de dizer isso para essa pessoa. Às vezes, se manifesta como punição, como pais que tentam nos forçar a lhes obedecer, sem perceber que você não pode obrigar as pessoas a mudarem. Que a sua expressão de raiva é um mecanismo de seu ego, não de seu amor. Não somos inerentemente completos quando encontramos outra pessoa que se encaixe em nós. Ninguém pode fazer isso por nós. Precisamos preencher esses espaços por conta própria.

Então, às vezes, isso é mal interpretado. Mas o conforto está em saber que não é aquilo que mal entendemos sobre o amor, mas como deixamos o mal-entendido nos abrir e nos expandir. Você permite que o amor, e todas as formas tortuosas como ele se transforma e se camufla, o forcem a transformar a si mesmo e à sua vida por necessidade. Você finalmente percebe que foi o amor que o criou, não a dor, que é o subproduto do amor perdido. E não foi o amor que alguém não deu; era o amor que você precisava encontrar em si mesmo.

O que importa é que deixemos o amor fazer o que deve: dar-nos mais, mesmo — e talvez especialmente — quando isso significar precisarmos tomá-lo por conta própria. Às vezes, escolhemos pessoas para nos mostrar as partes ocultas de nós mesmos. Às vezes, escolhemos pessoas que sabemos que nos magoarão. Às vezes, é a única maneira de conhecermos o nosso ser interior e, embora não o entendamos, muitas vezes é a maneira mais honesta e bonita de também nos amarmos.

COMO DOMAR
os seus demônios
INTERIORES

Eu pensava que domar demônios interiores era uma questão de transcendê-los. Eu acreditava que a noção corrosiva de "não é bom o suficiente" seria silenciada quando eu fosse capaz de ir além dos olhos de minha mente, porque, é claro, nossos demônios interiores não baseiam os seus casos na realidade.

Nossos demônios interiores nos atingem em nossos pontos fracos. Eles recitam para nós todas as coisas que tememos que as pessoas pensem que somos. Eles nos mantêm presos no lugar que outras pessoas veem como realidade, embora, é claro, essas percepções sejam extensões dessas pessoas, e essas sejam as nossas.

Pensei que elas iriam se dissolver assim que eu parasse de olhar para minha vida analiticamente e começasse a agir como a pessoa que vivencia os próprios pensamentos e sentimentos, não a pessoa que é meus pensamentos e sentimentos. Mas o que percebi é que cada parte de você deve trabalhar em conjunto. E assim que precisei fazer algo que exigisse pensamento e processamento, voltei à estaca zero.

Não é algo a ser superado ou desconsiderado. É apenas algo que precisa ser reconhecido, compreendido e, então, cultivado de maneira diferente. Porque a mentalidade é um cultivo e, para esse fim, é basicamente uma escolha. Podemos mudar isso. Se não o fizermos, permaneceremos ao sabor das ações de outras pessoas e de nossos próprios gremlins irracionais que não fazem nada além de nos impedir de viver o que sabemos ser a verdade. E quando essas duas forças colidem e interrompem uma à outra, nos encontramos no abismo da ansiedade e da depressão, porque algo está tentando sair de nós e outra coisa está impedindo que isso aconteça.

O antídoto aqui é a consciência. Assim que você percebe que o seu pensamento está vindo de um lugar de irracionalidade e medo, você dá um passo para silenciá-lo. Assim que você descobre que não precisa ouvir essa voz e que não é essa voz, não precisa mais ser controlado por ela.

Você começa a entender que ter dúvidas sobre si mesmo é humano. Que os medos irracionais também são. Não há nenhuma parte disso que seja anormal, estranha ou errada. É simplesmente natural. Mas se quisermos superar isso, precisamos ir além e começar a escolher. Escolher o que consumimos, como organizamos os nossos dias e a que dedicamos o nosso tempo. A que atribuímos valor e significado, e quanto.

Não precisamos operar pelo resto da vida em nossa configuração natural padrão. Quanto mais tempo permanecermos nos permitindo ser completamente dominados por todos os pensamentos depreciativos que passam por nossa mente, continuaremos a nos soterrar sob essas crenças, e elas se tornarão reais.

Porque não se trata de acreditar que um dia não teremos mais pensamentos críticos a respeito de nós mesmos. Não se trata de pensar que nunca nos importaremos com o que as outras pessoas pensam, mesmo que só um pouquinho. Esses aspectos da humanidade são universais, imutáveis e programados por um motivo. Mas essas razões pouco têm a ver com encontrarmos a felicidade. E precisamos fazer a escolha por nós mesmos. Nunca deixaremos de nos importar e nunca deixaremos de ouvi-las. É apenas uma questão de agirmos ou não baseados nelas.

POR QUE REJEITAMOS
o pensamento
POSITIVO

Uma grande razão pela qual as pessoas classificam a autoajuda ou a psicologia positiva como "bobagem" é porque parece impossível realizá-la. O pensamento positivo parece bastante simples, então por que temos tanta dificuldade para lidar com ele?

Bem, a resposta é simples, e não é: há muito preconceito subconsciente contra o pensamento positivo, e isso se acumula após longos períodos, reforçando as suas crenças negativas. Mudar para uma mentalidade mais positiva exige superar o primeiro período de descrença furiosa. A seguir, algumas outras razões pelas quais rejeitamos a positividade:

01 | Nós a consideramos uma ingenuidade.

Falsamente associamos "negatividade" a "profundidade" e, portanto, estarmos cientes do negativo (ou de estarmos sem entusiasmo, sem emoção ou passivo) também é ser "descolado". (É por isso que pensamos que os "garotos descolados" na escola não se importam muito com nada.)

02 | Constantemente reforçamos a nossa crença subconsciente no negativo.

A própria natureza da crença pessoal é "aquela que a experiência provou ser verdadeira para nós". Contudo, isso é impossível de se fazer quando estamos subconscientemente procurando evidências para apoiar as ideias negativas que estamos constantemente alimentando.

03 | Somos intrinsecamente fascinados pelo que há de negativo no mundo porque não entendemos o que é isso.

Por não compreendermos o propósito ou a razão da dor e da negatividade, as achamos misteriosas e, portanto, mais cruciais de serem atendidas. Ficamos fascinados com a intensidade de algo que não entendemos, de modo que acabamos alimentando-o cada vez mais, simplesmente prestando atenção naquilo.

A FILOSOFIA DA NÃO RESISTÊNCIA: A DIFERENÇA
entre
"SEGUIR A CORRENTE"
e se tornar
UM CAPACHO

O renascimento Zen ocidental, que teve início na década de 1950 (um movimento que muitos creditaram ter sido inspirado pelo trabalho de Alan Watts), foi uma manifestação que se alinhou precisamente com aquilo que os antigos ensinamentos esperavam e pretendiam para a humanidade: que os adotássemos em nosso estilo de vida. No entanto, a essência se perdeu no meio do caminho. Começamos a interpretar a espiritualidade a partir do ponto de vista do ego, mas ela não foi projetada para isso, e não percebemos que estamos fazendo isso porque é a única coisa que sabemos fazer.

Considere, por exemplo, o conceito de não resistência. Em nosso entendimento, esse é o processo de conscientemente abrir mão de expectativas e apego a resultados (que os taoistas afirmam ser a raiz de todo o sofrimento).

No entanto, não sabemos o que de fato significa não resistir, então consideramos isso uma espécie de "rendição do ego", na qual a nossa ideia de "deixar rolar" espirala em "controle periférico da vida, simplesmente permitindo o que quer que seja, não importando quão terrível seja!". É assim que nasce a percepção equivocada de que a espiritualidade é passiva e preguiçosa.

A forma como a não resistência deveria ser praticada seria alcançando um equilíbrio sutil entre o que você pode e não pode controlar em sua vida. Metaforicamente, seria navegar a favor da corrente, não contra ela. Não significa abrir mão de todo controle ou esforço, significa simplesmente exercê-lo com mais sabedoria.

Esta é uma forma exemplar de caracterizar a natureza do ego, mas, como ensina a tradição, o ego não é "mau" (esse é outro estereótipo ocidental). O ego serve a um propósito absolutamente crucial; é apenas uma questão de reconhecermos e nos rendermos a ele, em vez de ao medo e à falta de consciência. Nesse caso, é perceber que o caminho da não resistência não exige que nos rendamos completamente a "seja lá o que" aconteça na vida. Em vez disso, é ter discernimento sobre como exercemos controle e perceber o fato de que a "corrente" é mais poderosa do que nós. Tanto podemos enfrentar uma luta que sempre perderemos ou nos deixarmos levar.

VOCÊ PRECISA SER GENTIL CONSIGO MESMO
até quando parece QUE NÃO MERECE

Acreditamos que sermos cruel conosco é uma tática de autopreservação. Destacamos as nossas falhas porque somos sobreviventes por natureza. Queremos sempre estar atentos ao que outras pessoas podem considerar indigno e insuficiente. Então, removemos todos os defeitos que alguém possa identificar e usar contra nós. Mas isso não nos torna mais fortes. Não impede que alguém faça isso simplesmente porque chegamos lá primeiro. Tentar antecipar o que outras pessoas poderiam dizer não nos mantém protegidos.

Você precisa parar de acreditar que necessita da permissão de outras pessoas para ficar bem consigo mesmo. Que tudo o que faz ou deixa de fazer precisa estar de acordo com aquilo que elas valorizam. Que a gentileza ou a não gentileza que o mundo lhe demonstra é um reflexo direto do quanto você a merece. Você precisa ser gentil consigo mesmo. Até mesmo, e talvez principalmente, quando parecer que não merece.

Enumerar para nós mesmos tudo o que as outras pessoas poderiam usar contra nós não nos torna insensíveis a isso. Só nos faz crer que merecemos essas palavras e que tais acusações são válidas. Além disso, existem tantas variáveis para intuir se alguém vai ou não agraciá-lo com aprovação e elogios que é quase impossível cobrir tudo e a todos de forma completa e universal. Isso que é necessário caso se busque a validação: certeza. Exatamente do tipo que não encontramos em nós mesmos.

Mas as opiniões das pessoas, especialmente as negativas, derivam em grande parte daquilo que elas sabem que não têm e não podem fazer. Você acaba tendo que parar de basear a sua autoestima nas inseguranças alheias e começar a se basear em suas próprias e autênticas convicções, não importando quanto tempo leve para encontrá-las. Sempre soube que a minha crença de que eu não merecia algo não era a razão pela qual me tornei minha própria antagonista, e sim o meu medo de ser magoada por outras pessoas.

A única maneira pela qual você pode se curar ou encontrar algum contentamento legítimo é narrando a sua vida como alguém que o ama a narraria. Porque você deve amar a si mesmo. Então, hoje, enquanto eu estava me aborrecendo com algo relacionado à escrita (porque é assim que a vida funciona às vezes), e prestes a enviar uma mensagem para a única amiga que sempre me encoraja e me estimula a seguir em frente, percebi: por que eu mesma não posso dizer para mim o que ela diria? Por que preciso esperar que outra pessoa me diga essas palavras? Não que eu não aprecie o seu incentivo, mas por que valorizo os pensamentos e as opiniões de outras pessoas mais do que as minhas?

É uma mudança de mentalidade. Trata-se de uma escolha. É decidir buscar ajuda, se transformar, terminar um relacionamento, reacender outro. É se alimentar e garantir que você durma bem. É se lembrar constantemente, e com generosidade, de que você ficará bem; não porque você esteja delirando, não porque isso seja o que todo mundo diz, mas porque "tudo bem" é onde todos acabaremos. Não porque outra pessoa nos disse isso. Mas porque descobrimos e aprendemos a acreditar nisso por conta própria.

91

OS 15 TIPOS MAIS COMUNS *de* PENSAMENTOS DISTORCIDOS

Pensar bem é pensar com objetividade e se baseando em fatos. O cérebro humano está programado para confirmar a si mesmo; somos programados para encontrar evidências que apoiem aquilo em que mais queremos acreditar. A menos que o nosso subconsciente esteja claro, é assim que criamos as nossas convicções mais arraigadas. Se formos criados acreditando que somos párias sociais, sempre estaremos buscando evidências de que somos, de fato, desprezados por nossos pares.

Como a maioria das coisas, o pensamento distorcido tende a seguir padrões. Não estamos sozinhos nas coisas que mais nos atormentam, nos fascinam ou nos apavoram e, na verdade, pode ser que você encontre conforto no fato de que existem base para elas. Em 1981, o dr. Matthew McKay, a dra. Martha Davis e Patrick Fanning delinearam exatamente o que são[19] e como tendem a se manifestar.

A seguir, os quinze tipos mais recorrentes de pensamento distorcido:

01 | **Filtragem. Filtrar é preferir ter um ponto de vista seletivo.** É pegar os detalhes negativos de uma situação, aumentá-los e filtrar os aspectos positivos. Caracterizar acontecimentos inteiros baseando-se em um único detalhe isola experiências

---

19 Davis, Martha; Fanning, Patrick; McKay, Matthew. *Thoughts and Feelings: Taking Control of Your Moods and Your Life.* New Harbinger Publications, 2011.

"boas" e "ruins" umas das outras e, portanto, elas se tornam maiores e mais terríveis (ou melhores) do que são na realidade.

02 | **Polarização.** A marca registrada da distorção é uma hiper-confiança em dicotomias. As coisas ou são boas ou ruins, certas ou erradas, e não há meio-termo. É perceber tudo dentro dos extremos e estar fechado para o meio-termo. Isso tende a se manifestar mais fortemente em autopercepções: ou você é perfeito ou é um fracasso.

03 | **Generalização excessiva.** Você chega a conclusões com base em uma única evidência ou uma única experiência. Se algo ruim acontecer uma vez, e por medo de que aconteça novamente, você espera poder "se preparar" para aquilo. A linguagem que esse tipo de pensamento geralmente envolve é o uso de "sempre" ou "nunca" para ilustrar um problema. Esse tipo de distorção pode levar a uma vida limitada, pois você evita experiências ao avaliar o fracasso a partir de um único evento ou instância.

04 | **Leitura de mentes.** Você presume que sabe o que as pessoas estão sentindo e por que agem de determinada maneira, especialmente quando se trata de como se sentem a seu respeito. Isso se deve às suas próprias projeções e preconceitos. Você só consegue compreender que as pessoas se sentem e respondem a certas situações como você simplesmente porque você não está familiarizado com mais nada.

05 | **Catastrofização.** Você sempre supõe que o pior acontecerá. Toma circunstâncias aleatórias e imagina que são indicativas do resultado mais desastroso. Isso é um sintoma de não confiar em si mesmo e não acreditar ser capaz de se adaptar às mudanças. Se você sempre esperar o pior, nada poderá chocá-lo ou surpreendê-lo.

06 | **Personalização.** Você interpreta tudo o que acontece no contexto de como isso afeta ou se aplica a você. Você acha que

tudo o que as pessoas dizem, fazem ou inferem é a favor ou contra você. É incapaz de perceber que existe um mundo além do modo como você se envolve com ele. Outros sintomas são tentar se comparar aos outros, como se a inteligência ou a atratividade de outra pessoa dissesse algo a respeito da sua. O erro básico de pensamento é que você interpreta cada experiência, cada conversa, cada olhar como uma pista de seu valor.

07 | **Falácias de controle.** Existem duas maneiras pelas quais as falácias de controle funcionam: ou você se sente controlado externamente (você se vê como desamparado ou vítima do destino) ou se sente internamente controlado, o que significa que você se considera responsável pela dor e pela felicidade de todos ao seu redor. Ambos geralmente são sintomas de que você não assume o controle de sua vida de uma forma saudável e produtiva.

08 | **Falácia de justiça.** Você acredita que sabe o que é justo, certo e correto, e que o único problema é que as outras pessoas não concordam com você. Você não entende que as verdades podem coexistir, e, em virtude de ver as suas próprias opiniões como válidas (a experiência provou que são), você presume que também são válidas para todos. Pensa que caso as outras pessoas simplesmente as adotassem, seus problemas seriam resolvidos.

09 | **Atribuir culpa.** É irmã da projeção. Ao culpar, você responsabiliza tudo e todos por sua dor. Por outro lado, você se culpa por todo problema que surge. No entanto, é uma forma distorcida de responsabilizar algo ou alguém por um problema.

10 | **Deveres.** Você tem uma lista de regras sobre o que as pessoas devem ou não devem fazer, e cresceu acreditando que eram inquestionavelmente verdadeiras. Elas foram impostas a você através da cultura, da família, da religião, da educação

etc. Quem quebra essas regras o irrita, e você faz de tudo para segui-las. Por acreditar que as regras são indiscutíveis, você se coloca na posição de ser capaz de julgar e encontrar defeitos em todos ao redor.

11 | **Raciocínio emocional.** Você acredita que o que você sente deve ser verdade, sem nenhum tipo de avaliação. Caso se sinta entediado, não amado, não inteligente, malsucedido — mesmo que momentaneamente —, você assume que é verdade apenas porque se sentiu assim. Muitos conflitos internos surgem da incapacidade de reconciliarmos as nossas emoções com os nossos processos de pensamento.

12 | **Falácia da mudança.** Você espera que outras pessoas possam mudar e que mudem, porque as suas esperanças de felicidade dependem disso. Isso faz com que você imprima muita pressão sobre as pessoas, quando, na realidade, está simplesmente corroendo o seu relacionamento com elas. O pressuposto subjacente a esse estilo de pensamento é que a sua felicidade depende das ações de outras pessoas. Na verdade, a sua felicidade depende de milhares de grandes e pequenas escolhas que você faz na vida.

13 | **Rotulagem generalizada.** Você generaliza uma ou duas qualidades que identifica em seu círculo social imediato como sendo um atributo de toda a humanidade. A rotulagem generalizada cria um mundo estereotipado e unidimensional. Rotular-se dessa forma é um impedimento à autoestima; rotular os outros dessa forma resulta em problemas de relacionamento e preconceito.

14 | **Estar certo.** Você sente como se estivesse sendo constantemente julgado para provar que as suas opiniões, ações e escolhas são corretas ou, ao menos, mais corretas do que uma alternativa. Estar errado é associado a ser "mau" ou indigno. Sua necessidade de estar certo muitas vezes resulta em uma mente fechada, pois a atitude defensiva não dei-

xa espaço para considerar outra ideia, talvez uma que seja melhor do que a sua.

15 | **Falácia da recompensa divina.** Você imagina que alguém está registrando todas as ações certas e erradas que fez na sua vida. Você espera que o seu sacrifício, boas ações ou abnegação valham a pena, mesmo que não haja uma evidência clara e lógica disso. Você está constantemente fazendo a "coisa certa", mesmo que não tenha vontade de fazê-la. Isso leva à sensação de esgotamento físico e emocional, porque não há recompensa real no sacrifício e na negação.

101 COISAS
mais importantes
DO QUE SUA APARÊNCIA

01 | Ser gentil com pessoas que nada têm a lhe oferecer.

02 | Saber que a última coisa de que alguém se lembrará depois que você morrer será da circunferência de sua cintura.

03 | Compreender que aquilo que somos sob a pele é mais real do que aquilo que está sobre ela ou quantas camadas de células existem no meio.

04 | Saber que a opinião de outra pessoa sobre o seu corpo não o torna nem mais nem menos parecido com essa opinião.

05 | Aceitar graciosamente as coisas que não foram feitas para você.

06 | Desejar lutar por aquelas que foram.

07 | Aceitar os corpos de outras pessoas pelo que são.

08 | Aceitar as outras pessoas pelo que são.

09 | Saber que a melhor coisa que podemos fazer com o nosso corpo é usá-lo para facilitar a nossa entrega às pessoas que precisam daquilo que podemos oferecer.

10 | Saborear o seu prato favorito e se permitir saboreá-lo quantas vezes quiser.

11 | **Saber que nada é permanente, principalmente a nossa fisicalidade.** Isto aqui é um passeio. O carro precisa estar funcionando para você poder passear. As pessoas podem julgá-lo o quanto quiserem, mas cabe a elas, não a você, se reconciliarem com os próprios julgamentos.

12 | **Saber que aquilo de que realmente precisamos, em um nível fundamental, é do amor e da aceitação incondicional de outras pessoas.** Talvez não de todo mundo. Talvez não de muita gente. Mas, em princípio, de alguém. A nossa capacidade de doar supera em muito a nossa aparência enquanto doamos.

13 | SABER QUE VOCÊ PODE COMER PIZZA.

14 | **Saber que você não pode estar de bem com o seu corpo apenas quando ele tiver a aparência que você deseja.** Saber que, às vezes, você encontra conforto em se sentir muito desconfortável, e que não é responsabilidade sua se submeter ao nível de conforto (ou desconforto) de outra pessoa.

15 | **Saber que você tem uma mente capaz de compreender quem uma pessoa é, e um corpo para demonstrar para ela que você a entende.**

16 | **Saber que você pode acariciar seus animais de estimação.**

17 | **Saber que você paga as próprias contas.**

18 | **Saber que realmente temos esses atlas internos e que, quando sentimos uma atração inexplicável, a seguimos, pois ela sabe muito mais do que a nossa mente é capaz de conceber.**

19 | **Saber que (algumas) pessoas podem criar outra vida humana se assim o desejarem.** (Isso em si é um milagre assustador.)

20 | **Saber que você pode nadar, correr, chorar, gritar, dançar, boiar na água e se sentir leve e solto.**

21 | Saber que a sua boca pode se declarar às pessoas que você ama...

22 | ... e também beijar algumas delas.

23 | Saber que você é capaz de evoluir e mudar.

24 | Saber que você pode tomar decisões conscientes por si mesmo.

25 | Saber que você é consciente por princípio.

26 | Saber deixar rolar e se divertir muito.

27 | Saber que você tem a capacidade de deixar de lado o seu apego ao modo como acredita que as coisas deveriam parecer e aceitá-las tais como são.

28 | Entender que a beleza não é quantificável.

29 | Perceber que a comida não é sua inimiga.

30 | Entender o quanto a nossa ideia de beleza é inventada, como foi silenciosamente gravada em nossa mente através de fotos, comentários e expectativas que ouvimos de colegas e mentores, involuntariamente ou não.

31 | Nunca aceitar uma definição limitada do que é bonito.

32 | Entender que as pessoas o amarão mais quanto mais você amar a si mesmo.

33 | Saber que amar a si mesmo significa estar bem com o fato de não se sentir totalmente bem com algumas partes de seu corpo o tempo todo.

34 | Saber que você pode cultivar as suas crenças através de suas próprias experiências, aprendizados e tudo o que soa verdadeiro.

35 | Saber que você pode tomar, e que toma, decisões por conta própria.

36 | Saber que você pode se defender quando a passividade não for mais uma escolha.

37 | Saber que você pode defender os outros quando a passividade não for mais uma escolha.

38 | **Saber que apenas pessoas muito mesquinhas sentem a necessidade de fazer comentários sobre a aparência das outras.** Que tal ato tem origem em um lugar muito profundo, muito inseguro, e não é alguém de quem você deva ficar com raiva, mas por quem deve demonstrar amor, porque pessoas assim precisam disso.

39 | Saber que você poder usar o seu corpo para ler os seus livros favoritos, e ler este livro agora mesmo.

40 | **Saber que o seu corpo facilita as coisas que você mais gosta de fazer na vida.** Suas pernas permitem que você viaje, e seus braços, que você abrace a quem ama.

41 | **Entender que você nunca saberá de verdade as grandes coisas que estão por vir e que, embora o desconhecido possa lhe parecer assustador, não é para você saber.** É a indefinição que torna as coisas incríveis quando chegam.

42 | Saber que você pode ser honesto a respeito de si mesmo com você mesmo.

43 | Saber que você pode ser honesto a respeito de si mesmo com outras pessoas.

44 | **Saber que você pode usar o seu corpo para brincar com crianças pequenas e dizer (e mostrar) para elas que você as ama.**

45 | Saber que, por meio do seu corpo, você pode sentir felicidade e alegria.

46 | Saber que, por meio do seu corpo, você pode sentir tristeza, dor e pode crescer e aprender com isso.

47 | Ser capaz de experimentar o barato sem precedentes de perceber que as milhões de coisas que aparentemente não deram certo no passado faziam parte de uma conspiração universal para levá-lo exatamente para o lugar certo, um lugar muito além daquilo que você poderia ter desejado. (Vai acontecer se ainda não tiver acontecido. Apenas espere.)

48 | Ser capaz de processar o tipo de compaixão sem precedentes que é demonstrada diariamente no mundo, mas às vezes é ofuscada pelo que há de pior.

49 | Ter olhos para ver o amor de sua vida, mãos para agarrá-lo, uma boca para falar com ele, o instinto de saber que ele é a sua alma gêmea e uma mente para entender que ele concorda com isso.

50 | Desempenhar bem o seu trabalho.

51 | Se apegar firmemente às próprias crenças.

52 | Perseguir fervorosamente aquilo pelo que você se sente mais atraído.

53 | Conseguir rir de si mesmo com sinceridade.

54 | Encarar honestamente os seus defeitos e o que faz em vista deles, não apesar deles.

55 | Praticar diariamente pequenos atos de gentileza e coragem, porque, no fim das contas, esse pode ser nosso único propósito aqui.

56 | Reservar tempo para fazer as coisas que você deseja, não as coisas que esperam de você.

57 | Parar de julgar e repreender as pessoas por suas próprias imperfeições.

58 | Poder ouvir a música que adora.

59 | Alternativamente, poder sentir as vibrações da música caso não consiga ouvi-la.

60 | Saber que a ausência de um sentido, de um talento, de uma habilidade não o diminui, e sim o define como alguém feito para enfrentar um desafio superior ao dos demais.

61 | Compreender que a busca pela beleza física acabará se revelando fútil: no fim das contas, todos decaímos, enrugamos e envelhecemos da mesma forma.

62 | Compreender de verdade que, na maioria das vezes, você não consegue equiparar a sua saúde à sua aparência.

63 | Compreender de verdade que você não tem o direito de julgar a saúde de outras pessoas pela aparência delas.

64 | Saber que você pode usar o seu corpo para realizar as coisas que mais gosta de fazer (escrever, dançar, cantar, seja o que for).

65 | Saber que você pode usar o seu corpo para fazer sexo — sexo bom, consensual e selvagem — quando quiser, onde quiser, e nunca por outro motivo que não esses.

66 | Saber que o seu corpo não foi feito para o consumo de outras pessoas, e que nunca há razão para fazer algo com ele que não o deixe feliz apenas para agradar aos outros.

67 | Saber que você não tem culpa da maneira como a sociedade vê as aparências físicas, mas que tem a responsabilidade para consigo mesmo de conscientemente desafiar essa visão.

68 | Saber o que dizer quando as pessoas que você ama estão sofrendo e precisam de palavras de conforto.

69 | Saber quando calar e simplesmente estar presente para elas.

70 | Saber chorar e lamentar as coisas que inevitavelmente passarão.

71 | Saber abraçar e desfrutar das coisas que inevitavelmente passarão.

72 | Doar coisas das quais não precisa para pessoas que precisam.

73 | Não adotar palavras cruéis e restritivas de outras pessoas.

74 | Ganhar o próprio dinheiro para gastar como achar melhor.

75 | Dizer às pessoas que você ama que as ama enquanto as tem, todos os dias, de todas as maneiras possíveis. Porque nunca se sabe.

76 | Se sacrificar quando um sacrifício precisa ser feito.

77 | Conseguir sentir o calor e o cheiro do lar de sua infância e ter os seus sentidos atuando como transmissores de retorno para coisas e pessoas que, de outra forma, teria esquecido.

78 | Abraçar o amor, não importando quão assustador ele seja.

79 | Ser uma pessoa honesta: na palavra, na promessa, no trabalho e no coração.

80 | Ser capaz de colocar o seu ego de lado e pedir desculpas quando necessário.

81 | Se desculpar com sinceridade — isso diz muito sobre uma pessoa.

82 | Cuidar bem de si mesmo quando mais precisa de cuidados.

83 | Enviar presentes, fazer playlists, escrever bilhetes e cartas para as pessoas apenas para fazê-las sorrir.

84 | Realmente ver todas as pessoas como iguais.

85 | Parar de se desculpar por fazer aquilo que quer com o seu corpo.

86 | Perceber que a capacidade de sua mente é ilimitada caso decida desenvolvê-la.

87 | Liberar a sua mente para permitir a entrada de coisas que inerentemente requeiram os seus sentimentos instintivos.

88 | Ter pequenas coisas em sua vida que realmente o façam feliz.

89 | Ter a coragem de dar um passo atrás e reconsiderar quando estiver em um impasse e alguma das partes precisar ceder.

90 | Se alegrar com o sucesso de outras pessoas.

91 | Não se alegrar com os fracassos de outras pessoas.

92 | Permitir que o seu corpo seja capaz de compreender quando alguém lhe lançar aquele olhar muito específico de "eu te amo", e saber que você tem muita sorte de tê-lo recebido.

93 | Passar a vida fazendo algo maior do que apenas ser feliz no presente.

94 | Perceber que, para ajudar os outros, você deve ajudar a si mesmo primeiro.

95 | Entender como os dois últimos itens tanto se contradizem quanto exigem um do outro.

96 | Dormir o suficiente.

97 | Comer legumes e verduras em quantidades suficientes (desculpe a chatice, mas essa merda é importante).

98 | Se sentir bem em relação ao seu corpo.

99 | Perdoar as pessoas que são cruéis com você por causa do seu corpo e perceber que elas também estão sofrendo em algum lugar, e que as pessoas sempre atacam aquilo que as incomoda por dentro.

100 | Se perdoar por ser cruel consigo mesmo no que diz respeito ao seu corpo.

101 | Usar o seu corpo para escrever coisas assim e espalhar a mensagem.

93

7 PRINCÍPIOS ZEN

*(e como aplicá-los
à vida moderna)*

Nossa maior aversão aos sistemas de orientação psicológica — religiosos ou não — tende a ser o ceticismo gerado por sua (suposta) inaplicabilidade.

Confiamos em revistas de estilo de vida, postagens em blogs e normas culturais. Isso ocorre simplesmente porque essas coisas fazem sentido para nós. Elas se tornam uma "verdade" evidente quando podemos aplicá-las com facilidade aos nossos problemas.

Mas não costumamos considerar a fonte, a intenção ou o significado de longo prazo daquilo em que começamos a acreditar. Quando a extensão de nossa filosofia pessoal se resume essencialmente a fazer o que nos é dito sem questionarmos, acabamos servindo ao consumismo, ao ego, a figuras religiosas equivocadas ou ao desejo de controle de outra pessoa.

Apesar de derivar dos ensinamentos budistas, o zen é simplesmente a arte da autoconsciência. Ele não dita o que você deve sentir ou no que deve acreditar; como deve ser ou o que deve fazer... apenas que você deve estar consciente de sua experiência, totalmente imerso nela.

É por essa razão que os princípios zen são universais — essencialmente, podem se aplicados a qualquer dogma ou estilo de vida. Portanto, aqui vão sete antigos ensinamentos zen e como aplicá-los no mundo moderno:

01 | Sua experiência é construída por sua mente.

O discurso Yogācāra explica como as percepções de nossa mente criam as nossas experiências. Portanto, devemos perceber que, mesmo apesar de nossa disposição, podemos criar uma experiência diferente ao mudar e escolher no que nos concentrar. Fomos criados para acreditar que não podemos escolher o que pensar, mas, na verdade, podemos. Nem todo sentimento de medo ou pensamento negativo é um convite para explorá-lo até uma solução definitiva.

02 | Seu conceito de "eu" também é uma ilusão (e uma construção).

"Quem você é" é uma essência. Uma energia. Só isso. Por isso nunca é só "uma coisa" por muito tempo ou em qualquer contexto. Por isso é tão difícil entender a si mesmo — você é mais do que as definições e títulos limitantes que hábitos repetitivos, empregos e funções lhe atribuem.

No entanto, a maioria das pessoas só compreende a si mesma quando imagina como os outros a veem. (Escritor, professor, mãe, aluno, jogador de basquete, "boa pessoa" etc.)

A maioria dos nossos problemas envolve tentar manipular o ego, inflar ou imortalizar o eu. Tentar mudar a maneira como pensamos que as outras pessoas nos veem (portanto, como acreditamos que existimos na realidade e, portanto, como devemos nos ver).

Dominar a ideia do eu é saber que você pode representar a ilusão de quem você é e do que você faz, sem estar tão perdido a ponto de deixar que isso o controle.

03 | Você não precisa acreditar em nada; você só precisa seguir o que lhe parece verdadeiro no momento.

O problema de aderir a um determinado sistema de crenças sem questionar é que quando você valoriza (ou considera) as vozes que foram implantadas em você pelos dogmas ou ensinamentos de outras pessoas, começa a confiar mais nisso do que em si mesmo, e acaba muito perdido ou muito confuso, lutando entre o que você acha que é certo e o que você sente que é verdade.

Se você não está vivendo a sua vida com base em suas verdades, não está seguindo o seu bem mais elevado. Permita-se a capacidade de expandir e crescer pensando (e sentindo) além do que seu dogma atual lhe "permite".

04 | O caminho final para a felicidade é o desapego.

E antes que você se deixe levar pela impossibilidade de não se importar com o resultado de sua vida, entenda que o desapego é muito mais (e ainda assim muito mais simples) do que "não se importar" com o resultado.

Trata do simples entendimento de que todas as coisas têm sua valia. As coisas "ruins" ensinam e mostram como se curar para se abrir ainda mais para as coisas "boas". Não há como ser mais simples do que isso.

05 | "Fazer" não é tão importante quanto simplesmente "ser".

Estados meditativos podem ser alcançados por meio de uma variedade de práticas, mas talvez a mais subutilizada delas seja simplesmente a de "parar". A arte de fazer "nada" é profunda. Ela acalma as águas de sua mente, traz à tona o que precisa ser reconhecido e curado de imediato e o mantém conectado consigo mesmo, não aos apegos e responsabilidades que você tem na vida.

A questão é: você não é o que faz; você simplesmente é. Além da prática da meditação, é de extrema importância que você se dê tempo para relaxar, se recuperar e refletir.

06 | Você pode ser um observador objetivo de sua mente e de sua vida.

Saber que você pode escolher os seus pensamentos é importante, mas o que realmente é mais importante é perceber que você também pode decidir quais valorizar, se for capaz de vê-los objetivamente.

As práticas de meditação guiada geralmente farão com que você observe os pensamentos à medida que eles ocorrem, como um observador terceirizado. O objetivo é ensinar-lhe que você não é esses pensamentos. Você não é seus sentimentos. Você é o ser que experimenta esses pensamentos e sentimentos, que decide quais valorizar e sobre os quais agir.

07 | Seu estado natural é a unidade.

A realidade para a qual todos voltaremos algum dia é a de que tudo é uma coisa só. (Essa é a base da iluminação.) É na ilusão da separação que sofremos. É praticando as ideias do individualismo que aprendemos. É ao nosso estado natural, unificação, que finalmente retornamos.

6 SINAIS DE QUE VOCÊ
tem uma sensibilidade
SOCIAL
SAUDÁVEL

Em um mundo que parece assumir que a extroversão é a norma e os introvertidos existem dentro de uma contracultura que precisa ser justificada e explicada a cada passo, parece que começamos a repensar qual seria a quantidade normal e saudável de sensibilidade social.

Não gostar de todo mundo, desejar solidão ou preferir um amigo próximo a um grupo de muitos não é disfunção social. Estamos generalizando demais o que significa ser "antissocial" ou "socialmente ansioso", quando esses são termos extremos, se não clínicos, que talvez devêssemos pensar duas vezes antes de usar. A seguir, algumas maneiras de determinar se a sua sensibilidade social é saudável ou não:

01 | Você experimenta certo grau de ansiedade social em situações incomuns.

De modo geral, ansiedade social é ter visão suficiente para reconhecer o que as pessoas podem estar julgando ou presumindo a seu respeito. Se não for controlada, pode paralisá-lo em vez de mantê-lo autoconsciente. É normal, quando não indicativa de alta inteligência.

02 | Você deseja a solidão porque estar sozinho é emocionalmente enriquecedor.

Você não se isola quando prefere estar com outras pessoas apenas porque tem medo ou se sente indigno de lhes fazer companhia.

03 | Você só gosta da companhia de algumas pessoas selecionadas.

Você não precisa gostar de todo mundo. Dizer que você "gosta de todo mundo" seria negar e rejeitar as partes de você que podem não se sentir assim de verdade, e, como sabemos, a dissociação não é algo bom. Nosso objetivo é apenas amar e desfrutar de algumas pessoas e tolerar as outras.

04 | Você diz "não" aos planos quando quer dizer "não" aos planos.

Você não diz sim porque se sente obrigado ou pressionado. Você é capaz de dizer "não" para as pessoas que você não quer ver e para coisas que realmente não quer fazer, quando o custo seria seu bem--estar mental ou emocional.

05 | Você analisa as situações porque os seus julgamentos precipitados podem não estar corretos, não porque você gostaria de reforçar a sua ansiedade ou se sentir melhor através da ilusão.

Você se autoavalia para se tornar ciente do que (talvez) sejam escolhas e hábitos inconscientes. Você não exagera na avaliação com a intenção de chegar a uma conclusão diferente, inventada, ou para criar uma perspectiva alternativa que apoie uma ideia irracional: "Ele olhou para mim de um jeito estranho; eu sabia que ele me odiava."

06 | Você se preocupa com o fato de sua ansiedade social ser anormal.

Preocupar-se se você tem ou não tem muita ansiedade por estar em situações sociais é provavelmente a coisa mais normal que existe. Não é produto de "ter um problema grave"; é produto de querer ser autoconsciente o suficiente para lidar com isso caso seja necessário.

O AGORA
é TUDO
o que você TEM

De todo o tempo que gasto analisando demais (um ato arbitrário do qual é impossível que eu seja a única culpada), percebo que sou capaz de rastrear todos os meus problemas até a mesma questão central: não sei me sentir desconfortável. Não sei sentir as coisas boas sem ser completamente dissuadida da experiência pelo que é inevitavelmente ruim. É algo que preciso superar, porque certamente não pode ser resolvido. É apenas... a vida. E acho que vivemos em um mundo que praticamente inseriu essa mentalidade em nós.

Tenho o problema de ver partes de minha vida apenas como precursoras de tempo para facilitar chegar aonde quero estar em seguida. E a realidade doentia disso é que, com uma certa quantidade de dias assim, toda a sua vida se torna um jogo de espera. Fui capaz de resolver muito daquela persistente necessidade de escapar, mas, é claro, isso me assusta de vez em quando. Então não consigo deixar de me interessar por isso.

Porque isso se origina da ideia de que haverá um feliz para sempre. Você supera a dor e então se regozija por ter se curado, reconciliado, transformado e se recomposto mais uma vez. Mas não há como começar na escuridão e se mover rápida e indefinidamente em direção à luz. Há muitas entradas e saídas. Há muitas áreas cinzentas. Há dias em que você está tão para baixo que não acredita que se permitiu chegar a esse ponto, e há dias nos quais esquece que já foi infeliz. Ficar atrofiado por isso — ter medo de seguir em frente e ainda mais medo de voltar — é garantia de que isso o arruinará.

Porque é uma sucessão de "agoras" que se somarão, nos elevando da consciência de uma experiência para outra, e isso é tudo que teremos no final. Então, o que vemos na experiência é o que precisamos valorizar antes de sermos retirados da rotina monótona, porque a alternativa é deixarmos de existir. Acabarmos. E deixamos isso passar porque o desconforto nos faz sentir como se estivéssemos nos afastando daquele estado de "luz" em direção ao qual estamos nos movendo continuamente. Tivemos uma vida ruim a partir algumas experiências ruins porque não fomos capazes de verificar a lista de coisas que tínhamos em nossa mente como pré-requisitos para nos sentirmos satisfeitos, talvez até, ouso dizer... felizes? Mas a felicidade não é um processo mental planejado ao qual você se permite quando parece estar tudo bem. É uma experiência, é uma emoção, e tudo o que você tem para experimentá-la é o agora.

Vejo esses padrões de pensamento amplamente facilitados por nossa sociedade. Não apenas que haverá um feliz para sempre ao qual todos teremos direito após termos sofrido o bastante, mas que haverá alegria no planejamento do amanhã. Para ser muito, bem... *millennial* a esse respeito (meu Deus, não acredito que usarei isso como um exemplo), é o modo como todos os posts do Tumblr e painéis do Pinterest são imagens daquilo que queremos, esperamos e pelo que somos inspirados. E é lindo olhar para essas coisas belas e decidir que você as quer. Mas quantos de nós realmente nos levantamos e as agarramos — mesmo algo tão simples quanto uma bela xícara de café e um livro para ler junto ao peitoril de uma janela? Não muitos. Nós nos levantamos para reclamar por não termos a vida que sonhamos e seguimos em frente, dia após dia, enxágue e repita.

O agora é tudo o que temos, meu amigo. Você precisa escolher o agora. Você precisa viver na realidade comovente daquilo que você vê e percebe neste momento... a bagunça, os belos cismas que provocam guerras, amor, paz, harmonia e mudança. A crueza de estar tão deprimido alguns dias que tudo o que você pode reunir como propósito é apenas continuar respirando — e então perceber que isso é tudo o que existe, no final das contas. Talvez tenha a ver com mergulhar no fundo do poço e deixar que o agora seja mais do que apenas o suficiente. Perceber que as coisas são tão chatas e mundanas quanto permitimos que sejam. Que existem mistérios, experiências e partes estranhas e fascinantes da vida que não veremos até darmos um passo em direção ao nosso lado selvagem, aquele nosso lado que não está preocupado com o amanhã.

A ARTE *de* NÃO PENSAR

Muita gente já escreveu belas obras sobre a importância (e sua experiência com) a atenção plena: a antiga prática e a suposta anedota moderna para nossa perpétua insatisfação. Viva o momento. Esteja consciente de todas as sensações de sua experiência diária. Na minha opinião, esse tipo de consciência é mais do que uma proposta de solução para a nossa condição humana, é a fronteira final, é o lugar onde todos nos encontraremos mais cedo ou mais tarde: ou abraçando cada momento que vier, ou deixando todos passarem por nós — sem pensar. Portanto, quando digo que o que realmente precisamos trabalhar é o não pensar, de forma alguma estou falando sobre não permanecermos atentos; é só uma brincadeira com a frase. (Gostaria de explicar isso caso tenha havido alguma confusão.)

Falamos sobre a importância da atenção plena no contexto de estarmos conscientes e presentes, totalmente imersos em nossa experiência. Isso é crucial. Mas o que também é crucial é percebermos que muito disso tem a ver com o modo como podemos transcender a mente. Vivemos em uma cultura e em um período em que estamos muito preocupados com o que pensamos a respeito das coisas. Embora seja crucial para o nosso desenvolvimento, a razão às vezes nega os nossos instintos, desejos e prazeres em favor da expectativa e da "normalidade". Então não é de surpreender que, quando tentamos confinar a realidade fluida, natural e indomável de uma alma humana, acabamos sofrendo como sofremos.

Somos uma espécie desconectada. Apesar de todos os avanços tecnológicos que fizemos, a nossa capacidade de nos conectarmos em um nível humano está a quilômetros de distância de seu estado natural primitivo. Nossas discussões diárias estão tão profundamente imbuídas de valor atribuído a meios feitos pelo homem que nos concentramos muito no que o homem pode fazer e não o suficiente no que o homem é. Estamos constantemente nos afastando dos conceitos de religião, associando fé e confiança à ignorância, em oposição à inteligência espiritual. Simplesmente não valorizamos a realidade de nossa existência humana, a parte de nós que está sujeita a interpretação, em parte porque é desconhecida e principalmente porque não podemos concordar em nada ou saber com certeza, então negamos em vez de abraçarmos o seu desconhecido.

Nós nos tornamos aquilo em que pensamos. E se aquilo no que estamos nos tornando é algum indicador, estamos pensando muito nas coisas que não importam e deixando de abrir espaço para a incerteza, para o desconforto, para as coisas que de fato são desconhecidas, mas que rendem os melhores resultados. Resultados que são muito maiores do que nossa mente é capaz de compreender.

Em nossa incessante atenção plena (não na forma meditativa, apenas no fato de processarmos tudo psicologicamente), começamos a rotular, categorizar e definir as coisas. Nós nos acostumamos com o que é conhecido e desconsideramos o que não é. Isso não dá margem para a aceitação de pessoas e coisas que não sejam como nós. Renunciamos à responsabilidade ao colocarmos outras pessoas abaixo de nós. Declaramos que seus sentimentos são errados e injustos e, portanto, nos consideramos superiores. Vivemos em uma cultura que cria meios e bens separando-nos uns dos outros, e a coisa funciona de maneira saudável porque aceitamos isso. Adoramos ver como as outras pessoas não são tão boas quanto nós, como podemos colocá-las abaixo de nós e encontrar conforto em saber que estamos bem porque somos melhores do que elas. Mas acabamos nos enjaulando. Inevitavelmente caímos no que certa vez dissemos ser "errado", porque somos seres humanos, e o território perigoso é a mente que não deixa espaço para a alma vacilar.

Precisamos ensinar os nossos filhos a não terem chiliques não porque nos fazem parecer maus pais, mas porque é importante aprender a processar emoções negativas sem ser repreendido e envergonhado por causa delas. Precisamos nos tornar ativa e conscientemente cientes do que estamos comprando, clicando, associando e, inevitavelmente, apoiando, em especial quando isso não serve para fazer outra coisa afora prejudicar outra pessoa (mesmo que a gente não perceba no momento). Precisamos parar de definir pessoas. Precisamos pegar o nosso desconforto com o desconhecido e estabelecer-nos com firmeza, porque o fato de estarmos incertos é uma certeza. Precisamos perceber que grandes mudanças só podem acontecer em uma escala menor. Um indivíduo de cada vez. Precisamos sair de nossa mente e entrar em nosso coração. O que nos torna iguais é algo que nossa mente talvez nunca seja capaz de entender. Para tanto, precisamos deixar de tentar entender tudo o mais que é colateral.

A DIFERENÇA
entre
COMO VOCÊ SE SENTE
e como você pensa
QUE SE SENTE

Lembre-se da última vez que você teve uma forte resposta emocional a alguma coisa. Aquilo foi produto de você ter refletido sobre a experiência por um instante, processando-a e internalizando-a, e então consultando o seu corpo para determinar como você se sentia? Provavelmente não. Em vez de perguntar a alguém "Como você se sente a esse respeito?", poderíamos perguntar "O que você acha disso?".

As emoções são simples e sutis. Quando examinamos os nossos corpos, descobrimos que são sensações e, em última análise, se resumem a uma de duas coisas: estreitamento ou abertura. O modo como interpretamos essa tensão ou alívio gera pensamentos que, em seguida, exacerbam emoções intensas, alegres, debilitantes — todo tipo de emoção extrema.

Quer dizer: criamos a maneira como pensamos que nos sentimos ao atribuir significado às sensações. Há uma diferença entre como nos sentimos e como pensamos que deveríamos nos sentir. Esta é a razão de tudo, desde o consciente coletivo até o condicionamento social. É também em grande parte por que as pessoas se sentem "presas" em uma turbulência emocional inevitável. Nenhuma emoção dura por um período significativo — não foram concebidas assim. O padrão cognitivo é aquilo que nos leva a incitar um sentimento continuamente, ou que nos impede de escolher o curso de ação para o qual a emoção está nos guiando.

Somos ensinados como devemos nos sentir a respeito de quase tudo na vida. Nossa educação cultural, religiosa e familiar dita um conjunto de coisas que são "boas" e "más". Nosso ego, nossos desejos de sobrevivência, superioridade, amor, aceitação etc., preenchem o resto. Acabamos com um ecossistema mental de ações e reações.

Essas "emoções mentais", como as chamo, são, em geral, a razão de sofrermos, apesar de estarmos mais evoluídos do que nunca. O que nos controla não é mais a nossa sensação fugaz de fome ou o desejo de acasalar: são os nossos pensamentos sobre o que significa quando alguém não nos ama, como o nosso subconsciente busca a confirmação de que isso é verdade, como essa repetitividade cria uma crença e como essa crença cria as nossas vidas.

Somos ensinados que, não importando como, uma vida que valha a pena ser vivida é altamente emocional. É repleta de amor, ou de paixão, ou é uma vida na qual você perseverou passando por um sofrimento incrível. Acreditamos que devemos ter uma opinião sobre as coisas para sabermos quem somos e, pior, acreditamos que devemos ter uma resposta emocional para sentirmos que nossas vozes fazem a diferença. É isso que nos faz sentir que valemos a pena — é isso que faz a vida valer a pena.

Da próxima vez que você sentir que está em uma circunstância inevitável, examine o seu corpo honestamente e veja o que está presente. Uma sensação de aperto ou desconforto no estômago é apenas isso — um pouco de estresse. É isso. Isso é tudo. Isso é tudo que esse sentimento pode fazer por você. Verifique novamente depois de uma hora, depois de um dia... provavelmente a sensação terá desaparecido.

O que você vai perceber é que mesmo os seus "sentimentos viscerais", os seus instintos, não são ondas emocionais enormes e avassaladoras. É por isso que se chama "pequena voz interior".

Às vezes, não nos sentimos confortáveis com a quietude inerente dentro de nós, então criamos camadas de caos para nos distrairmos. Contudo, uma vez que o caos se torne exaustivo, tudo o que você precisa fazer é sentar-se consigo mesmo e simplesmente se permitir sentir o que sente, não o que pensa sentir.

O que você perceberá é que mesmo quando as suas emoções estiverem dizendo o pior — "isso não está certo", "você precisa mudar" — a maneira pela qual você se comunica com você mesmo é sempre suave, gentil, com amor, é sempre tentando ajudá-lo.

O que você também perceberá é que não tem uma aversão natural às suas emoções. Elas não são "ruins". Elas não o fazem se sentir "mal", mesmo que o seu cérebro não tenha sido ensinado a rotulá-las como "boas". Gostamos da tristeza, da dor e de todo o resto, no momento apropriado, na medida certa. Gostamos disso porque é um aspecto de simplesmente permitirmos que as nossas emoções existam.

Não são os nossos pensamentos que criam as nossas vidas, é como usamos os nossos pensamentos para dissecar o significado de nossas emoções e como, com base em nossas afirmações, decidimos o que é "bom", "ruim", "certo" e "errado". Nenhuma dessas coisas existe inerentemente. A sinfonia que resulta de nossa orquestração desses elementos é o que cria a nossa percepção de estarmos ou não vivendo uma vida boa.

98

O PODER
do pensamento
NEGATIVO

Se você deseja ser emocionalmente livre, há uma coisa que precisa entender: seja qual for o problema que você pense ter agora, esse não é o problema real. O problema é que você não sabe pensar direito sobre o seu problema.

Você está cansado de banalidades. Mas isso não é algo que você possa ignorar. Este não é um conselho que serve apenas para algumas pessoas, às vezes, em certas situações. Não é só uma noção gentil que pode acalmá-lo em um dia difícil. Não é apenas algo em que você pode se apoiar quando esgotar todas as outras opções.

O objetivo de experimentar qualquer coisa é aprender a pensar naquilo de maneira diferente. Quando você não aprende a pensar de maneira diferente, fica travado.

Quanto mais experimentamos, mais somos capazes de ver o mundo sob um novo olhar, pensar de forma mais ampla, considerar possibilidades que antes eram inconcebíveis. A verdadeira educação não é aprender sobre o que pensar, mas como pensar em geral.

Aprender a ignorar os pensamentos negativos não é aprender a pensar; é aprender a se desassociar. Nossos pensamentos negativos nos informam tanto quanto os positivos. Em vez de ficarmos amedrontados, podemos aprender a vê-los como diretrizes ou, ao menos, se conseguirmos discernir a que atribuímos significado, podemos decidir o que é importante para nós, e em que grau.

Esse é o poder do pensamento negativo.

Assim como os estoicos praticavam a visualização negativa (imaginando os piores resultados possíveis e depois se preparando para eles), aprender a pensar é a simples arte de reconhecer que você escolhe como aplicar significado e emoção à sua vida.

E se você não decidir conscientemente o que importa e o que não importa, passará o resto da vida seguindo padrões de sentimento, respondendo àquilo que foi condicionado quando era jovem.

A solução não é um foco exagerado na positividade (como a psicologia popular convencional quer que você acredite), mas aprender a como transformar os aspectos sombrios de sua mente em forças que promovem a mudança e inspiram o crescimento.

A liberdade emocional e a paz interior vêm de saber o que fazer quando esses pensamentos e sentimentos negativos surgirem, porque eles surgirão.

Como explica Jonah Lehrer, regulamos as nossas emoções pensando nelas. Nosso córtex pré-frontal nos permite pensar em nossa própria mente. Nosso cérebro pensa sobre si mesmo. Os psicólogos chamam isso de metacognição.

Sabemos quando estamos com raiva, porque cada estado deve vir com um grau de autoconsciência, para que possamos descobrir por que estamos sentindo o que sentimos. Sem essa consciência, não saberíamos que temos medo do leão que está investindo contra nós na selva, então não correríamos para escapar. Se não fugíssemos, qual seria o sentido desse sentimento?

Contudo, mais importante, se um sentimento não faz sentido — se a amígdala está respondendo a um "quadro de perda", então este pode ser ignorado. "O córtex pré-frontal pode escolher deliberadamente ignorar o cérebro emocional" caso determine que não há mérito em atribuir significado àquilo.

O que isso significa é que qualquer problema que você pense ter em sua vida não é o problema, e sim o fato de você o ver como um problema, em vez de um sinal ao qual você se recusa a responder, ou como um produto de superatribuição de significado, extrapolação, pensamentos irracionais que criaram emoções irracionais que continuam sem uma reavaliação, e assim por diante.

É o fato de você ver o problema mais como um problema do que como uma falácia em sua compreensão, seu foco, sua percepção.

O problema não é o problema, mas como você o encara.

Se você quer funcionar, precisa aprender a pensar sobre os seus sentimentos. A diferença entre o tipo de ansiedade que o paralisa e o tipo de medo que acompanha qualquer coisa corajosa e valiosa é o discernimento, que requer prática. A diferença entre uma pessoa que transforma os seus obstáculos em oportunidades e outra que é esmagada pelo peso de sua própria incerteza é o conhecimento e a consciência.

O desconforto nos obriga a pensar em opções nas quais não teríamos de imaginar antes.

É por isso que o desgosto é crucial para o crescimento humano. O obstáculo que se torna o caminho. Qualquer idiota desfruta as coisas positivas na vida, mas são poucos aqueles que conseguem pegar o lado negativo e encontrar algo ainda mais profundo.

O QUE VOCÊ
precisa fazer
PARA ACABAR
COM A ANSIEDADE
NA SUA VIDA

01 | **O oposto do vício não é a sobriedade, e sim a conexão.** O mesmo se aplica à ansiedade. Estar ansioso é estar desconectado do momento presente, de outras pessoas ou de você mesmo. Geralmente, de todos os três. Você deve se reconectar com a sua vida.

02 | **Você deve se permitir querer o que realmente quer.** Não há maneira de contornar isso. Seja um parceiro romântico, um emprego melhor, um pouco mais de dinheiro, reconhecimento pelo seu trabalho: veja e aceite, mesmo que você ache que a sociedade pensa que você é superficial, defeituoso ou que não "ama a si mesmo" o suficiente.

03 | **Se você não consegue descobrir o que quer de verdade, encare os seus medos mais profundos.** O que há do outro lado desses medos? É isso o que você quer.

04 | **Seja grato pelo seu desconforto.** O mais triste e estranho é que as pessoas felizes são complacentes. Sentir-se desconfortável é sinal de que você está no limiar de algo novo e melhor, mas que deve agir.

05 | **Seus novos melhores amigos serão a estrutura e a produtividade.** Não se trata de marcar uma lista de tarefas de cem itens; é saber que você realizou algo (qualquer coisa!) que contribui para o seu bem-estar a cada dia.

06 | A "ansiedade irracional" geralmente é curada quando fazemos coisas muito práticas. As coisas sem sentido com que você se preocupa geralmente são projeções ampliadas de preocupações reais com as quais você não está lidando.

07 | Você deve começar de onde está, usar o que tem e fazer o que pode. Qualquer outra coisa é fugir de seus problemas e abandonar a sua vida e a si mesmo. A verdadeira mudança é um produto da evolução; pensar de outra forma é uma ilusão que o manterá afastado das coisas que você precisa curar.

08 | Faça um esforço consciente para se conectar e se reconectar com as pessoas que você já tem em sua vida, mesmo que seja apenas uma pessoa em quem você confia e com quem se conecta. Isso começará a restaurar ligações emocionais saudáveis. Precisar de amor não é fraqueza.

09 | Compre um caderno que sirva exclusivamente para registrar lixo, que é o que você fará sempre que se sentir entulhado por dentro. Anote tudo o que surgir — quaisquer pensamentos horríveis, constrangedores e de ódio a si mesmo que surgirem, deixe-os sair. Depois de fazê-lo algumas vezes, você acreditará quando digo que isso os libertará.

10 | A única coisa que você deve tentar fazer quando estiver muito ansioso ou em pânico é se consolar. Você não consegue pensar com clareza e não deve fazer suposições ou tomar decisões sobre a sua vida nesse estado. Descubra o que o acalma (um lanche, um banho, conversar com alguém, fazer algo que você realmente goste) e livre-se dessa energia antes de fazer qualquer outra coisa.

11 | Você precisará descobrir como viver o momento, mesmo que pareça chato, impossível, aterrorizante ou tudo isso

junto. A ansiedade é um alerta de que estamos muito no passado ou no futuro — e isso está afetando a forma como fazemos escolhas no presente.

12 | **Você precisará fazer algo a respeito de tudo o que o está impedindo de buscar aquilo que realmente deseja.** Como diz Cheryl Strayed: "A verdadeira mudança acontece ao nível do gesto. É uma pessoa fazendo algo diferente do que fazia anteriormente."

13 | **Leitura.** Se você não lê, não é porque não gosta de ler, e sim porque ainda não encontrou nada que o interessasse. O que você ler agora afetará a pessoa que você será nas próximas décadas. Leia matérias e ensaios on-line sobre como as pessoas lidam com os seus medos — nelas, você encontrará certa camaradagem, verá que pessoas estranhas se sentem exatamente como você. Leia sobre coisas que você não entende, que o assustam e o fascinam. Só leia, droga.

14 | **Você pode mudar o modo como se sente.** Isso é algo de que você deve se lembrar. É tão simples quanto: "Quero me sentir diferente a esse respeito, então vou me concentrar em um aspecto diferente disso."

15 | **Se você quer comprar a ideia de que não pode "escolher" a felicidade ou como se sente ou o que pensa, você está se condenando a uma vida extremamente difícil e deve parar de ler agora, porque fazer essas coisas é a única maneira de se salvar.**

16 | **Você sempre sentirá ansiedade.** Sempre sentirá medo. Se você se importa com a sua vida, ou se está mesmo prestando atenção no que está acontecendo por aqui, saberá que há muito com o que ficar ansioso e de que ter medo. O objetivo final não é eliminar esses sentimentos, mas fortalecer o músculo mental que o permitirá escolher ser feliz apesar disso e não ficar paralisado quando esses sentimentos se manifestarem. É isso.

17 | **Para algumas pessoas, o fortalecimento desse músculo exigirá uma simples mudança de perspectiva.** Para outras, serão necessários anos de medicação, terapia, mais trabalho e esforço do que jamais fizeram anteriormente. É a luta da nossa vida e o que mais devemos a nós mesmos. Se você for escolher uma batalha, escolha essa.

18 | **O problema não é o problema.** O problema é como você o encara. Seu sistema de orientação interna não está muito bem agora porque algo não está certo. Isso não significa que você está destinado a uma vida de sofrimento perpétuo e inevitável. Significa que em algum lugar, lá no fundo, você sabe que existe outra maneira — uma maneira melhor — de viver. Significa que você sabe o que quer, mesmo que tenha medo.

19 | **Você precisa escolher o amor.** Isso parece um conselho irritante, mas você não pode desistir das pessoas que o iluminam por dentro, das coisas que você adora fazer (mesmo que não sejam um trabalho) e do que você deseja para si mesmo. Você deve escolher o amor, mesmo que ele o assuste. (Na verdade, seu medo de fazer algo é proporcional ao seu amor por aquilo.)

20 | **Você deve aprender a expressar a dor quando a sente.** Isso não significa que um comportamento imprudente e descontrolado é justificável; significa que você precisa aprender a reconhecer a sua dor, comunicá-la objetivamente aos outros e lidar com ela quando surgir.

21 | **Você deve aprender a desvendar qualquer toxicidade emocional que se acumule dentro de você.** Por exemplo: se não se permitir sentir e aceitar que foi gravemente magoado pelo(a) ex, estará constantemente projetando ideias sobre como o seu novo romance o magoará e como você nem deveria tentar, recriando assim a situação que mais teme. Desvendar é ver, sentir e aceitar. A vida às vezes é brutal, injusta e indescritivelmente horrenda. ("Estamos todos na sarjeta, mas alguns de nós estão olhando para as estrelas." — Oscar Wilde)

22 | Separe as sensações de seu corpo daquilo que você pensa que significam. Quando você estiver muito perturbado, pergunte a si mesmo: o que meu corpo de fato está sentindo agora? Tipo, o que eu sinto de verdade? Provavelmente, não é nada mais do que apenas um pouco de tensão ou desconforto. O restante de seu pânico é tudo o que você atribuiu a essa sensação.

23 | Não confie em todos os seus sentimentos. A sabedoria convencional recomenda que você o faça, mas isso é insano, considerando como muitos desses sentimentos derivam de pensamentos irracionais, experiências passadas e assim por diante. Se você confiar cegamente em todos os seus sentimentos, será confundido por eles constantemente. Decida quais significam alguma coisa e quais não significam nada.

24 | Utilize a ferramenta de crescimento mais poderosa de todas: "trabalhar o seu futuro". Se você está em cima do muro sobre ter filhos, imagine a sua vida aos 75 anos de idade. Você vai querer a sua família ao seu lado ou se sente bem sozinho? Imagine a sua vida daqui a três anos. Você ficará feliz por não ter se esforçado mais naquele relacionamento ou por não ter economizado nenhum dinheiro, ou por ter perdido o seu tempo assistindo a Netflix quando poderia estar escrevendo um livro, iniciando um negócio ou fazendo música, como realmente deseja? Imagine a sua vida da perspectiva da pessoa que você espera ser. Isso colocará muitas coisas de volta no lugar.

100

PARE DE PERSEGUIR
A FELICIDADE

Alan Watts ensinou que o desejo de segurança e o sentimento de insegurança são a mesma coisa — que "prender a respiração é perder o fôlego". O zen-budismo tradicional concordaria: desejar realização é não ter satisfação, a felicidade não é algo a ser buscado, e sim aquilo em que você se torna.

Essas ideias são legais (embora talvez sejam apenas banalidades para a maioria das pessoas), mas ilustram a loucura por trás da crença comum de "perseguir a felicidade". Como disse Andrew Weil: a ideia de que os seres humanos devem ser sempre felizes é "uma ideia exclusivamente moderna, exclusivamente americana e exclusivamente destrutiva".

É o nosso desejo de felicidade perpétua que impulsiona o consumismo, ameniza o fato de que estamos todos correndo em direção à morte incerta e nos mantém sempre atrás de mais. De muitas maneiras, este desejo — junto com o nosso medo existencial da morte e do sofrimento — explica por que inovamos e desenvolvemos a sociedade na qual vivemos. Nossa falta de realização nos impulsionou porque a busca pela felicidade não cessa e não cessará.

Isso se deve em grande parte à adaptação hedônica, que na verdade é apenas o fato de os seres humanos se acostumarem com o que lhes acontece. Nós mudamos, nos ajustamos, nos adaptamos, ansiamos por mais. Os psicólogos também chamam isso de "linha de base", a maneira pela qual nos regulamos para voltarmos à "neutralidade" após a ocorrência de diferentes eventos de vida.

Perseguir a felicidade é tentar nos manter sustentados por eventos de vida "positivos", em vez de ajustar a linha de base como um todo. Motivar-nos com a esperança de alcançarmos um sentimento "positivo" constante não apenas é prejudicial à saúde com também é impossível.

Se você quer ser feliz, precisa parar de perseguir a felicidade. A felicidade é um subproduto de fazer coisas que são desafiadoras, significativas, bonitas e valiosas.

É mais sensato passar a vida perseguindo o conhecimento, ou a capacidade de pensar com clareza e com maior dimensão, do que apenas perseguir o que "é bom". É mais sensato perseguir o tipo de desconforto que só ocorre quando você faz algo tão profundo e capaz de mudar vidas que é tirado de sua órbita. É mais sensato inclinar a balança em vez de equilibrar coisas das quais você não gosta apenas porque acredita que o equilíbrio o fará "feliz". É mais sensato fazer coisas que são difíceis e o fazem se sentir vulnerável e cru do que evitá-las, porque o conforto faz você se sentir temporariamente, fugazmente bem.

No fim das contas, evitar a dor é evitar a felicidade. (Ambas são forças opostas dentro da mesma função.) Entorpecer parte de nossa capacidade de sentir é desligar tudo. Isso nos deixa perseguindo o tipo de felicidade vazia que nunca realmente nos preenche e nos transforma em cascas das pessoas que realmente estamos destinados a ser.

101

O QUE VOCÊ
precisa saber se estiver
EXPERIMENTANDO METANOIA:
uma mudança de
MENTE, CORAÇÃO,
DE SI MESMO
OU DE SEU MODO DE VIDA

Seja uma simples mudança no sentido de se comprometer a tratar as pessoas com mais gentileza ou a brutal (e libertadora) percepção de que você é responsável por sua própria felicidade, tentar entender melhor o mundo é uma tarefa árdua, algo que somos chamados a fazer diversas vezes na vida. Há uma bela palavra para isso, "metanoia", e se origina da palavra grega que significa "mudar de ideia ou de propósito". Realmente não importa como você está mudando, apenas que qualquer tipo de mudança psicológica ou emocional maciça tende a atender circunstâncias semelhantes e lutas comuns. A seguir, algumas coisas que você precisa saber caso esteja passando por isso:

01 | **Se for um relacionamento que provocou uma revolução em sua maneira de ver o mundo, saiba que esse relacionamento provavelmente serviu ao seu propósito.** Muitas pessoas se apegam ao catalisador de seus "despertares" pessoais porque confundem "grande amor" com "amor para sempre", o que não é a mesma coisa.

02 | **Você não precisa se aborrecer com suas velhas crenças limitantes: a mudança está na construção do que virá a**

seguir, não no desmantelamento do que já foi. Você não precisa se aborrecer pelo tempo que passou sem perceber que a vida ia além do que você imaginava. A questão é que você acabou descobrindo.

03 | **A base de qualquer catástrofe pessoal ou desejo de uma compreensão mais profunda geralmente é a mesma: é a compreensão de que você, e somente você, é responsável por sua vida.** Você não pode depender de nada — nada! — para fazer o trabalho real e cansativo que é encontrar conforto em um mundo completamente impermanente. Nenhum trabalho, nenhuma quantia de dinheiro, nenhum relacionamento, nenhuma realização poderá complementar isso para você. É uma paz que você deve alcançar primeiro; então poderá aproveitar o resto.

04 | **"Amar a si mesmo" é uma ação, não um sentimento.** Quando pensamos no amor romântico, pensamos na descarga de hormônios que nos provoca uma emoção exagerada. Raramente pensamos nas tarefas diárias e nos compromissos necessários para tornar o bem-estar de outra pessoa tão importante quanto o nosso. O mesmo vale para amar a si mesmo: pensamos que nos dar valor é uma emoção quando, na maioria das vezes, está mais relacionado a se defender, ter a coragem de seguir em frente, ter a coragem de desistir, encontrar a felicidade apesar da impermanência, da falta de confiabilidade das coisas, e assim por diante.

05 | **Você não precisa ter e nunca terá todas as respostas.** Não se trata de quão certo você está, e sim quão disposto você está a tentar. Ninguém conhece o abismo misterioso de onde viemos e ao qual finalmente voltamos, e ainda assim a vida de muitas pessoas — e de nossa sociedade/cultura em geral — é criada e ditada a partir de ensinamentos sobre este desconhecido. Tudo é especulação por enquanto — mas algumas especulações levam a um mundo mais feliz, gentil e pacífico (enquanto outras, não). A questão não é quem sabe o quê; a

questão é quem está disposto a fazer o que for preciso para construir uma versão da realidade melhor do que a que temos agora.

06 | **Você não precisa acreditar em nada, mas precisa ser capaz de ouvir o que parece verdadeiro no momento e ter objetividade suficiente para falar e agir com respeito e gentileza consigo mesmo e com as pessoas ao seu redor.** E se você for instruído ou pressionado a acreditar em qualquer coisa que não encontre eco em todas as células do seu ser, saiba que é o seu sistema de orientação interna dizendo: "não exatamente".

07 | **Suas lutas farão de você o que você é.** Desconforto é a pressão necessária para nos fazer agir de um jeito que, de outra forma, não agiríamos. Superficialmente, isso parece assustador, porque é desconhecido. Mas os momentos mais difíceis de sua vida serão os catalisadores de seu devir. Os desafios farão com que você se transforme em alguém que nunca imaginou ser. As coisas "ruins" em sua vida serão as folgas necessárias para você entrar em coisas melhores do que poderia imaginar. Você agradecerá pelas coisas não terem saído do jeito que queria. Você agradecerá pelo que está lutando quando chegar do outro lado.

1ª edição	FEVEREIRO DE 2022
reimpressão	AGOSTO DE 2024
impressão	LIS GRÁFICA
papel de miolo	HYLTE 60 G/M²
papel de capa	CARTÃO SUPREMO ALTA ALVURA 250 G/M²
tipografia	MINION PRO E DIDOT LT PRO